コンテンポラリー アート ライティングの 技術：ギルダ・ウィリアムズ

GOTO LAB 監修

光村推古書院

[凡例]

本書には、字数の表記が多く見られるが、日本の読者に分かりやすいよう、ほとんどを日本語の場合の字数に換算して訳している(英語の語数表記のおおよそ2.5〜3倍を日本語の字数とし、場面に応じて多少増減を加えた)。しかし、第3章の国外のアート雑誌の文量と傾向を紹介するページ(「FAQ」204ページ)のみ、英語の場合の語数のまま表記したので注意されたい。

また、「パラグラフ」という言葉が頻出するが、これは読みやすさに応じて改行する「段落」、すなわち「形式段落」とは異なるので予め念頭において欲しい。英文では、ひとつの段落にひとつのアイデアが入れ込まれたミクロ論文となっているのが望ましいとされている(その点に関しては106ページにわかりやすく説明されている)。そのため、「意味段落」、あるいは「節」と捉えていただくとわかりやすいかもしれない。

目　次

序　論

序論

人類がこの世界で行った最も偉大なことは、何かを見て、その姿をわかりやすく伝えることである。

—ジョン・ラスキン 1856[1]

1

アートを書くための正解はない

私たちは、どのような分野の執筆であれ、そこにひとつの決まった定式はないということを、もとより知っています。そのため『How to Write About Contemporary Art：コンテンポラリーアートライティングの技術』は、最初は矛盾したタイトルのように思えるはずです。

アートについてうまく書こうと心から決心し、そしてこの本で集められた提案にくまなく従ったとしても、それぞれ独自の道を開発する人のみが成功してきたという事実を無視することはできません。優れたアートライターとは、従来のスタイルを破り、他人に犯されることのない聖域をもち、自分自身を革新する人物です。彼女らの判断は、機械的な定式ではなく、直感によってなされています。多くは、膨大な量のアートを鑑賞し、無数の優れた文献を読むことで学んできました。言語に対する本能的なセンス、豊富な語彙力、多種多様な文章構造への感性、独自の意見、共有するに値する印象的なアイデア。ライターにとってこれらに代わる財産はないでしょう。私はこれらのどれもあなたに教えることはできません。そして究極的には、どの本もあなたにアートを愛することを教えることはできません。もしコンテンポラリーアートが好きでないのであれば、今すぐにこの本を置いてください。これはあなたのための本ではありません。

21世紀のアートは、オフラインでもオンラインでも、驚異的なブームを迎えており、それに付随する執筆の需要も凄まじい勢いで高まっています。美術館とアートフェアはかつてない入場者数と拡大を誇る一方、新しいアートスクール、専門的な修士プログラム、国際的なビエンナーレ、コマーシャルギャラリー、アートサービス、アーティストのウェブサイト、巨大なプライベートコレクションも日々発展しています。そして、アーティスト、キュレーター、ギャラリスト、美術館ディレクター、ブロガー、編集者、学生、広報担当者、コレクター、教育関係者、オークショニスト、アドバイザー、投資家、インターン、批評家、ジャーナリスト、大学教授など、この拡大するアートの世界におけるあらゆる役割の人々が、それぞれの領域に対応した言葉を必要としているのです。今日、アートは世界中のバーチャルオーディエンスたちによって、スクリーン上の画像とテキストを通して吸収されており、ポストポストモダン、ポストメディウム、ポスト形式主義、ポスト批評世代の若者たちによって作られる今日のアート作品は、専門家でさえ解読を必要とします。

読者の増加に伴い「伝わるアートライティング」の需要が急増しているにも関わらず、ほとんどのコンテンポラリーアートライティングは——想像力に溢れて、純粋に啓蒙的で博識なテキストが一部あったとしても——依然としてほぼ理解不能です。陳腐で奇妙なアートライティングは物笑いの種です。『Contemporary Art Daily』(公開投稿形式のアート情報ウェブサイト)の不可解で冗長なテキストの海をスクロールしていくと、もっともらしいアート言語として通用していくものを目の当たりにして、私でさえ失望してしまいます。

しかし、長年にわたってアートライティングを教え、編集してきた私は、これらの解読不可能なテキストの裏にある経験不足の試行錯誤についても理解しています。これらの苦悩する作家たちは、視覚的経験を書かれた言葉へと変換するという、この困難な作業を達成するためのいかなる助けもないまま、アートライティングの深淵まで投げ込まれていくのです。多くの新人ライターにとってこの仕事が簡単なものでないことは間違いありません。この本は、駆け出しアートライターたちにはガイダンスを、そして願わくは経験豊富なライターには復習となることが意図されています。

ほとんどの解読不可能なアート論は、非専門家の目をくらますことを目的に書かれていると一般的には思われていますが、私はそうではないと思います。ときには、名の知れたアートライターが、魅力的な言葉や一流のアート作品で未熟な考察をごまかそうとした結果、不可解なアート論が書かれることもあります。しかし、最悪なケースの多くは、必死に伝えることを試みる勤勉なアマチュアライターによって書かれています。

アートライティングは、この業界の最も貧しい賃金労働であり、このことはアートワールドをつらぬくヒエラルキーを説明しています。それゆえ、高度なアートライティングの仕事は、そこで最も経験が浅く無名のメンバーに割り当てられることになるのです。多くの悪いアートライティングの原因は、一般的に指摘されるような中身の伴わない虚飾性ではなく、トレーニングの不足にあるのです。

アートについてうまく書くには非常に熟練した技術が必要ですが、トップアートライターでさえ、給与は成功したディーラーやアーティストのそれよりも少額です。アートライティングの世界では5桁でも大金として数えられます。多くの場合、人々がお金を支払うのは自分が手に入れるものに対してだけです。そのためアートライティングが報酬を与えられることはほとんどないのです。理解に苦しむ、不愉快なギャラリーのプレスリリース——私にしてみれば、業界で真面目に働く後輩たちからの助けを求める叫びのようです——のライターたちは、編集者の手を借りられることさえ、滅多にありません。こういった瑞々しいテキストは、初稿という栄誉を誇りながら毎日のようにオンラインで公開されています。明確な表現にたどりつけなかったライターたちによる一部のアートテキストは、まるで意味がないように見受けられるため、アート自体がそういうものなのだという誤解も広く生じかねません。
　アートについてうまく書くことを学ぶひとつの最大の理由があるとすれば、それは、うまく書かれるに値する素晴らしいアートがそこにあるからです。聡明なアートライティングはそのアートの見方をより広げることができるでしょう。

私は偏った給与水準を正すことはできませんが、過小評価されているこの素晴らしい務めに挑戦する全ての人のために、自分の知っているあらゆることを共有できます。四半世紀にわたり、コンテンポラリーアートライティングの執筆、編集、読書、指導に専門的に携わってきた私がたどり着いたのは次のような結論でした。

優れたアートライターは、無数の違いはあれど、基本的には以下の同じパターンに従っています。

- 文章は明確で、うまく構成されており、慎重に言い表されている
- テキストは想像力に富み、スパイスの効いた語彙、自身のアートの経験と知識に裏付けされた独自のアイデアで満ちている
- そのアートとは何なのか、それが何を意味しうるのかをビビッドに説明し、それが世界全体とどのように接続しうるかを提案している

経験の浅いアートライターは以下の似たような間違いを繰り返します。

- 文章が曖昧で、構造が不十分であり、専門用語が多い
- 語彙は想像力に欠け、アイデアはまだ未開発
- 欠陥ある論理と寄せ集めの知識
- 鑑賞経験に基づかない仮説。経験が無視されている
- 作品の背後で主張されている意味、もしくは他の世界との関係を、説得力をもって伝えることに失敗している

『コンテンポラリーアートライティングの技術』の目的は、どのように書くべきかを教えるのではなく、一般的に陥りがちな間違いを指摘し、熟練アートライターたちはどのようにそれを回避しているのかを示すことにあります。成功例と失敗例を並べることで、出発点から誤った癖を避け、独自のスタイルでアートについて思考し書くことができるはずです。これは、この志を魅力的に感じたあなたのための本になるでしょう。

2

インターナショナル・アート・イングリッシュ

2012年夏、ウェブサイト『Triple Canopy』は、アーティストのデイヴィッド・レヴィーンと社会学博士課程の学生であるアリックス・ルールの「インターナショナル・アート・イングリッシュ」という物議を醸し出すエッセイを発表しました[2]。彼らは、「IAE（インターナショナル・アート・イングリッシュ（International Art English））」と呼ぶものの言語学的傾向の科学的分析を示すために、オンラインアートジャーナル『e-flux』のプレスリリースをコンピューターで分析し、次のようなIAEの傾向を発見します。

- 即興名詞を習慣的につくりあげる（「視覚の」は「視覚性」というように）
- ファッショナブルな専門用語を打ち出す（トランス、インボリューション（In-volution）、プラットフォーム）
- プロト〜、パラ〜、ポスト〜、ハイパー〜といった接頭辞の乱用

レヴィーンとルールによる発表は、一部からは拍手で迎えられましたが、他の業界人はその方法と結果、双方に対して懐疑的であり、激しい議論が続きました[3]。奇妙なギャラリーのプレスリリースを揶揄することは、多くの人から軽薄な吊るし上げとみなされたのです。しかし、レヴィーンとルールによる、コンテンポラリーアートにはびこる中身のない冗長さの「告発」は、実際何年ものあいだ笑いのタネとなっていたアートワールドの不思議な風習を照らし出すことになります。

イギリスのアーティストコレクティブのBANKは『Fax-Back』（1999［図1］）というプロジェクトで、プレスリリースに校正とコメントをぎっしりと書き込んで（「完全に無意味な文章。よくやった!」）ギャラリーに返しました。

ファンも素人も同様に、チンプンカンプンなアート論のやかましさにはうんざりしており（これにより『Private Eye』紙や『Frash Art』誌の「Pseud's Corner」［訳注：メディアに流通する記事から、もったいぶった似非インテリな文言を取り上げる読者投稿型コーナー］は活気づきました）、必然的に彼らの注目は聡明なアートライターたちの仕事へと及ぶこととなります。

愚かなアートライティングへの、人々の困惑に満ちた寛容さはもう終わりに近づいているのでしょう。『Triple Canopy』の「インターナショナル・アート・イングリッシュ」の汚名をきっかけに、偽りの文章への摘発解禁が宣言されたように見受けられます[4]。

例えば、『Artforum』の書評は、最近の2つのキュレーションに関する本を取り上げました。双方とも初歩レベルの美術愛好家によって書かれたギャラリーのそれとは違い、専門家によって定評ある出版社から発表された本です。評論家であり歴史家のジュリアン・スタラブラスは、そこで発見した「濃厚で粘り気のある言葉遣い」を嘆き、いくつかの文章を簡単な言葉に言い換えています。

> 例えば結論部分はこうだ。
> 「展覧会とは、空間と時間に横たわる主題とオブジェクトのあいだのさまざまな形態の交渉、関係性、適応、コラボレーションによって生じた共同生産的な空間媒体である」
> 翻訳するとこうなる。人々はオブジェクトを使って展示をつくるために協働している。それらは空間と時間に存在している[5]。

「人々はオブジェクトを使って展示をつくるために協働している」というスタラブラスの書き直しは、多くのアートライティングでは見られないような平易な言葉として目に飛び込んできます。耳障りなアート言語に対する不満の合唱と、専門的な修士課程プログラムの流行[6]は、過去数十年の間にキュレーションが晒されてきた再検証を、この領域に対しても繰り返す準備が整っていることを示しています。ライターや批評家も、アートワールドの進化の波を避けることはできないのです。

Die Young Stay Pretty

Exhibition Guide

Die Young Stay Pretty is a group exhibition featuring 12 artists, curated especially for the ICA by an artist **Martin Maloney**. Maloney came to prominence in 1995 when he curated a series of group exhibitions in a gallery in his Brixton flat which he called *Lost in Space*. Some of the artists in this exhibition first appeared in those shows. In addition to working as an artist and curator, Maloney is also influential as a tutor to young art students and has also enjoyed a career as a critic.

Over the past few years Maloney has been an energetic champion upon the London art scene, of a return to figuration, to retinal pleasure and the joys of making things with the hands. The artists in *Die Young Stay Pretty* draw inspiration from a wide variety of sources: from Hollywood and TV, from magazines and the world of fashion and interior design, while art historical references range from Michelangelo to Klimt, from Claude to Guston, from Poussin to Warhol. In addition, Maloney's taste and interests have been shaped by a return to figuration during the 1990s, spearheaded by artists such as John Currin, Karen Kilimnik from the US, or Marlene Dumas and Luc Tuymans from Europe.

The exhibition selection brings together works which share a visual and sensual vibrancy. Some works have been lovingly and carefully crafted or stitched together, while others reinvigorate outmoded traditional genres such as flower painting or animal sculpture. However this exhibition is not backward looking, its romanticism derives more from teenage magazines than from Caspar David Friedrich. *Die Young Stay Pretty* is about what is happening in visual art now.

Jun Hasegawa's painted MDF cut-outs are like vast pin-up images of stars. Hasegawa selects her subjects from glossy magazines and creates vast simplified iconic portraits of her heroes and heroines: Juliette Lewis, Uma Thurman and in the foyer Lisa Kudrow and Mira Sorvino from *Romy and Michelle's High School Reunion*. They are monumental in scale, within the ICA Foyer they have the shiny directness of advertising and in the classical architecture of the ICA's Upper Gallery they hark back to bas relief heroic decorative schemes. *Jun Hasegawa (b. Japan 1969) exhibited at Lost in Space in 1995, and was included in Some Kind of Heaven a touring exhibition organised by Kunsthalle Nurnberg and South London Gallery in 1997.*

Dexter Dalwood paints interiors of places he has never seen. Some of them like *Laboratoire Garnier* don't really exist at all, while others like *Sharon Tate's House* or *Paisley Park* (TAFKA Prince's recording studio), play a mythic role within a collective psyche, yet are not publicly accessible. Dalwood starts with preparatory sketches in pencil, and then develops his ideas using collages of objects, colours and materials found in magazines. *Dexter Dalwood (b. Bristol 1960) has regularly participated in the Whitechapel Open in recent years and is currently exhibiting at Galleria Inarco, Turin.*

Peter Davies' large abstract canvasses and text paintings are concise essays on the history of painting. There is an underlying playfulness in Davies' work - the text paintings are humorous yet serious diagrams on art: mapping influences and art movements and the abstract paintings operate as visually stimulating games, allowing a muted influence from Frank Stella to Gerhard Richter. *Peter Davies (b. Edinburgh 1970) participated in exhibitions at Lost in Space in 1995 and in Sensation at the Royal Academy in 1997.*

Gary Webb's futuristic sculptures use materials and surfaces reminiscent of 60s and 70s design. They possess a bizarre power: curious conjunctions of surfaces, colours and materials jostle with each other, sometimes literally as in the kinetic sculpture *I Love Black Music* that greets visitors at the entrance of the Lower Gallery. At times they have an improvised feel which is at odds with their laborious production and their physical delicacy. *Gary Webb (b. Brighton 1973) had a solo show at The Approach Gallery earlier this year.*

［図 1］BANK《Fax-Back（London: ICA）》1999年

ここでの私の目的は、アンチ・インターナショナル・アート・イングリッシュ派の仲間入りをすることではありません。あるいは、この言語に馴染み深い特徴——専門用語が詰め込まれ、単純な単語がほとんど見られない複雑な文章。複雑で異質な機能を期待して、強制的に使われる「空間」「分野」「現実」などの一般的な言葉。読者が見ているものと読んでいるものの途方もないギャップ——を嘲ることでもありません。私の目的はIAEの袋小路から逃れるための実践的なアドバイスを提供することにあります。

この本はハッタリのアート論ガイドではありません。悪いアート論は（質の悪い音楽論や陳腐な映画論、見せかけの文学理論のように）気づかないうちに習得し、あっという間に模倣することができます。しかし、シンプルで説得力のあるライティングを、誠実なやり方で楽しみながら学ぶには、いくらかの思考と努力が必要となります。ここでの目的は、論文、史実、作品説明、ジャーナリズム、批評などでの、より適切な例に焦点を当て、成功例を示すことで、そこからの学びを手助けすることにあります。

この本は、19世紀の珠玉のフレーズから、1940年のヴァルター・ベンヤミンのテキスト、1980年代から90年代のテキストまで幅広い引用を収録しています。しかし最も重要なフォーカスは、最近の例に当てられています。

『コンテンポラリーアートライティングの技術』は、アートライターの「レジェンド」概要図ではありません。多くは、美術評論家によるものではなく、歴史家、学者、キュレーター、ジャーナリスト、小説家、ブロガー、時にはファッションライターの、雑誌や本、ブログに掲載されたテキストからの引用です。短い分析を添えた、幅広い例を含めることにより、実行可能なアプローチの見本を提供しています。ここで私は、アートを文章のテーマとする全ての人を「アートライター」と呼んでいます。それは部分的には、今日のアート専門家たちの複数の役割を説明するために続々と並べられる肩書きを省く意図もあります（「アーティスト／ディーラー／キュレーター／批評家／ブロガー／「クンストワーカー」／ジャーナリスト／歴史家」29ページを参照）。

政治からアーティストの伝記、スタジオメソッド、フォームと素材、マーケット、社会学、個人的内省、哲学、詩、フィクション、美術史…ここで集められたさまざまな例には、これらを貫く一様のアプローチというものは存在しません。

イヴ＝アラン・ボイス、ノーマン・ブライソン、T・J・クラーク、ダグラス・クリンプ、ジェフ・ダイヤー、ハル・フォスター、ジェニファー・イギー、デイヴィッド・ジョーズリット、ウェイン・ケステンバウム、ヘレン・モールスワース、キャロライン・A・ジョーンズ、ルーシー・リパード、パメラ・M・リー、ジェレミー・ミラー、クレイグ・オーウェンズ、ペギー・フェラン、レーン・レリア、デイヴィッド・リマネリ、ラルフ・ルゴフ、アン・ワグナー…数々の素晴らしいアートライターたちはここには登場しません。アートシステムにおける自身の役割と切り口を、彼らのように決心するよう迫られるときがあなたにもやって来るはずです。あなたの「独自性」を発見しましょう。

良い文章は、印刷されているかオンラインで公開されているかに関係しません（ただしインターネットの解説の多くは、無限に変更または削除が可能であるうえに、多くのものはただ霧散していきます。そのため、未来の美術史家は、21世紀のアーティストの作品に関連するテキストがどこにあるかを見つけることにきっと苦労することでしょう。消滅は研究者たちの懸念の種となっています）。私の考えは、悪いものを見せしめにするのではなく、良いアートライティングを示すこと、出発点に立つ人に基本的なアドバイスを提供すること、そして自身を無力だと信じ込む新世代たちを解放し、真剣に受け止めることにあります。

偉大なアートライターは自身の仕事を楽しんでいます。アートについて書くことで、それを愛する彼ら彼女らの感情的で知的で視覚的な喜びは増幅するのです。

第1章では、今日の変化と需要に関連させながら、アートライティングの多様な目的と美術批評の簡単な歴史を見ていきます。

第2章は最も陥りがちな落とし穴をリストし、問題解決のためのテクニックを示す「ハウツー」です。

第3章は、特定の形式――学術論文、美術館のウェブサイトの投稿、レビューなど――に焦点を当て、それぞれの形式で求められるトーンと内容を説明し、いくつかの試験ずみの戦略とオプションを提示します。

アートライティングにほとんど触れたことがない人にとっては、ここで示される「良い」専門家の例は、「悪い」ものと同じくらい一筋縄ではいかないように思えるかもしれません。アートライティングは専門的であり、一部の形式は、流暢な専門用語と現在の議論への関連性を必要とします。これとありふれた「インターナショナル・アート・イングリッシュ」の虚言は大きく対照的であり、それがアート専門家と素人の違いをつくっています。新米アートライターは、(経験の浅い読者のように)健全な意志をもっていたとしても、ごちゃごちゃとした根拠のない文句と、デイブ・ヒッキーやヒト・シュタイエルなどのヒーロー／ヒロインによる、明快でそつなく主張された議論とを区別することに純粋に苦労するでしょう。優れたアートライターは、アートの複雑さを高めることができ、明晰なライティングを過度な単純化と混同することもありません。

この本は、あなたがその違いを見分けられるようになることを目的としていますが、全てのアートライティングが、知識や先入観のないアマチュア読者に向けられているわけではありません。しかし、もしあなたがコンテンポラリーアートにまだ完全に精通していないとしても、それは問題ありません。この本の「ハウツー」章は、学術論文や短い記述テキストなど、入門者が遭遇する基本レベルのフォーマットに焦点を合わせることから始めています。

とはいえ、『コンテンポラリーアートライティングの技術』は、「非常に専門的で複雑な仕事」のための「入門書」のため、パラドックスは絶えず付きまとってきます。

ここに含まれる、より高度なアートライティング(新聞のレビューや寄稿ジャーナルなど)を執筆した熟練の批評家たちは、ただうまく書くだけではありません。彼らは最高の問いを提起し、「ハウツー」本を読むだけでは得ることのできない、計り知れない経験と知識、好奇心の組み合わせから引き出された技術と、非常に辛辣な考察とを組み立てます。また最良の例を読めば、テキストと作品に命を吹き込んでいるのは、ライターの創造的な情熱だということにも気がつくはずです。

直感的には、最も可能性のある新しいアートライティングの土壌は、アートとアートの振る舞いについて書かれた芸術関連のフィクションや、アートと文学が交わる哲学など、周縁部で肥やされているのではないかと感じています。

しかしここでは、これらの斬新な例はほとんど取り上げていません。この実験領域をロードマップ化するのは狂気の沙汰です。「批評小説（Critico-Fiction）の書き方」（批評とフィクションのハイブリッドの新しいジャンルが批評小説と呼ばれることがあります）という章があるとすれば、それは「アートの作り方」に相応する章となるでしょう。こういった変わり種のスタイルは、自分で発見し実験してみてください[7]。

また私の現段階での結論は、多くのコンテンポラリーアートライティングは、奇妙なことに、検証されることはおろか、実際に読まれることすらおそらくは意図しておらず、ほとんど儀式的な目的を果たしているだけだという考えに行き着いています。

「彼らが何を書いているかはどうでもいい、大事なのは彼らが何かを書いているということだけ」、ひとりのアーティストの友人は私にこのように打ち明けました。アンディ・ウォーホルの言葉でいえば、「彼らが君について何を書いているかは気にしちゃいけない。ただどのくらいのスペースが割かれているか測るだけだ」。これはあらゆるアートライターにとって、素晴らしく痛烈なコメントでした。

3

誰もが上手なアートの書き方を学ぶことができる

誰しもが絵の上手な描き方を学ぶことができるように、誰もがアートの書き方を学ぶことができます。絵を学ぶには、練習と（できる限り毎日の）、見ていると思っているもの、ではなく見ているものを描く必要があるという段階的な理解が必要となります。ドローイングとは機械的なスキルではなく、視覚的経験の理解なのです。アートライティングにも同様のことがいえます。練習と（できる限り毎日の）、見ているものを書くこと、そしてアートを理解するために書くプロセスを利用することが必要です。

まず、アートに集中することから始めましょう。アーティストがどのように制作し、作品がどのように見えるかを学びましょう。シンプルでありながら奥行きある言語を生み出さなくてはいけません。想像力を働かせて。楽しみましょう。テキストを情け容赦なく編集しましょう。好奇心をもって、自分自身のためにアートを見てください。限界まで学びましょう。あなたが書くことができるのはあなたの知ることだけです。

第1章

役目
なぜ
コンテンポラリーアートについて
書くのか

「美術批評は、アートのように、それが存在しない世界では想像さえされなかった、より良い何かを提供しなければならない。それはいかなるものだろう?」[8]

—ピーター・シェルダール 2011

なぜアートについて書くのでしょうか。言葉が「語る」ことができて、作品それ自体では語れないものとはなんでしょうか。批評家のスーザン・ソンタグが1960年代に述べたこの言葉から始めましょう。「芸術についてのあらゆる解説と議論は、芸術作品を［…］われわれにとってもっと実在感のあるものとすることを目ざすべきである」[9]。

> 良いアートライティングの第一原則は、芸術作品をより有意義で、より愉快にするための真摯な試みであること、そしてアートと人生にそれをもたないときには存在し得なかった「より良い何か」を与えること（シェルダール）

書くときは「より良い何か」を加える、この一文を心に留めておけば、良いスタートが切れるはずです。
本章の冒頭でも引用したこの言葉は、『The New Yorker』誌のベテラン批評家、ピーター・シェルダールが美術批評に対して述べたものですが、一方で今日のコンテンポラリーアートライティングの大部分は、彼の言葉だけでは定義しきれないということも覚えておきましょう。それぞれが自立した形式として存在するわけではありませんが、無数の非批評的な新しいスタイルが、伝統的な批評の一軍へと加勢しつつあります。

- 美術館のウェブサイトで公開される文章や音声
- 教育用ツール（あらゆる層に向けた）
- 美術館のパンフレット
- 助成金の申請書
- ブログ
- 進化形キャプション
- 新聞記事
- ファッション誌に掲載される短い記事
- 収蔵品についての宣伝
- オンラインアートジャーナル

以上のジャンルは、以下のような従来からの安定した形式のアートライティングと肩を並べています。

- 学術論文、美術史研究論文
- 新聞記事
- ディスプレイパネル
- プレスリリース
- 雑誌記事とレビュー
- 展覧会カタログのエッセイ
- アーティストステートメント

アートライターが最初に明確にしなければならないのは、作品を説明するテキストなのか（多くは署名なし）、あるいは作品を価値づけするテキストなのか（多くは署名あり）という判断です。この境界は明確ではありませんが、執筆に取りかかる際は必ず考慮しなければなりません。

1

説明 vs. 価値づけ

「説明」（文脈づけと描写）と「価値づけ」（評価と解釈）という、アートライティングの2つの基本的な機能に対して意識的になりましょう。アートライティングの形式によっては、このうちのひとつの機能を果たすことのみ求められることもありますが、多くの場合はそれぞれを適量取り入れ、2つの機能を重複して果たすことが求められます。例えば、個展の図録であれば、現代美術史におけるその重要性を示すことを（価値づけする）目的として、作品が詳細に描写（説明）されます。

「説明テキスト」

- 短いニュース記事
- 美術館の壁面パネル
- ウェブサイトに投稿された収蔵品に関する記述
- プレスリリース
- オークションカタログの作品記述

伝統的に「説明テキスト」には署名がありませんが、その姿なき匿名性とは幻想でしかありえません。そこでは常に血の通った誰か（あるいは集団）が、匿名の言葉で示される「客観的」見解を、個人的な嗜好や感性で色づけしています。例えば、公的な予算で購入、公開された、世界的に知られた美術館に収蔵されている美術作品は、ラベルの有無に関わらず、恣意的な価値判断を表しています。

近頃では、美術館のラベルには著者のイニシャルが示されたり、プレスリリースにはキュレーターやアーティストのサインが書かれたりすることも多く、従来、匿名とされてきたテキストの多くが執筆者の名前を伴うようになってきています。

全てのテキストはイズムであり、真に客観的であることはありえません。
無署名であろうとなかろうと、常に意見をもった個人かグループによって書かれています。

とはいえ、「説明テキスト」を書くときには、個人的意見は控え、リサーチに基づいた、次のような最も基本的な事実と、解釈のための情報を凝縮することが望まれます。

- アーティストによるステートメント
- 批評家や歴史家、キュレーター、ギャラリストらから収集した、検証可能な情報

● 作品から観察される明示的なテーマや関心

「説明テキスト」は、常に作品を知ろうとするあらゆる人々のための手がかりとして書かれます。執筆者には、作品の意味についての過剰な考察や、鑑賞者の反応を推測することは求められません。事実とアイデアが簡潔に接続され、専門家と、そして必ずしもアートを専門としない人の双方にとって、わかりやすく、かつ高圧的ではない、有益なテキストを書くことができれば、その「説明テキスト」は成功です。

アーティスト（あるいはキュレーターなど）の引用は、その内容にとっての「事実」ではありません。そこで事実なのは、アーティストがそのような言葉を放ったということだけであり、もしかしたらその言葉が全くの虚言である可能性だってあります。アーティストが自身の意図について話したとしても、その自己評価に関しては疑問を投げかけるか、あるいはその意図が結果である作品に見いだせるか——意図が結果をしのいでいないか、変更されていないか、消されていないか——を疑うことができます。

「価値づけテキスト」

● 学術的な研究課題
● 展覧会や書籍に対するレビュー
● 署名付きジャーナリズム
● 雑誌記事
● カタログへの寄稿
● 助成金、展覧会もしくは書籍の企画提案書

「価値づけテキスト」の多くは署名付きです。著者としての名前が記されたテキストは、知識的な情報ではなく、実証された独自の意見や主張を示すことが求められます。ピーター・シェルダールは、「意見をもつことは、読者との社会契約の一部である」と、自身と読者のあいだに交わされた約

束事について説明します[10]。書き手は正確な情報を集めてから、何を考えたか、なぜそう考えたかを読者に伝えます。ここではリスクを取りましょう。鋭い問いを投げかけ、それに答えようと挑むこと――そしてさらに機転の効いた問いを吹き込んでいくことが必要です。価値づけテキストにおいては、解釈上の飛躍は推奨されるどころか、無理にでも試みることが望まれます。『The Nation』で執筆するバリー・シュワブスキーがいうように、「芸術作品だけでなく、それに対する反応のなかで自分自身をも試さなければならない」のです[11]。

しかし、駆け出しアートライターは、そもそも「説明」テキストと「価値づけ」テキストの違いを認識し損ねてしまう場合があります。アートライティングで発生する、ありがちな事故のうちの少なくとも以下の2つは、この混乱に由来しています。

- 告知を目的とするギャラリーのプレスリリースで試みられる漠然とした「概念的言説」
- キュレーターのミッションステートメントで述べられた作品の説明を羅列しただけの「レビュー」

「説明テキスト」と「価値づけテキスト」の違いを把握することは不可欠ですが、実際にはその境界は明確なものではありません。さらに、ライターの自由な想像力を刺激するための出発点としてアート作品を利用するフィクションや詩は、「説明」と「価値づけ」のどちらを目指したものでもないでしょう。コンテンポラリーアートライティングの多くはハイブリッドです。

例えば

- 素人向けに基礎的な情報を説明しながら、アーティストの熱心なファンに向けて隙のない見解を提供する新聞の展評
- 明確に説明された説得力ある議論に裏打ちされる、アート産業の動向を評価する自説展開型ジャーナリズム
- 根底にあるイデオロギーと価値判断を隠す「客観的」な言葉と、偏った選択による「事実」を記した美術館のラベル

- 作品の制作と歴史を詳らかに説明し、肯定的な評価に繋がる言葉を提示するカタログエッセイ
- 自分の意見を完全にもたない記者が、ギャラリーのプレスリリースから「エビデンス」を集めて書いた、ディズニー特集と同程度の事実性をもつ「説明」ニュース記事
- 高度に偏った意見を支えるために歴史的、統計的情報を援用する、『e-flux journal』のような美術批評とアカデミック形式にまたがった雑誌
- 手短なギャラリー訪問の後に意見をタイプアップする美術批評家よりも、ずっと大きな現実的なリスク——個人的にも経済的にも——を負う奮闘する若いギャラリストによって書かれた、アーティストにとっても初めて自身について書かれたテキストとなる、新しい才能についての「意見をもたない」プレスリリース

それでも、アートの「説明」と「価値づけ」はこの仕事の2つの柱であり、美術批評とその他のアートライティングとを区別してきました。

2

アート作品と言語

なぜこれほどまでにたくさんのアートにまつわるテキストが生み出されているのでしょうか。

まず、序章でも述べたように、アートを求める観客層はますます拡大する一方、コンテンポラリーアートの知識レベルは人によって大きく異なる、というのが理由として挙げられます。

しかし、コンテンポラリーアートライティングが支持される最も大きな理

由は、批評的であろうとなかろうと、書かれた、または話された解説の助けなしでは理解することができない、新しいアートの難解性にあります。批評家・哲学者の故アーサー・C・ダントーはこのように書いています。「批評家としての私の仕事は、読者が［アートから］少しでも多くを得るために必要となる文脈を提供することである」[12]。この基本的な考えを端的に言い換えると、新しいアートとは、アーティストやキュレーター、研究者、批評家などの、アートライティングの専門家によって示されうる文脈が与えられない限り、不可解なものだということです。

コンテキストによって美術作品に意味を与えられるという期待は——特に1960年代以降、コンテンポラリーアートのきわめて重要な概念であり、繰り返し議論されてきました——約一世紀前のマルセル・デュシャンのレディメイドの発明に一部、由来しています[13]。1913年、デュシャンはありふれたオブジェクト（自転車の車輪やボトルラック）を、ギャラリーでアートとして振る舞わせます。鑑賞者は特別な情報を与えられて初めて、この奇抜な彫刻を評価することができました。「レディメイド」は優れた工芸性ではなく、ラディカルな芸術的行為として表現されたからこそ、アートとしての価値を見出されます。数世紀前の価値基準（形、色、主題、技術）だけで、デュシャンのサイン つき便器を判断することが、突然理に反することとなったのです。

そうして、20世紀の前衛的なアートの支持者たちは次のような新しい言葉を生み出しました。

- レディメイド
- 抽象芸術
- ミニマリズム
- コンセプチュアルアート
- ランドアート
- タイムベースドメディア

理論家のボリス・グロイスは、書面による解説のマントがないまま裸で世界へと放り出され、赤面しながら言葉で身を包むことを要求する新しいアートに対し、アートライティングは「文字の防護服」を与えると提案しています[14]。

古代のオブジェクトは、その意味が時間の経過とともに曖昧になっていくために、テキストによる説明が必要でしたが[15]、新しいアートに関してはそうではありません。鑑賞者が、概念的または物質的な着眼点を利用して、作品の現代文化と思想への影響を評価するために言葉が必要とされます。

モダンアートの出現以来、重要な新しいアートとは、瞬間的な理解から抵抗するもの、と考えられています。ほとんどそのように定義されているといっても差し支えないでしょう。過剰に体系化された世界における特別な領域として評価されるアートの多くは、両義性をもっています。作品のメッセージが自明である場合、それはただのイラストレーションであり、取るに足らない装飾や精巧に作られた工芸品と同じように、重要とは見なされることのないアートとなります。

説明がなければ、鑑賞者が置き去りにされるだけではありません。その意味を決定するための何らかの枠組みがなければ、アートそれ自体が道に迷い、コンテンポラリーアートのシステムで牽引力をもちえなくなる危険があります。その観点から言えば、鑑賞者も作品も、言葉による特別な支えがない限り、ハンディキャップを負っているようなものです。

キュレーターのアンドリュー・ハントが書いているように、コンテンポラリーアートは批評によって完成しているようにすら思えるかもしれません[16]。実際、多くのアーティストや芸術愛好家たちは、書かれた言葉にほとんど依存している今日のアートに良くも悪くも憤りを感じています。

このシナリオにおけるアートライターとは、パイプのようなものであり、馴染みない作品を好奇心の強い鑑賞者へと繋げ、作品の潜在的な意味を突き止めることを可能にする専門知識を所有します。アーティストは、自身の作品が作られた理由と方法を知っていますが、ベテランの美術批評家は、何年にもわたって大量のコンテンポラリーアートを見て、そのアーティストたちと対話してきました。ときに自分自身でアートを作ることもあります[17]。有意義なアートライティングが無知から生まれることはほとんどありません。

どのようなアートライティングの形式であれ、うまく書くためには、多くを見て多くを知ること。それと比例してあなたの文章は向上します。

3

アーティスト／ディーラー／キュレーター／批評家／ブロガー／「クンストワーカー」(Kunstworker)／ジャーナリスト／歴史家

アートライティングがアートに「より良い何か」[18]を加えるためには、読者の著者への信頼が不可欠です。作品の隣で頼もしく会場を見張っていた美術館の壁面ラベルは、かつてはその背後にある厳粛な組織の有する専門知識を高らかに表明していました。その暗黙の権威も、今日ではビロード張りの陳列ケースと同じ道を歩んでいます。キャプションパネルを作品の「墓標」にしてしまわないために、ひとつの作品に対して複数の解説パネルを設ける美術館もあります。ただし、この手段は「議論を開く」代わりに、慣れない来館者を混乱させ孤立させてしまうことで、逆効果となる可能性も孕んでいます。

これらの「無署名」のラベルの匿名ライターたち（多くはキュレーター／普及担当者）とは対照的に、自身のアート論に自分の名前を力強く記す美術批評家たちは、自身が信頼できる情報提供者であることを繰り返し証明する必要があります。読者がテキストに対して、準備不足や焦り、何よりも個人的な利益のために選り好みしていると疑ったときには、批評家の信用は失墜してしまいます。『New York Times』紙の批評家、ロベルタ・スミスは、彼女が自身に課した倫理的な決まりごとに関してこのように述べます。「アートは買わないこと。そして親友については書かないこと」[19]。最低でも以下のような不公平性は、明白に開示されていなければなりません。

- アーティストまたはキュレーターが、批評家の伴侶、恋人、親友、生徒、教師など親しい関係にある場合
- 批評家がそのギャラリーや美術館で働いている、あるいは働いていたことがある場合
- 批評家（あるいはその家族）がそのアーティストの作品を多数、所有している場合

プライベートコレクションやオークションのカタログは、客観的に見えるよう試みていますが、そこには作品の価値づけに対する大きな利害関係が存在しており、公平であることは決してありえません。ギャラリー、プライベートコレクション、または展覧会の広報物やマーケティングのための印刷物を、決して「批評」と読み間違わないようにしてください。それらの「中立的」な解説や、事実に基づいた美術史を装うテキストは、常に客引きと宣伝、そして作品販売のためのプロモーションという目的に仕えているからです。

アートライティングが、奇妙なほどに公に認めたがらないのが、この作品販売のための執筆という仕事です。明らかに販促用のツールとして機能している出版物でも——オークションカタログや『Frieze Art Fair Yearbook』など——そこに掲載される文章は、他の分野のプロモーションパンフレットでは見慣れないような言葉がところ狭しと並んでいます。これは、「New! かつてない大きさと輝き！」「セール！在庫一掃！」などと謳うことが許されない、ギャラリーのプレスリリースのアイデンティティの恒久的なジレンマ——アーティストのマーサ・ロスラーはこれを「キーワードが仕込まれた冗長な宣伝文句」と軽蔑を込めて非難しています[21]——を部分的に説明しています。この業界では、どんなセールストークであっても、作品の売り込みのためには、公平で客観的で真面目な美術批評家の声を真似なければいけません。これは、これまでのアートライティングに代わる新しいアートライティング（フィクション、ジャーナリズム、日記、哲学）が、正統派の美術批評以上に魅力を獲得しつつある理由を説明するのではないでしょうか。従来の美術批評は、アートワールド独特の遠回しなセールストークにそっくりなのですから。

多くの人々は今でも、美術批評家は、完全に公平で、自由で、どんな権威にも縛られることがなく、新しい魅力的な文章で未知の領域を切り拓いていくのだ、と信じています。アートワールドで長年愛される美術批評家、デイブ・ヒッキーは、批評家は「"人"のために仕事しない」という言葉で、この職業の異端的なイメージを説明しています[22]。また、『Art in America』誌の客員編集者であるエレノア・ハートニーは、批評家とは「取り巻きにとって耳を塞ぎたくなる痛烈な問いを投げかける」ヒーロー／ヒロインであるといいます[23]。一方で、この「取り巻き」の合唱が最も騒々しく響きわたるのが、コマーシャルギャラリーのプロモーションのための文句や、プラベートコレクションのウェブサイトなど、批評として認められることのないような、ありふれたアートライティングでしょう。

アートワールドの擦り切れた良心としてひたむきに書き続ける孤独な偏屈者、という古くからの批評家像は、過去のものとなりつつあります。過去の勤勉で専心な批評家は「ほとんど自身の的確な感性だけで、画一的に置かれたオブジェクトや、額縁に入れられた作品と対峙」してきましたが、今日の批評家は無数の役割を背負っており、複数の繋がりや循環を構築しなければならない、とレーン・レリアは「批評以降」(2013) で述べています[24]。21世紀の美術批評の最先端を走る批評家たちは、作品への対応に加えて、アートワールドの絶え間なく変化するゴールポストを追いかけます。そして各地で開催されるビエンナーレから、矢継ぎ早のアートフェア、シンポジウム後のパブでの会話、噂のオークションまで走り抜けながら、最前線からの目撃証言を実況するのです。

大学院の新しいプログラムのためのウェブサイト、生まれたての新興アートサービスやコンサル、特設されたプライベートミュージアム、アートに特化したPR会社、助成団体に投資会社、「オルタナティブ」アートフェアに夏期講座…多様に急成長するアート業界において、アートライティングの需要は、新しい印刷物やオンラインマガジンの誕生とともに高まり続けています。また、優れたアートブログでは、大胆で全く新しいアートライティングが生み出されており、そこでは以下のような複数の形式を組み合わせ、アートサーキットの日々が記録されています。

- ジャーナル
- 美術批評
- ゴシップ
- 市場関係のニュース
- ニュース志向のジャーナリズム
- インタビュー
- 論説
- 学術理論
- 社会分析

21世紀の成功したアートライターたちは、精力的な何でも屋のように売り出されています（あるいは自主的に売り込んでいます）。例えば、パブロ・レオン・デ・ラ・バッラは、次のような肩書きをもっています[25]。

- 展覧会制作者
- クンストワーカー
- インディペンデントキュレーター
- リサーチャー
- 編集者
- ブロガー
- 美術館／アートフェア／コレクションのアドバイザー
- ときどきライター
- スナップショットカメラマン
- 元建築家
- 美術愛好家　などなど…

アーティスト／批評家／アートディーラーのジョン・ケルシーは――彼は、自身を「批評家」という地味な肩書きではなく、「ハッカー」「ファン」「密売人」と名乗ることを好みます――広告主、評論家、そして批評を受ける側のアーティストとして、同時に雑誌に登場します。批評家の社会的影響力をあらためて主張し、その衰退を防ぐためには、「対象からの適切な距離を損ねる」リスクと、アートビジネスの取引の中心に立たなければなら

Friezeの番狂わせ

昔むかし、アートワールドは利害の衝突からは固く守られていました。しかし、コマーシャル、批評、学術分野、公共領域の境界は着実に侵食されていきました。今日、アートの仕事に従事する人々は、壁のなくなったこのフィールドを流動的に移動し、単独の仕事のなかで商業/批評、プライベート/パブリックを横断し、新たな役割をつくりだしています。Friezeはまさにその適例です。

Friezeは、1991年から同名のアート専門誌を発行する批評的な権威であると同時に、2003年からロンドンで巨大なアートフェアを開催し(2012年よりニューヨークでもアートフェアを開催)経済的にも強い影響力を有しています。この二面性は、雑誌が常に苦しめられている批評コンテンツと広告収入のバランスの格闘に比べれば、単純に思えるかもしれませんが、Friezeのような交錯的なアイデンティティの分裂はこれまでに前例がないものでした[20]。この二極化は、(マドリッドのARCOなどの既存のアートフェアのやり方を取り入れて)一目置かれるトークプログラムや、十分にキュレーションされたアーティストのプロジェクトなどをフェアに組み込み、Friezeというブランドに批評的なコンテンツを還元することで緩和されているようです。

事実、2つの側面からなるFriezeのアイデンティティは、アートワールドの優先順位の逆転を象徴しているように思われます。雑誌の紙面を見てみると、アートに関する批評や解説は中程に置かれ、広告はたいてい、表紙や裏表紙の付近に詰め込まれています。フェアの大テントのなかでは、プライベートギャラリーにスポットライトが当てられ、招待された登壇者の批評的なコメントは、一流の余興といったところでしょうか、隅の方へと追いやられています。1990年代初頭の雑誌の創刊から、2000年代はじめのロンドンでの最初のアートフェアにいたるまで、Friezeが成し遂げた批評とコマーシャルの倒錯は、世紀の転換点にマーケットが引き起こしたアートワールド全体の大改革の永続的なシンボルとして語り継がれることでしょう。

ないリスクがあったとしても、美術批評家は俗世から距離をとった社会的立場を破壊し、「批評自体を未知なものにするための新たな方法」を発明するべきだとケルシーは提案しています[26]。今日のマルチタスクな美術批評家の刺激的な先駆けであるケルシーの姿は、(数いるなかでもとりわけ) 1960年代から70年代にイタリアで活動した美術批評家/詩人/翻訳家/ジャーナリスト/小説家/役者/映画監督、ピエル・パオロ・パゾリーニを思いおこさせます。彼は複数の役割を果たしながら、鋭い言葉を操りました。ケルシーは、21世紀の批評のリスクとは——現代の多くの失業者と同様に——失職しないために常に働くというパラドックスが生じることだといいます[27]。

リアムギリックや、セス・プライス、ヒト・シュタイエルと肩を並べる、今日最もよく知られたアーティスト兼ライターのひとりであるフランシス・スタークは、アートの形式を理解するという批評家の伝統的な役割は徐々に廃れ、その代わりに容赦なく変化するアート産業の複雑な動きを追うことに取って代わっているのだということを、批評家がついに認めなければならないときがきたといいます[28]。

しかし実際のところ、作品やプロセスがどのように意味をもちうるのかを言語化するという従来のアートライターへの要求——しばしば、アーティスト自身にも——は、いまだ根強くあります。『Triple Canopy』で、デイヴィッド・レヴィーンとアリックス・ルールがギャラリーのプレスリリースのお粗末な現状を報告した2012年の夏(「インターナショナル・アート・イングリッシュ」11ページ参照)、若手美術批評家のロリ・ワックスマンが「ドクメンタ13」で《60 wrd/min art critic》を発表しました[図2][29]。この何日間にも及ぶパフォーマンスで、彼女は会場の仮設オフィスでアーティストの作品に対し、ワックスマン曰く「独断的な記述」を行いました。彼女のパフォーマンスに関心をもったアーティストたちと、事前予約の上で20分の面談を行い、その場で彼らの作品について書いたのです。このファストフードスタイルの美術批評で注目されるのは、作品に対して即座にレスポンスが生成される、その目にも留まらぬスピードというよりも、アートプレスに無視されたアーティストたちがつくった、言葉を求める長い列にあるのです。

[図2] ロリ・ワックスマン《60 word/minute art critic》2005年〜
2013年6月9日〜9月16日「ドクメンタ13」でのパフォーマンス風景

4

ある日突然：美術批評はどこからきた？

アートとは異なり、美術批評は広く共有される歴史の物語をもちません。今日、西洋で美術批評とよばれるこのジャンルは、17世紀から18世紀にかけて、パリのサロン文化やその後のロンドンのサマーエキシビジョン（1769年設立）と関連して誕生しました。そして、19世紀にはフランスのシャルル・ボードレール、イギリスのジョン・ラスキンらによる大きな変化を経験します[30]。しばしば近代批評のパイオニアとして崇められるボードレールは、1864年、美術批評とは「偏向的で、情熱的で、政治的」だと説明しました[31]。これは今日の美術批評のあり方にも通じる刺激的な定義です。

フランス革命以前の時代においては、第一に王や聖職者を満足させ、承認を得ることを目的として美術作品が必要とされました。ほとんどのアーティストは、彼らと少数の有力なパトロンたちの好みに応じるべく、（常にではないとしても）彼らの意見だけを重視していたのです[32]。おそらく美術批評は、既存の価値基準がひとつ、またひとつと疑いをかけられていったときに誕生した、大々的な政治変化の副産物のひとつとして数えられるでしょう（そのゆるやかな解体のプロセスが、今も進行中であることは、おそらく間違いありません）。絶対的な評価を下す王や要人たちが消えた後、一体だれがフランソワ・ブーシェやジャック＝ルイ・ダヴィッドの新しく荒々しい絵画の良し悪しを表明するのか？　そこで、以下のような役割を買って出た人々が美術批評家と呼ばれるようになります。

- 未知なるアートの水先案内人として方向性を示す
- 情報に基づいた意見や新しい評価基準を提供する
- 自身が信仰する作品を作るアーティストを大々的に擁護し、しばしば極端な肩入れを示すかつて美術批評の主要な機能と考えられてきた「評価(judgment)」は、今では厄介な単語として捉えられています。2002年にアメリカの新聞に執筆する美術批評家に対して行われた調査で、批評家の多くは、評価を言い渡すことは「アートを批評するうえでは最も優先順位が低い」と考えていることが明らかになりました。一方、美術史家のジェームズ・エルキンズはこの逆転現象について、「物理学者がもはや宇宙の探求をやめ、そのあるがままを受け入れると宣言するようなものだ」と述べています[33]。

今日の美術評論家は、かの有名なクレメント・グリーンバーグ(1909〜1994)のように、裁きを下すために法壇に立つようなことはほとんどありません。彼は前衛的な近代芸術やアーティストを守るべく闘うことで、大衆文化が及ぼす非人間化から世界を救えると信じていました。

権威的なモダニストの最後の生き残りであるグリーンバーグが、その後の世代(その多くは彼を師と仰いだ)によって、モダニズムの優越性に異議を唱えられた途端、美術批評は取り返しのつかない危機に陥り、それ以来衰退の一途にあるというのが、一般的な認識です。

これまで別々の役回りを演じていたアーティストと批評は、1960年代、コンセプチュアルアーティストのワンマンショーにおいて多くの点で役を共有するようになりました。そこでは、デュシャンのレディメイドが行ったように、制作された作品それ自体が、鑑賞される環境に対して同時に批評を行います[34]。自らのアートの意味を言語化するようトレーニングされたこれらのアーティストは、批評家から与えられる言葉に依存した、感性だけでものを語る創作者という従来のイメージを決定的に取りさらいました。

また、同時期に発明されたポータブルテープレコーダー(アーティストのアンディ・ウォーホルが発売初期からいち早く導入した技術)がすぐさま取り入れられることで、インタビュー形式による即時のコメントを得ることが可能になります。

批評家以外にも多くのプレイヤーが、新しいアートの検証に貢献しています。例えばキュレーター。今や彼らの多くが、批評家以上に注目を集める公的な役割を担っています。また、長らく舞台裏の有力者であったディーラーやコレクターたちの今日の知名度の上昇は、まるで批評家への不信感に比例して高まっているかのようです。
　とはいえ、新しい美術批評家は次々に出現しているし、アート業界の議論に貢献したり、ギャラリーや美術館、アートフェアのブースで展示される作品の解説を提供したりするために定期的に召喚されるため、エスタブリッシュされた言葉が不可欠であることは疑いありません。美術批評家は――その影響と影響範囲が実際に正確に測られたことはないものの――自身の意見をもった、信頼できる情報通として影響力をもち続けています。

1960年代後半と1970年代の「新しい美術史」は、アメリカの雑誌、『October』と密接に関連しています。『October』は、評価の条件を検証するにあたって、美術批評家（または美術史家）は、アートを断定的に評価すべきではないとしました。
　ロザリンド・クラウスたちは、グリーンバーグに敬意を抱いていたものの、彼の方法に疑問を呈し、この長老批評家によって払いのけられてきたアーティストや動向へと目を向けるようになります[35]。クラウスの多くの同世代の批評家たちは、作品を、美術史の系譜における、形やスタイル、メディウムに基づいた「開発」としてではなく、解釈の言葉によって左右される複雑な意味をもちうるオブジェクトとして理解しようと試みました。1970年代以降、美術批評家の資格は突然、伝統的な鑑識眼だけではなく、次のものを含むようになります。

- 美術史の学術的訓練
- 作品を分析し、考察する能力
- 媒体（ペインティング、彫刻）の技術的な知識
- アーティストの人生やキャリアに関して精通していること
- アートの質に対する本能的な感性、通称「センス」

批評家の仕事は、アートそのものと同様に、現代思想の他の潮流のなかで、より幅広く位置づけられるようになりました。コンテンポラリーアートの分析は、下記にあげるような他の分野によって提供される手段を利用することができます。

- 構造主義
- 脱構造主義
- ポストモダニズム
- ポストコロニアリズム
- フェミニズム
- クイアセオリー
- ジェンダーセオリー
- 映画論
- マルクス主義
- 精神分析論
- 文化人類学
- カルチュラルスタディーズ
- 文学理論

（主に）フランスの担ぎ上げられた理論家たちや[36]、『October』や『Semiotext (e)』といったアメリカのジャーナル誌の編集部——大げさなアングロフレンチのインテリぶった響きを真似る熱心な院卒生と、「誤訳」によって支えられていたと想像される——が、今日目にする冗長で閉鎖的なアートライティングを作りだした元凶と考える人もいます[37]。

しかし、1970年代／80年代の「新しい美術史家」たちが（同時期に世界中で活動していた他ジャンルの無数の批評家たちと同様に）更新の必要に迫られていたこの領域の活性化に貢献したのも事実です。1960年代にわたって、アーティストたちは近代主義的な絵画や彫刻を超えて、ハプニングやジャンクアート、パフォーマンス、ランドアートなど全く新しい芸術様式を発明します。この新しいアートに応えるために、アートの言語に活力を取り戻すことが緊急の課題となったのです。

1960年代の退屈な専門誌を見れば、そのほとんどが当時起こっている革新的なアートに全く追いついていなかったことがわかるはずです。当時の記事や論評の多くは、次のような干からびた芸術論を炸裂させていました。

「力強い絵画構図」
「有機的な形体と非有機的な形体」

「平面性の後退」
「調和とダイナミズムの対照的な衝動」

1980年代から90年代に起こった激しい理論偏重は今や廃れつつあり、新しいオルタナティブなモデルが求められています。しかし、ポストモダン世代の美術史家の爆発的な台頭による功績を無視したり、あるいはこの現状を引き起こした責任を数多の追随者たちに問うたりするべきではありません。「アート言語」は、アートの新しい条件に対応し、時間の経過とともに総合的に進化するものです——不埒なアートライターたちの一団によって先導された、よこしまな策略の結果ではないのです。

20世紀後半、批評家の「評価」という昔ながらの仕事は、「解釈」という仕事に徐々に移行していきました。それは矛盾しているとしても、アートに対して同様に有効な応答と見なされます[38]。「解釈」は、ある作品について「良い」と見なした人が、なぜその肯定的な結論にたどり着いたかを説明しますが、それぞれの読者の解釈をはじめとするさまざまな反応があることを認めています。
「解釈」の他に好まれる言葉としては「コンテキスト化」、作品の背景情報を提供することも「評価」に代わる仕事のひとつです。

- 作品が何でできているか
- アーティストの活動期間において、この作品はどのように位置づけられるのか
- 作品が過去にどのように語られてきたか
- 作品が制作された当時、他にどのような出来事があったか

このようなコンテキストは、作品制作にあたってアーティストを特定の決断へと至らせた条件を明らかにすることができます。アートライターが、作品の背景全てを紹介することは稀ですが、複数巻にわたる学術論文や、たった2行の美術館の解説パネルであっても、これはリサーチベースの堅実なテキストの要となる作業です。

それぞれが個々にもつ主観的な作品体験を優先するのではなく、作品を「読む」ことで、言語を通して意味を抽出し固定すること、また作品自体が「読まれる」ことを望んでいると前提していることに対し、異議を唱える人もいます。その場合、アートライティングは、作品やアーティスト、鑑賞者にいかなる義務も負わず、視覚的および感情的な体験を純粋に創造的な言葉へと「翻訳」していることになります。

「批評それ自体が芸術形式である」[39] と故スチュアート・モーガンは言いました。これは約一世紀前に、美術批評の役割について記したそれまでの多くの論文の言葉を翻した、オスカー・ワイルド（1856〜1900）の発言に呼応しています。批評の仕事とは「対象をありのままの姿で見ること」だとする先人たちの主張を、ワイルドはこのように淡々と覆しました。

「批評の目的は、対象をありのままでない姿で見ることにある」
—オスカー・ワイルド、1891[40]

ワイルドの変革——作品を起点にあらゆる方向へと展開し、完全に独自の反応を記した彼のアートライティング——は、ドゥニ・ディドロ（1713〜1784）の情熱的なライティングに代表される、近代の美術批評の誕生以来の正当性をもって現れました。美術批評家であり、哲学者、戯曲家、さらに百科全書の編集者でもあったディドロは、絵画に、目で捉えることのできない深淵な意味についての思弁的な解釈を縫い合わせることで、大胆な再解釈を行いました。例えば、少女が飼っていた小鳥の屍の上で、苦しげに泣き叫ぶ様子を描いた、ジャン＝バティスト・グルーズの絵画、《Girl with a Dead Canary》（1765）に対し、ディドロは、この命絶えたペットは、彼女の失われた貞操性に対する少女の真の絶望を表していると考えました[41]。当時、ディドロの提案——たとえ目に見える形で明示されていないとしても、作品は暗に示される意味をもちうる——は大変型破りなものでした。

今日では、アートに応えるライターたちは、より広い解釈の自由を享受しています。21世紀のアートについて執筆したテキストは、どのジャンルにも属する可能性があります。例えば、SF小説や政治的マニフェスト、哲学理論や脚本、歌詞やソフトウェアプログラム、日記やオペラの台本…。美術批評とフィクションから産み落とされた私生児は、アートライティングの期待の「新種」として近年、返り咲きを見せています。

これは、ギヨーム・アポリネールの『虐殺された詩人』(『Le Poète assassiné』1916) など、先人たちが先駆けて取り入れており、最近になって、1970年代後半以降ニューヨークのアートシーンで活動するリン・ティルマンのような、アートにインスピレーションを得る小説家たちの作品に引き継がれているのです。

例えば、「アイデアのソースブック」を自称する「驚異の部屋」形式のマガジン『Cabinet』(2000年創刊) は、芸術文化誌でありながら、「アート」に言及することはほとんどありません[42]。

また、2008年、ライター、編集者、映画監督のクリス・クラウスは、自叙伝や、アーティストの伝記、批評、フィクションなどを重ね合わせた斬新な領域横断スタイルの美術批評が評価され、フランク・ジュエット・マザー賞 (これは美術批評の分野のなかで最も敬意に値する賞です) を受賞しました。これにより、ハイブリッドな批評形式が学術分野でも認められたことが公式に示されたのです。

「批評小説(critico-fiction)」は当初は、無秩序で形式のない散文という印象がありましたが、優れた例においては、従来のアートライティングでは追いつけないようなライティングテクニック、周到な構想、そして創造的な思考が反映されています。

このような革新は、グリーンバーグと『Octorber』以上に、20世紀初頭の文化批評家であり文学者であるヴァルター・ベンヤミンに負うところが多いでしょう。ほのかなインクで描かれたパウル・クレーの小さなドローイング作品《新しい天使》(1920 [図3]) に対し、ベンヤミンが75年ほど前に記したテキストは、幻想的なアートライティングの実例として今でも驚きをもって読むことができます。

[図3] パウル・クレー《新しい天使》1920年

「新しい天使(アンゲルス・ノーヴス)」と題されたクレーの絵がある。そこにはひとりの天使が描かれており、その天使は、彼がじっと見つめているものから、今まさに遠ざかろうとしているかのように見える。彼の目は大きく見開かれており、口はひらいて、翼はひろげられている。歴史の天使はこのように見えるにちがいない。彼はその顔を過去に向けている。われわれには出来事の連鎖と見えるところに、彼はただひとつの破局(カタストロフィー)を見る。その破局は、次から次へと絶え間なく瓦礫を積み重ね[1]、それらの瓦礫を彼の足元に投げる。彼はおそらくそこにしばしとどまり、死者を呼び覚まし、打ち砕かれたものをつなぎ合わせたいと思っているのだろう。しかし、嵐が楽園(パラダイス)のほうから吹きつけ[2]、それが彼の翼にからまっている。そして、そのあまりの強さに、天使はもはや翼を閉じることができない。この嵐は天使を、彼が背中を向けている未来のほうへと、とどめることができないままに押しやってしまう。そのあいだにも、天使の前の瓦礫の山は天に届くばかりに大きくなっている。われわれが進歩と呼んでいるものは、この嵐なのである。

ソーステキスト1:

ヴァルター・ベンヤミン著　山口裕之編・訳「歴史の概念について」『ヴァルター・ベンヤミン.ベンヤミン・アンソロジー』2015年(「Theses on the Philosophy of History」1940年)

ベンヤミンは、この実直で慎みぶかい男が受け止める衝撃を広大な世界観で紡いでいき、世界を変える悲劇の中心に押し込まれた彼は、「進歩」の波を一手に堰き止めながら、足元に積み上げられた無数の失われた歴史を周囲に集めます。このテキストは、クレーの絵を評価したり、コンテキスト化したりすることはほとんどありません。ベンヤミンは、自身が所有していたこの絵を、絵に描かれた見知らぬ男が実際に動き出すかに見えるまで何度も眺めていたに違いありません。

ベンヤミンはここで、次のような幻覚を引き起こしています。
[1] 実際には存在していない「瓦礫」の蓄積
[2] イメージから確認することができない限り、突飛な作り話である「嵐」

このテキストには、クレー以上にベンヤミンの姿が色濃く見られます。トレーニング中のアートライターにとって、これを参考にするのは茨の道です（注：もしあなたに、ヴァルター・ベンヤミンのような驚くべき知性、激しい想像力、そしてライティング技術があるのであれば、是非とも挑戦してください。しかしまずは最初にこのガイドブックを捨ててください。あなたには必要ありません）。

分野間のいかなる変換に対しても異議を唱えた、1950年代の著名な文芸批評家、ポール・ド・マンをはじめとして、アートの体験から言語への詩的な「仲介」が果たして可能であるのかさえ、完全に懐疑的な批評家もいます。ド・マンにとって、「精神」世界と「知覚的物質」世界の溝は決して埋められることがないのです[43]。彼のような懐疑主義者は、古くからのエクフラシスの実践にも疑問を投げかけます。

エクフラシス：「視覚芸術作品に対して記述された説明あるいは解説」（メリアム＝ウェブスター大学辞典）、またはある分野（芸術）からの別の分野（記述）への変換

「芸術について書くことは、建築について踊ったり、音楽について毛糸を編んだりするようなものだ」。この作業のパラドックスを強調するために、このように述べる人もいます[44]。この観点でいえば、アートライティングとは、永遠に対象となる主題に遠く及ばない、報われることのない補填作業なのです。

特に政治的な作品を言語に「翻訳」することは、その勢いを不誠実に軟化させ、作品の反逆性を和らげるような言葉で、「正常化」させてしまうために、非難の的となることもあります[45]。

批評家兼詩人には、次のような先人たちの長い歴史があります[46]。

シャルル・ボードレール

ギヨーム・アポリネール
ハロルド・ローゼンバーグ
フランク・オハラ
リチャード・バーソロミュー
ジョン・アッシュベリー
ジャック・デュパン
カーター・ラトクリフ
ピーター・シェルダール
ゴードン・バーン
ジョン・ヤウ
バリー・シュワブスキー
ティム・グリフィン

批評家兼詩人と聞くと、どこか捉えどころのないようなテキストをイメージするかもしれませんが、彼らは度々、優れたアートライティングを生み出します。それはおそらく彼らの芸術と言語、双方に対する職業上の敬意によるものでしょう。

アーティストの中には、自らの作品だけでなく、他のアーティストに関しても巧みに書く人もいます。他の無数の影響力あるアーティスト兼批評家のなかでも、ミニマリストのドナルド・ジャッドとロバート・モリスは1960年代のその代表的な例です。

5

国境なきアートライティング

今日、アート作品の枠組みとして、テキストベースの知識がほぼ不可欠と考えられているとすると、次のような議論がヒートアップしかねません。

- 注意深い書き手／観察者によって引出された意味は、作品に内在する軸として本質的に由来するものなのか？
- もしくは、アートの意味は批評家の発明によってつくり出されるのか？
- （懐疑論者がいうように）アートライティングとは、特別な言葉の呪文をかけて、ありふれたものを特別なアートへと変える魔術めいた試みなのではないか？
- アートライターは「芸術作品の存在をいいくるめ（書きくるめ）ている」のではないか？
- アートライティングは、アートにとって足手まといな存在であり、アートをより良くするためには切り捨ててしまったほうが良いのではないか？
- それとも、アートライティングとは従順で控えめな盲導犬のようにアートのそばに寄り添う心強い味方なのか？

そもそも批評家がアートに対し、絶対に果たさなければならない義務というものは存在するでしょうか？　批評家は、もはや芸術の評価のための一般化された規範を掲げることはなくなったため、その結果として、現代の彼らの仕事は、個々の基準のパラメーターにかかっています。

では、アーティストや観客に対してはどうでしょうか？『Frieze』誌のベテラン批評家、ダン・フォックスは、2009年にテート・モダンで行われたニコラ・ブリオーによる展覧会「オルターモダン」（「Altermodern」）の開催をきっかけとして新聞に溢れ出した、ぞんざいな批評記事に対する憤りを次のように述べています。

> 批評家は読者に対して責任を負っている。それは単に高圧的な一言で却下するのではなく、なぜそれが悪いのかを論ずる責任だ。事実を伝える責任だ。作品がどのように見えるかを記述する責任だ。あるいは、批評する前にどれだけ果てしない時間がかかろうとも、アーティストの映像を実際に時間をかけて見る責任だ[47]。

批評家のメソッド、姿勢、倫理観は、洞察力やアーティストの選択、示された文章の質と同様に評価の対象となります。批評家のヤン・ヴァーヴォールトは、自らのアートライティングの原動力はアートの体験に対する恩義から生じていると述べています[48]。熱心で明瞭に言葉を語るアートライターたちは、自身の考えを解説し、さらに深めていくことでアーティストをサポートし、外部の評論家ではなく共同制作者として働きかけます。最低でもアートライターは、アートと読者に対して、正確である責任があります[とある十分に校正されていないブログに、裸同然の女性パフォーマーが挑発的なポーズで写った、キャロリー・シュニーマンのパフォーマンス《Meat Joy》(《肉の快楽》)(1964年)の写真が掲載されていましたが、そこには「Meet Joy」(出会いの快楽)というキャプションに誤って(誘惑的に)タイプされていました]。

1926年、詩人で政治評論家、シュルレアリストの一員であったルイ・アラゴンは、アートジャーナリストを「馬鹿、臆病者、ろくでなし、豚。お前たちは全員、例外なく批評に巣食っている毛のない虫、ヒゲの生えたシラミである」と説明しました[49]。今日の批評家はかつてほど影響力をもたないかもしれませんが、かといってこれほどに軽蔑されているわけでもないでしょう。アート産業の経済的なピラミッドのほぼ最下層にいる批評家たちは、景気の変動から受ける影響も最小限です。アートのバブルに沸いたときには、アートライターはより多く執筆の機会を得るだけで、特に気にかけるようなことは何もありません。ボリス・グロイスが主張するように、誰も美術批評を読んだり、あるいは投資したりしないからこそ、作家はほとんど存在しないような制約のもとで、思う存分正直に書く自由を謳歌できるのです[50]。

悲惨な事実確認と意味をなさない解説を露呈する、一部の残念なアートブログは別として、私の見解ではインターネットの有望なフリーライターたちの存在は、アートライティングにもたらされた恵みです(308ページの「現代美術図書コレクション」のアートブログとウェブサイトを参照)。ウェブサイトのオーナーであれ、ログインしてコメントを残していくだけのユーザーであれ、紙に向かって書くときに比べて、どこか謙虚さを失ったインターネット上のアートライターたちは、内部から直接入手した情報と、コンテンポラリーアートの洗練された知識、そして痛烈な意見が込められた批評を組み合わせて、今までに前例のない形式を生み出してきました。この評論家たちが、プロのアートライターたちのように説得力ある実証された考えを示したときには、彼らはより広範なコンテンポラリーアートの議論の場で地位を獲得することになるでしょう[51]。美術批評が、フランス革命時代の芸術に対する意見提起の民主化によって先導されたとのだとすれば、ウェブのオープンアクセスと境界の完全な崩壊は、21世紀の多様なアートライティングの新しい章を綴るはずです。

第2章

実践
コンテンポラリーアートの書き方

「アートライティングは、実例集である」

—マリア・フスコ、マイケル・ニューマン、
エイドリアン・リフキン、イヴ・ロマックス 2011[52]

1

「悪い文章の根っこには恐怖がある」

ホラー小説家、スティーヴン・キングによる、怪奇小説のなかの一文のようなこの考察。これは、下手なアートライティングに対してもまさに本質をついています[53]。インターンやサブアシスタント、学生など、アートワールドに足を踏み入れたばかりの畏縮した新人たちによって書かれた、大袈裟なプレスリリース、不可解な論文、読むだけでヘトヘトになるような美術館のパネル。アートライティングを修行中の彼らは、単に経験不足であるばかりか、以下のような事柄に「恐怖」を抱いています。

- 馬鹿げてみえること
- 無知をひけらかすこと
- 主旨を見失うこと
- 誤って理解すること
- 意見をもつこと
- 上司や教授を落胆させること
- 選択すること
- アーティストに問うこと
- 省略すること
- 正直であること

私が「イエティ（yety）」と呼ぶ、次のような、相反する2つの意味をもつアートの記述も、同じく「恐怖」で説明することができます。

「日常的かつ（yet）破壊的な」
「魅惑的かつ（yet）不気味な」
「大胆かつ（yet）繊細な」

「柔和かつ不穏な」

この矛盾し、互いにぶつかり合う単語の背後では、立場を明確にすることを避けたいライターが、ひとつの修飾語だけでは安心できず、アートの両義性の裏に隠れようとしています。神話上の大きな足をもった獣のように、「イエティ」(雪男)を近づいて観察しようとすると、それは胡散霧消してしまい、解明することができません。

下手なアートライティングは、自らのアート体験を表現するという果敢な試みへの意気込みが足りなかったために失敗するのではありません。駆け出しアートライターは、この任務の責任——自身のアート体験の思慮深い言語化——に圧倒され、試みるより先に、この挑戦を諦めてしまうのです。彼らは、両面的な立場をとるか、あるいは「概念」の乱用(「グリーンバーグ的ドグマの要求」)や、ありふれたテーマ(「デジタル時代における社会の複雑性」)に逃げ込みます。

勇気を出して。作品を見て、簡潔に、自分の知っていることだけ書くよう努めます。自分自身の考えを信じる——そして見聞を増やしていく——それだけで文章は劇的に改善されます。

>初めてアートについて書くとき

アートの体験を綴るときはいつも、まるで性体験を言語化するかのような気恥ずかしさに付きまとわれます。初めから優れたアートライティングを書ける人はどこにもいません。無知で素朴なアートライティングとはどのようなものなのか、ブログやギャラリーの芳名帳に殴り書きされたコメントで確かめてみましょう。

「ありがとう！　素晴らしい^ ^」
「税金の無駄遣い」
「なんと秀逸な金網の使い方」[54]

初めての本気のアートラインティングへの試みは、誰にとっても辛く難しいものです。それに対処しようと、誰かの書いたプレスリリースやウェブサイトを参考にしようと思う人もいるかもしれません。「シンディ・シャーマンの写真は、男性の眼差しの概念を脱構築する」といった具合に。しかしこんなオウム返しの芸術談義は、読み手にとっても、そして書き手である自分にとっても決して満足いくものにはならないはずです。

初めてのアートライティングは、大体このようなフレーズから始まります。「はじめに会場に足を踏み入れたときに、目に飛び込んだのは…」。そしてさらに進んでいくと——展示の説明は省略しながら——簡単にその作品の存在は忘れ去られ、記憶が筆者をどこか別の場所へと連れ去ります。
　そして議論は作品そっちのけで完全に書き手のものとなり、情報に欠けた概念や引用、生煮えの解釈、不合理な論理の沼へとはまっていきます。これらは全て、次の事柄が確実でないことに由来します。

- どこから始めるか？
- いくつの作品を取り上げるか？／どの作品を取り上げるか？
- どこで終わるか？
- アーティストや展覧会の実際的な情報と描写的な説明の割合は？
- 自分の考えはどこに入れるのか？

「全てを網羅すること」を目指した駆け出しライターは、使い古された抽象的な概念を投げかけます。

「破壊的」
「分裂的」
「形式的な関心」
「転置」
「疎外」
「今日のデジタル社会」

複数の概念が衝突事故のようにぶつかり合い、方々に飛び散ったとき、あとに残されるのは未解決のアイデアの痕跡だけ。文が終わりに近づくにつれ——もう燃料がほとんど残っていないことに気づいて——勢いが弱まった書き手は、一部をあるいは全てをひっくり返すようなめちゃくちゃなフィナーレで終わらせます。

作品／展覧会体験が当初の予想とは異なる、新たなひらめきによって導かれたとき、最初の印象は劇的に深められるか、あるいは劇的に霞んでしまいます。それは表層的というよりも深層的に、見慣れないものというよりは因習的な…平坦だけれど丸みがあって、開いているけれど閉じていて、絵画だけど写真で、個人的だけど学術的で…。書き手が元のアイデアに新しい切り口を与えようとする限り、これは際限なく続きます。悲しいかな、そうなると発端となったアイデアはどこにも着地しません。筆者は作品のタイトルを省略し、アーティストの名前を間違え（しかも2度にわたって）、そして自分の名前を記すことすら忘れます。

私も含めて多くの人が、このようなカッコ悪いテキストを一度は書いてきました。最初のつたない一歩を踏み出すことを恥ずかしがる必要はありません。これはおそらく、全てのアートライター人生で必要となる通過儀礼のようなものです。

しかし次のような初期の文章は、以下の理由で、あなたが早く脱皮したいと願うオタマジャクシの過程でしかないこと伝えています。

- アートの体験を反映し深めていくのではなく、それについて書くという課題を消化しただけ
- 作品とは無関係で、書き手とだけ関係している
- どのように結論に至ったのか読者が追えない
- アートの体験の多くは、考えれば考えるほどに意味が変化していくという事実を無視している（時間の経過とともに駄作すら変化することもある。もちろん時間を費やせば費やすほど、より忌々しさや浅薄さが証明されることだって）

初めて書いた文章の終わりから始めてみるのが良いかもしれません。例えば、複数のパラグラフのうち、最後のひとつのパラグラフと、展開の可能性がある描写的な部分だけを取っておきます。長期的なアートの見方が成

熟してきたら、残しておいた文章をふるい分けて、自分が展開できるアイデアが何なのかを考えます。そこから始めるのです。

実際、「作品ではなく書き手だけに由来する」テキストというのは、結局はアートライティングとは、常に書き手のものであるという必然性を免れないことを示しています。意地悪なレビューは、書き手自身のムカついた気持ちを反映します（とはいえ、悪い作品が頭痛のタネを芽生えさせる場合もあるのですが）。アートライティングを続けていくと、この事実を曖昧にしたり、あるいは利用したりすることを学んでいくでしょう。

しかし、個人的な気分の波を甘やかすままにしておくと、悲惨な結果を招くことも忠告しておきます。とはいえ、自身の反応を無視するのは、世の中に出回る一筋縄ではいかない難解なアートライティングの多くを否定することにもなりかねません。

展示キャプションや美術館のウェブサイトなど、個人の意見が求められない場合には、エゴはそっと退けて、より確かな情報や具体的な事実を調べあげましょう。どのような場合でも、自分が何に向けて書いているのかに意識を向けることです。

>「宝くじに当たったパン屋の一家」

一級品と呼ぶべき忘れがたいアートライティングのひとつは、100年以上前に書かれたものです。長さにして15文字にも満たないこの秀逸な一言は、19世紀の文筆家ルシアン・ソルヴェイからフランシスコ・デ・ゴヤの《The Family of Carlos IV》（約1800年頃［図4］）に捧げられたものでした。

> 「宝くじに当たったパン屋の一家」[55]

作品のイメージとそれが重要である理由、そしてこの絵画がほのめかすより大きな意味が、この短い一言にまとめられています。この王室の人々はソルヴェイに「幸運に恵まれた日の［…］食料品店の家族」のように映り、それがこのよく知られたフレーズへと磨きあげられたのでした。

簡潔にしましょう。「不要な言葉を省くこと」[56]。

しかし、なぜこの19世紀中期の非常に鋭いコメントが、現代の新進アートライターたちの参考になりうるのでしょうか？
それは、

- **このフレーズは短くありふれた言葉を採用している**
  「われわれのような、政治をよく理解した鑑賞者は、より恵まれない階級に属する家族が――ことによれば非合法な仕事や、焼き菓子などを売る露天商として生計を立てているのだろう――果報者に一挙に与えられる、願ってもみない幸運となった贅沢と栄華を楽しんでいるのだ、と空想する自由を有している」などと、くどくど書き連ねない
- **このフレーズは、絵画に描かれたもの**（装飾も血縁主義も過度な家族）**と、そこから考えられる意味**（この人々は「王者」ではなく、ただ幸運なだけ）**を全てまとめている**
  絵を見る人は、ソルヴェイがどのようにこのアイデアを思いついたのか困惑することなく、即座に彼の言葉を理解する。彼の鋭く機知に富んだ観察眼により、鑑賞者は作品をより興味深く見ることができる
- **このフレーズは、熟慮された言葉のチョイスと、具体的な名詞に特徴つけられる**
  ソルヴェイの当初の言葉、「食料品店」も良いが、それに続いた「パン屋」こそ、王の締まりのない顔や王妃のバゲットのような腕を想起させる、まさに的を射た表現といえる。この作品に対するライターの考察は、ゴヤが積み上げたこの絵画の豊富な視覚的ディティールに証明されている
- **このフレーズは、作品をより大きな世界像のなかに位置づけている**
  そのことを的確に示しているのが「宝くじ」という単語。ゴヤはこのような政治的立場をとっているのではないだろうか。「これは聖な

[図4] フランシスコ・デ・ゴヤ《The Family of Carlos Ⅳ》1800年頃

る家族などではない！　どこにでもいるような家族がひょんなことから『人生という宝くじ』を掴んで、代々に渡りこの国を支配しているのだ。革命を起こせ！」[57] 王妃の二重顎の顔に浮かんだ大きく目を見開く、びっくりした表情。そして他の家族たちの驚きに捕らえらたように間の抜けたまんまるとした目が、不意に手に入った幸運の余波を説明するよう。絵に近づいてみれば見るほどに、これらの想像力豊かな言葉によって、作品を楽しむ喜びが増していくだろう

- **このフレーズは、作品への異なる反応を拒まない**

アーティストと同様に、この書き手もまた、恐れを知らず独創的でリスクを厭わない。この言葉は斬新で突飛でありながら、作品について各々が創造的に考えることを促している。ソルヴェイの解釈は訴求力があるが、何かを結論づけるのではなく、彼の機知にあふれた想像力に対抗するよう読み手を挑発している

しかしもちろん、この言葉の力は、ゴヤの素晴らしい絵画によって引き出されたものです。批評家のピーター・プレイゲンスは、時代を超越するアートは「10パーセントの素晴らしい作品と90パーセントの駄作」で成っているといいましたが[58]、アートライターは永遠にそれに翻弄される運命にあります。

退屈で独創性に欠く作品を支持する知的なテキストを書くのはたやすいことではありません。そのようなテキストはゴマをすっているように聞こえるだけですし、実際にそれ以上のものではありません。最初は自分が心から尊敬するアーティストについて、自分が最も信じている作品について書いてみましょう。そうすれば偽る必要はないからです。もし作品が失敗していると思えば、喜んでそれを指摘すること。偽物の感情が、良いアートライティングを生み出すことはほとんどありません。

原則として、大げさに誇張された主張はトーンダウンさせましょう。

「この作品は視覚体験のあらゆる定義を覆す」
「このヴィデオ作品はジェンダーアイデンティティのあらゆる前提に挑んでいる」
「この作品に対峙した観客は自らの存在そのものを問い、現実とは、そして現実ではないものとは何かを自問する」

冷静になりましょう。このような崇高な表現を志向するのは一握りの偉大なアートと詩だけです。アーティストのブルテリアの露光過多のポラロイドはおそらくそうではありませんし、そのような重い期待を背負わせるべきでもありません。アートの前にひれ伏さなくても、アートをサポートすることはできます。

アートライティングに取りかかるときは、いかなるときも、「ここでは自分の意見はどのくらい必要か？」と最初に問いましょう。第2に、読むに値する文章を書けるほどの十分な知識をもっているのか？　と問います。

あらゆるケースにおいて——エビデンス主導型（説明）、意見主導型（批評）、またはその混合などいずれの場合であっても——自らの主張を立証できてこそ、そのテキストは注目に値するものとなります（63ページ参照）。

伝わるアートライティング——3つの課題

全てのアートライターは、アートに対する反応を書き、そしてつくりあげることができます（これはこの仕事の簡単な部分）。
優れたアートライターは、その反応がどこから来たのかを示し、さらにその妥当性についても納得させてみせます（これが難しい部分。63ページの「どのようにアイデアを実証するか」に詳しく述べます）。
アート作品の「伝わる文章」は、次の一問一答形式の3つのタスクに分けて考えることができます。

Q1　これは何？
(どのように見える？　どうやって作られている？　何が起こっている?)
課題1：作品を簡潔かつ詳細に書くこと。作品制作において鍵となったアーティストの選択——素材、大きさ、参加者の選択、配置など——や、意味をもつ細部をよく観察する。些細な点にとらわれすぎないよう、選択眼をもつこと。また、次の課題2にほとんど関連してこない説明を、ただひたすら羅列するだけの読みづらい記述は避ける。

Q2　どのような意味があるのか?
（そのかたちや出来事がどのような意味を伝えているのか?)
課題2：点を繋ぐこと。つまり、そこで要となる考えが、作品のどの場所から実際に見出されるのかを説明すること。下手なアートライターは、それが物質的に作品にどう由来しているのか（課題1）、どのようにそれが読者の関心と結びつくのか（課題3）を明らかにしないままに、作品の素晴らしい意味について主張する。

Q3　なぜこの作品が世界にとって重要なのか?
（もし美術作品や体験が世界に貢献するのだとすれば、最後に問われるべきは、それはどのようなことかということ。より単刀直入にいえば「だから何?」）
課題3：課題1と2から、論理的に追えるようにすること。この「だから何?」という究極的な問いに答えるためには、独自の考えが必要。そして、優れた作品であっても、その成果はいくぶん控えめかもしれないと覚えておいてください。それでよし。

＞伝わるアートライティングの３つの仕事

ここで、批評家でキュレーターのオクウィ・エンヴェゾーがカタログのために執筆した原稿を紹介します。

1970年代後半、[クレーギー]ホースフィールドは、写真と一時性の支配的な関係をめぐる、きわめて継続的で独創的な芸術探求に踏みだす。大判カメラとともに、彼は連帯運動以前のポーランド、特に産業衰退と労働扇動のまっただ中にあったクラクフの工業地帯を旅した[2]。そこで彼は、人物や機械、さびれた通りを対象とし、重苦しく、ときにはわざとらしいほどアンチヒロイックな一連の白黒写真の撮影を開始する[1]。悲哀に満ちた街角、厳かな廃工場の空っぽの床、若い男女の姿や、労働者と恋人たちのポートレート[1]。鋭く冷ややかな白から、ビロードのような黒のあいだで変化する色調ともに、大きく引き伸ばされたそれらのイメージは[1]、いずれも対象物の荒涼とした現実を強調している。抗えない変化の力に流されてゆくあらゆる人々と、緩やかに転換するひとつの時代[3]の目撃者としてホースフィールドは制作する。[…]その武骨で強情な態度とともに、彼らは極刑を言い渡された囚人のように我々の前に立っている。

ソーステキスト2：

オクウィ・エンヴェゾー「Documents into Monuments: Archives as Meditations on Time」『Archive Fever: Photography between History and the Monument』2008年

では、エンヴェゾーのテキストは伝わるアートライティングで求められる基本的な項目をどのように満たしているのか見てみましょう。彼は3つの問いに次のように答えています。

Q1　これは何？　作品の見た目は？

A　エンヴェゾーはイメージの中から見られるものを説明するとともに、写真のサイズや技術についても説明している[1]

[図5] クレイギー・ホースフィールド
《Leszek Mierwa & Magda Mierwa–ul. Nawojki, Krakow, July 1984》
1990年 プリント

Q2　どのような意味があるの？

A　彼は、アーティストのプロジェクトの内容について手短に説明している [2]

Q3　なぜこの作品が世界にとって重要なのか？

A　ホースフィールドの被写体は絞首台までの道のりを、甘受しているかのようである、としてエンヴェゾーは、ホースフィールドの「独創的な芸術探究」は時代の衰退を記録するだけではなく、時代とともに沈んでいく運命にあるものたちの姿を後世に残し、永続性を与えていると独自に解釈する [3]

歯切れ良いジャーナリスティックな形式を好む人は、「写真と一時性の支配的な関係」や「わざとらしいほどアンチヒロイックな」といった表現に眉をひそめるかもしれません。しかし、エンヴェゾーは常に実際の作品に立ち返ることで自らの思考を発展させているために、中身の無い表現に陥ることはありません。エンヴェゾーの結論に賛同できなかったとしても、あなた自身の言葉でホースフィールドのポートレート［図5］を自由に再解釈できます。しかしエンヴェゾーが、彼の知識と思考を通して、読者を段階的に自身の解釈へと導いていることに注目しましょう。

　パウル・クレーの《新しい天使》に対する、ヴァルター・ベンヤミンのあの広く知れ渡る名解釈。この場合も、微笑む小さな天使が、彼の歴史哲学において中核的な存在となり、アートライターの3つの課題をクリアしています（ソーステキスト1と［図3］を参照）。

Q1　これは何？　作品はどのように見える？

A　「《新しい天使(アンゲルス・ノーヴス)》と題されたクレーの絵がある。そこにはひとりの天使が描かれており、その天使は、彼がじっと見つめているものから、今まさに遠ざかろうとしているかのように見える」

Q2　作品にはどのような意味がある？

A　「歴史の天使はこのように見えるにちがいない」

Q3　なぜこの作品が世界にとって重要か？

A　「彼はただひとつの破局(カタストロフィー)を見る。［…］天使の前の瓦礫の山は天に届くばかりに大きくなっている。われわれが進歩と呼んでいるものは、この嵐なのである」

これは飛躍的で思弁的ですが、ベンヤミンの前に現れたクレーの小さな人物像によって、彼のあらゆる歴史に対する広大な再概念化の火蓋がどのように切られたのかが示されています。

2

どのようにアイデアを実証するか

視覚的な描写と事実情報、そして個人的な見解（あるいは自身の空想）のバランスを適切に保つにはどうすれば良いのか？　新米アートライターは、たいていこの段階でつまずきます。他にも次のような疑問が頭に浮かんでいるかもしれません。

- アートについて書いているのだから、思いついたことをなんでも書いても許されるのでは？
- 僕の意見はこのままでもしっかり信頼に足るものじゃないか？
- なぜリサーチを行う必要があるのだろう？

この本を手に取ったということは、あなたの目標は、ギャラリーの芳名帳に走り書きされた「ありがとう！すごくよかった ^_^」以上の、力強い説得力のあるアートライティングを生むことにあるはずです。この2つの違いは「実証」にあります。

あなたのアイデアが、どこから来たのかが実証によって示されたとき、初めて読者はあなたの言葉に感化することができます。いかに作品が「素晴らしく」、「魅力的」であるかを大げさにまくしたてるギャラリーの提灯記事と、作品の新しい見方を可能にする信頼のおけるテキストとの違いをつくるのは、実証の有無です。

ゴヤの肖像画への「宝くじに当たったパン屋の一家」という言葉を、素晴らしい一文にしているのは「実証」です。炭水化物に偏った食生活を想像させる皇室一族のずんぐりした腕や首。王の巨大な胸に輝く、まるで昨日買ったばかりといわんばかりに輝く徽章やたすき。これらの目に見える要素から、書き手がこの言葉にたどり着いたことを理解できます［フランシスコ・デ・ゴヤ《The Family of Carlos IV》（約1800年頃［図4］参照）への、ルシアン・ソルヴェイによるコメント(諸説あり)、55ページ]。

実証は、水っぽい芸術論をワインに変えるのです。アートのアイデアを実証するには、主に次の2通りの方法があります。

- **事実または史実に基づいたエビデンスを提示する**
  学術論文や良質なジャーナリズムの軸となる調査を行う
- **視覚的なエビデンスに基づく**
  美術作品そのものから情報を引き出す

どちらの方法にせよ、優れたアートライターは、作品から言語へと自身の思考の論理を追っていき、細心の注意を払いながらアイデアを実証します。これらの2つの証拠形式——美術作品に見出される物的証拠、あるいは歴史に見出される物的証拠——は無数の組み合わせや順序立てが可能ですが、説得力あるアート思考があってこそ効力を発揮します。

>事実や史実に基づいた証拠を示す

これは、アカデミックライティングにおいて特に重要です。美術史家トマス・クロウの以下の文章は、確実な歴史に基づくエビデンスが染み込んでいます。

カリフォルニアで一人前になったペインターや彫刻家たちは、ニューヨークでジョーンズやラウシェンバーグが経験したあらゆる周縁化[1]を共有したが、彼らに社会的な成功という現実的な希望を与えられたはずの、ギャラリーとパトロン、観客という安定した構造に恵まれなかった。彼らが抱える、特にサンフランシスコを中心としたわずかな観客たちは、実験詩の観客層と一致する傾向があり、またどちらの領域も大多数のメンバーは、すでに仲間である実践者たちによって構成されていた。詩人のロバート・ダンカン(1919〜1988)とアーティストのジェス(1923)から成る1組のカップルは、1950年代から、この交流に焦点を当てていた。ダンカンは、1944年にニューヨークの『ポリティクス』誌に発表した「社会におけるホモセクシュアル」という記事で知られており[2]、ここで彼は、ゲイのライターは彼ら自身のために、自らの芸術を自らのセクシュアリティに対して開いたものにすべきだと主張した。[…] ジェスは1950年代初頭に、日々のありふれた素材から引用したコラージュを用いて、タブーとされていた領域に言及した[3]制作を開始する。最初期の作品のひとつ、《The Mouse's Tale》(1951／1954［図6］)は、たくさんの男性のピンナップ写真[3]がサルヴァドール・ダリ風の裸の巨人を想起させる。

ソーステキスト3:
トマス・クロウ『The Rise of the Sixties』1996年

このクロウのテキストのように「実証」された文章では、「周縁化」[1]といった抽象的な概念でさえ、証拠による裏付けがなされています。この場合、その疎外化は、公然に同性愛を擁護するダンカンの1944年の記事[2]に起因しています。 歴史上の事実の他に、彼のアイデアは、視覚的な証拠にも根ざしています。クロウは、ジェスのひとつのコラージュ作品、《The Mouse's Tale》に注目し、否定的な反応を引き起こした要素を特定しています[3]。

クロウのテキストは一流の美術史ライティングです。情報に基づいた具体的な内容であり(日付、作品タイトル、正確な出版物が全て示されています)、その堅実な情報が彼の解説の基盤を形づくっています。彼が挙げる言葉に意味のない言葉はひとつもありません。

>根拠のない「おしゃべり」に注意

説得力のあるアカデミックアートライティングは、一文一句が新しい情報を紹介しつつ、メインの議論を支えています。一方、大袈裟でやりすぎな「おしゃべり」テキストは、次のような内容で膨れあがっていきます。

- ありきたりな文句と不完全な情報
- 不必要な単語と、反復するマンネリ化した議論
- 常識的な(またはそう想定される)知識

- 使い捨ての引用と意味のない名前の列挙
- 詰め込まれた概念とぎこちなくあてがわれた理論

この「おしゃべり」テキストは、答え以上に多くの問いを残していくために、説得力に欠けてしまいます。

おしゃべり「ニューヨークで活動する重要かつ有名なアーティストは別として…」

Q **重要かつ有名なアーティストって誰？**

A 実証された文章：「ニューヨークのジョーンズやラウシェンバーグ［…］」

おしゃべり「カリフォルニアのアーティストたちは東海岸のアーティストたちに比べると、ほとんど認知されていなかった。」

Q **なぜカリフォルニアのアーティストはニューヨークのアーティストよりも認知度が低かった？**

A 実証された文章：「カリフォルニアで一人前になった画家や彫刻家は［…］ギャラリーとパトロン、観客という安定した構造に恵まれなかった。」

おしゃべり「型破りなカップル、ロバート・ダンカンとジェスの作品においては…」

Q **ロバート・ダンカンとジェスって誰？いつ活動していたの？なぜここで名前が挙がるのか？**

A 実証された文章：「詩人のロバート・ダンカン（1919～1988）とアーティストのジェス（1923）から成る1組のカップルは、1950年代からこの交流（アートと詩）に焦点を当てていた」

一般的な内容から特定の事柄へと、文章を適切な順序で構成し、自分の考察を紹介、（「カリフォルニアで一人前になった画家や彫刻家は［…］周縁化を（経験した）」）、そのあとにエビデンス（出版された記事、作品、歴史的事実）でそれを裏付けします。

[図6] ジェス《The Mouse's Tale》1951／1954年

誇張された文や、書くまでもないような自明な内容は抜き取ります。散漫なテキストの大半は、思いつきで書かれています。その簡単な治療法は、もっと読み、もっと見て、より多くの情報を集めること。そしてより考えることです。

>視覚的証拠を引き出す

以下の例は、現代美術において最も影響力をもつ——彼女への賛否は分かれるとしても——批評家であり歴史家のひとり、ロザリンド・クラウスによるテキストを検証します。彼女のテキストは、偉大なアーティストでありながら、悲しいかな、「男性の眼差し」や「虚構」という大学生の使い古された「分析」対象のターゲットとなってしまった、シンディ・シャーマンについて述べています。

1970年代以降の美術史と美術理論への、ロザリンド・クラウスの貢献は恐るべきものです(303ページの「現代美術図書コレクション」を参照)。私の非公式の調査によれば、彼女以上に評価がはっきりと分かれる人物はいません。多くの人にとって、彼女は質の高いアートライティングの最高峰を代表する人物ですが、一方では、クラウスはアートライティングが最も仰々しく、最も面白みに欠けた衰退期を支配していたという人もいます。

しかし、彼女から学べることは多くあるので、私がクラウスの批判者たちに加わることはないでしょう。ロザリンド・クラウスは、間違いなくアートを愛していました。彼女はそれについて見て考え、いかなる細部も取りこぼすことなく、どんな小さな視覚的証拠とだって向き合いました——そして読者に対しても、私に追いつけといわんばかりに熱意を求めていたのです。しかし、クラウスの緻密で注意深いアートの見方を敬うために、彼女の難解な言語を真似る必要はありません。

ここではクラウスは、研究論文の中で《アンタイトルド・フィルムスティル》

シリーズの2作品を例に、そのディティールを比較することで、シャーマンの決まり文句として消費されてきた「男性の視点」を反証します。

もちろんシャーマンの作品が持つ、視られる女とそれを追うカメラの窃視の構造――カメラは窃視者の代理を果たしている――のレパートリーは無数にある。すでに最初期の《アンタイトルド・フィルムスティル #2》(1977) に、目に見えない侵入者の痕跡が刻みつけられている [1]。バスルームでタオルに身を包んだ若い女が、肩に手を当てて、鏡に映る自分の姿を見つめている [4]。フレーム左端にある側柱は「視る人」がバスルームの外にいることを示している。しかしもっと重要なのは、目の粗い粒子 [5] として示されているシニフィアンである。[…] しかし《アンタイトルド・フィルムスティル＃81》(1980) においては、この/距離/は取り払われている。たしかにここでも戸口は目立つ部分であり、視る人が、女がひとりでいる空間の外から覗いているということが示されているが、明らかに被写界深度が深いのである [6]。シャーマンの他の作品にも視られるように、ここでも女はわずかに薄手のナイトガウンだけを身につけ、どうやらバスルームにいるようである。そしてこのレンズの焦点距離から作り出される親密さからは、鏡に映る女の眼差しが、彼女自身の鏡像に向けられているだけでなく、視る人にも向けられているような感覚が、否が応でも生み出されている [2]。つまりここには/距離/という概念とは反対に、/繋がり/というシニフィエがあるのだ。さらに物語のレベルでシニフィエとして取り出されているのは「バスルームで寝支度しながら、外側の隣部屋にいる誰か(おそらく別の女) [3] と談笑している女」である。

ソーステキスト4

ロザリンド・E・クラウス著　井上康彦訳「シンディ・シャーマン」『独身者たち』(「Cindy Sherman: Untitled」『Cindy Sherman 1975–1993』1993年)

ここでの/距離/が、いつもの「距離」とは対照的に果たす機能には、唖然とするばかりです。クラウスはこの2つのシャーマンの写真の異なる機能――一方は窃視症、もう一方は共謀を暗示するものとして――を示すために、視覚的なエビデンスを注意深く検証しています。

- ひとつめの《アンタイトルド・フィルムスティル #2》[図7] では、女性が知らぬまに、そしておそらくは不穏な状況で見張られている [1]
- 《アンタイトルド・フィルムスティル＃81》[図8] では、女性は自分を視る者に気づいており、その相手と気兼ねなく交流している [2]

どちらの写真においても、ドアが部分的に女性のフレームとなっているため、それにより「視る人」がバスルームの外側にいることが示唆されていることにクラウスは気づきました。彼女はそこに隠された、2つの眼差しを指摘します。「見えない侵入者」の眼差し、そしてもうひとつは写真の女性が完全に認識している、「おそらくは別の女性」[3] だろう友人か何者かの眼差しです。

クラウスは、《アンタイトルド・フィルムスティル #2》のなかから、女性が見張られている可能性があることを示す要素を、以下のように特定します。

- ブロンドの女性は、彼女自身の動きに完全に没頭しておりそれ以上のことには何も気づいていない様子である [4]
- イメージの荒い画質が、この写真を恐らくは望遠レンズで（これは私の推測ですが）ひそかに撮影したであろう、窃視症のだれかの存在を示唆している [5]

クラウスはそれと比較した同シリーズの《アンタイトルド・フィルムスティル #81》の女性を以下のように説明します。

- 黒髪の女性は、鏡に映る自分自身の向こう側にいるだれかと話している可能性がある [2、3]
- 画質が [6]、遠くからこの写真を撮った人物がいないことを示している

クラウスは、写真の形式やイメージのディティールから、より大きな論点、つまり「なぜ私たちは女性がひとりで映る、いかなる写真に対しても、例外なく彼女を"モノ化"されたものと決めつけるのか」という問いを構築しま

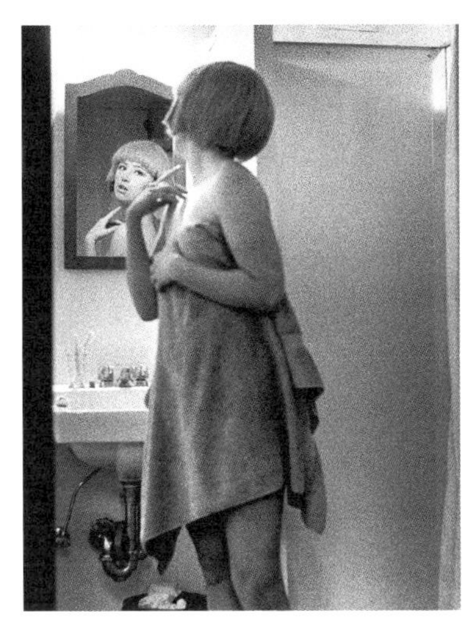

[図7.8] シンディ・シャーマン《アンタイトルド・フィルムスティル》
(#2) 1977年、(#81) 1980年

す。注意深く見れば、シャーマンによる全ての女性が、カメラを抱えた「視る人」——男性、女性、あるいはただの1台の三脚——に対して不利な立場に置かれているわけではないことに我々は気がつくのです。

クロウとクラウスは、歴史上の出来事（クロウの文章におけるロバート・ダンカンの検閲された記事のような、鍵となるライフエピソード）あるいは、視覚的エビデンス（クロウのテキストにおけるジェスのコラージュの同性愛的な主題、クラウスのテキストにおけるシャーマンの2枚の写真から観察されるプリントの質と構成の比較）から、どのように彼女らの結論が導かれたかを示しています。

もちろん、他のアートライターが、これらの作品を見返して対立的な結論に至ったり、あるいは異なる解釈を検証するために作品や史実の別の特徴的なディティールに焦点をあてたりすることもあります。

この2つの引用は、作品への決定的な言葉としてではなく、2人の著名なアメリカ人研究者による十分に論じられたアートライティングの例として、評価に値します。

＞意識的になる

ロザリンド・クラウスのテキストは、シンディ・シャーマンの場合のように、ひとりのアーティストによる全作品が、全て同様の機能を果たすわけではないことを示しています。

「グルスキーの写真」についての話を聞く機会があれば、このことを思い出してほしいのですが、アンドレアス・グルスキーの巨大なCプリントは、アメリカ中西部の牧場を見せていようと、あるいは東京証券取引所を見せていようと、そこに差異はありません。つまり画家のエリザベス・ペイトンが、ジョージア・オキーフの肖像を描いても、キース・リチャードを描いても、「ペイトンのポートレート」として変わりないのと同じです。

このような稀な例外を除いて、ひとりのアーティストによる全ての作品が完全に置き換え可能であることはありえません。「リサ・ユスカヴェージの絵画がもつ幻想的な雰囲気」や「ス・ドホのインスタレーションの、シュルレアル性」といった言葉は、アートフェアのブースの売り文句としては許されるかもしれませんが、全ての作品をお手軽な文句で一括りにすることには注意が要ります。良いアートライターは、各作品に特別な注意を払い、それぞれの類似性や差異に注目するのです。

常に新鮮な目で、作品をひとつひとつ見ていきましょう。あなたの説明する、ウィリアム・ケントリッジのアニメーション映像、またはスボード・グプタのメタリックな彫刻とはどの作品なのかを具体的に指定してください。
展評の場合、タイトルや日付が不完全で、一度も実際の作品について言及されないようなレビュー、あるいは展覧会全体をひとつの均質的な塊へと圧縮したようなレビューを書いてしまったときには、会場に戻ってそれぞれを順に見直しましょう。また、複数の作品をグループ化する場合には意識的に行います。

ここで、注意深さを養うための、ちょっとしたエクササイズを紹介します。

批評家のジェリー・サルツがウェブ上に投稿した、以下のインスタント批評を考察してみましょう。彼は3つのアートフェアを慌ただしく駆け回りながら見つけた、いくつかのお気に入りに照準を合わせています。

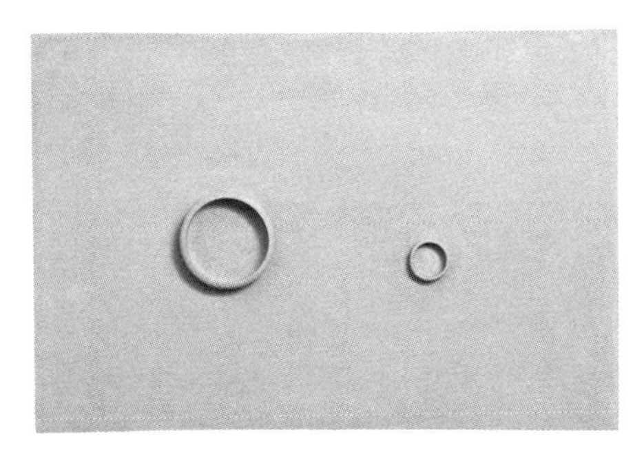

[図9] アナ=ベラ・パップ《For David》2012年

[図10] マーティン・ウォン《It's Not What You Think? What Is It Then?》1984年

アナ=ベラ・パップ《For David》2012年
16点の小さな粘土の風景、絵画、もしくは形而上の地図が整列するうちのひとつ。全て平積み。ひとつひとつが世界とも、図案ともタイルとも読める。モランディのような素晴らしい精神世界。欲しい。[図9]

マーティン・ウォン《It's Not What You Think? What Is It Then?》1984年
1999年に逝去したこのアーティストはもっと評価されるべきだろう。人々が思っているよりずっと良い。複雑に積まれるレンガによって、絵画が愛の労働、フラットな彫刻作品、アーティストの記憶上の壁のように見える。[図10]

ソーステキスト5：
ジェリー・サルツ「20 Things I Really Liked at the Art Fairs」『New York Magazine』2013年

こういったツイートのような批評コメントは、アートライターたちの迅速な処理が求められる芸術作品が、大量に出現していることの兆候です。この凝縮フォーマットは、本格的な美術批評で通用するべきではありませんが、作品鑑賞へ注意を集中し、直感的なアート思考を表現する方法を見出す助けとなるでしょう。

- あなたを振り返らせた理由は？
  それを詳細に、正直に、自らの言葉で考えてみる
- 100字以下で自分の考えを的確に書き出してみる
  テキストの上に写真を貼り付けて、自分の言葉はこの姿に何か豊かなものを加えているか、矛盾していないか、きちんと関連しているかを確認すること
- 友人に読んでもらう
  友人にとってあなたの言葉は筋が通っているだろうか？

このドリルは、アート言語の悪習からではなく、見たものから直接、シンプルに書くためのトレーニングになります。

「それが何なのか？／何を意味するのか？／だから何？」の2、3行バージョンとして、なぜそれを好きなのかを正確に一言でまとめてみます。
今度、直感的に魅力を感じる作品に出会うことがあれば、ぜひこのちょっとしたワークアウトを試してみてください。

＞自分の思考に従う

オクウィ・エンヴェゾーは、クレイギー・ホースフィールドの図録に寄せたエッセイで、ホースフィールドの写真に見たものの何が、「彼らは"極刑を言い渡された囚人"のように我々の前に立っている」（ソーステキスト2と［図5］を参照）という見事な解釈へと彼を導いたのかを読者に示しています。一方、ここで引用する例では、実証は目に見えるエビデンスではなく、書き手の思考の論理に基づいて行われています。以下は、伝説的な批評家であり、歴史家としても知られる、故デヴィッド・シルヴェスターによる数十年前のテキスト（『Modern Painters』誌の記事として公開された）です。

ピカソが最初にがらくたを用いて彫刻[1]を作ったとき、それはまたデュシャンが最初の既製品による彫刻を作ったときでもある。椅子に上下逆さに設置された自転車の車輪であった[1]。選択した地面からの高さと位置で人を座ることを可能にする椅子、人が自身と周囲のオブジェクトを動かすことを可能にする車輪。今ここで組み立てられた2つのオブジェクトは、地球の支配権を得た人類における最も基本的なオブジェクトであり、原野の獣と自身とを区別するためのそれでもある[2]。文明の源である椅子と車輪、デュシャンは双方を無用にした。ピカソは廃物を拾って、それらを楽器などの用途をもったオブジェへと変えたのに対し、デュシャンは本来用途をもっていた椅子と車輪を無用の品へと変えている[3]。

ソーステキスト6:

デヴィッド・シルヴェスター『Picasso and Duchamp』1978／92年

シルヴェスターはここで、ピカソの廃物を用いた彫刻とデュシャンのレディメイドとが、全く逆のやり方でヒトと彼らを取り巻く世界を分かつものを表現しているという、重厚な主張をつくりあげています。シルヴェスターは、自身の思考を段階的に読者に追わせることで、この壮大な考えを伝えることに成功しています。「ピカソが最初にがらくたを用いて彫刻[1]を作ったとき、それはまたデュシャンが最初の既製品による彫刻を作ったときでもある」という書き出しから重要な結論まで、彼がぶれることはありません。そして、このパラグラフが全て繋がったとき、アート、有用性、そして人類と動物世界との関係性など、複数の大きなテーマに対する2つの対立的なアプローチが浮かび上がるのです。

彼は、自らの思考をひとつひとつ明らかにしていくことで、読者を導き、伝わるアートライティングに必要な3つの問いに答えています。

Q1　**これは何？** [1]
Q2　**作品にはどのような意味がある？** [2]
Q3　**だから何？** [3]

シルヴェスターは、20世紀の2人の巨匠のあいだに横たわる決定的な違いを記しました。そこにあるのは思いつきの言葉や専門用語ではなく、彼が見たものの丁寧な描写、そして彼を駆り立てた独創的なアイデアだけです。

＞不完全な因果関係

実証に欠けた、悪いアートライティングでは、作品の「意味」が、その由来をたどることなく、軽率に主張されています。

ある美術館のウェブサイトで公開された（後に取り下げられた）下記のテキストを考察してみましょう。本来、一般の来場客に向けて責任もって書かれるべきこのテキストは、アーティストのヘギュ・ヤンによる、物干しスタンドが、あの手この手で折り重ねられた「アシステッド・レディメイド」彫刻の数枚の写真に添えられていました。

> この新しい委嘱作品は［…］感情的・感覚的転換に対するアーティストの関心を反映しています。彼女は、芸術的な抽象性と作用性の戦略によってつくられる、一般的な人間条件、そして愛国主義や家父長制社会へと踏み込んでいきます[59]。

このあとも手の施しようのない文章が続きます。注意深い校正者の力があれば、このライターに以下のようないくつかの問いを投げかけ、つじつまの合わない因果関係を指摘し、言葉の選択に幾らかの分別をもたせてくれていたことでしょう。

- 「感情的・感覚的転換」それから「芸術的な抽象性と作用性の戦略」とは何を意味するのか?
- 具体的にはアーティストはどのように「愛国主義や家父長制社会へと踏み込」んでいるのか?
- 洗濯物を干すことと家父長制社会という2つのことはどのように結びつくのか?
- それから、洗濯物はどのように人間の条件を表象するのか?
- 全自動乾燥機を使う人たちは「一般的な人間の条件」から逃れることができるのか?(また、「一般的でない人間の条件」があるとしたらそれはなんなのか?という疑問も生まれる)

自身の思考の全ての段階を読者に示してください。それはあなた自身のアイデアを解きほぐす助けにもなるはずです。

ここでなされる飛躍——洗濯物の乾燥装置から人間の条件に関する論説——を追うことは不可能です。しかし、コンテンポラリーアートライティングでは、このような信じがたい論理の断絶が日々見受けられるのです。

読み手に対する思いやりをもちましょう。献身的な読者であっても、因果関係の欠けた繋がりを結んでいくのは不可能です。仮に、理解力に満ちた読者たちが、この不可解な思考に隠された論理を、苦労して繋ぎ合わせてくれたとしても、物干しスタンドと「芸術的な抽象性と作用性の戦略」で想像される関連性が、ライターの考えるそれと同じものであるか確信に至ることはないでしょう。

3

観客：知識豊富な専門家か素人か

コンテンポラリーアーティストであるタニア・ブルゲラの言葉を言い換えると、「アート」――それをあえて定義するならば――、それはそこにある根源的な流動性（instability）に特徴づけられるものでしょう[60]。もしくは、アーティスト兼ライターのジョン・トンプソンによれば、彼にとって作品制作とは「闇に向かって放つ弾丸」です[61]。

「アート」は、アーティストがひとりまたはグループで、一連の素材（または状況）と結果をまとめたときに、それを構成する要素以上の何かが、何らかの形で生まれたときに生じます。その例は、列挙すれば限りがありません。

- キャンバスの上の顔料
- 塑像された粘土の塊
- 壁に取り付けられたライトボックス
- 売店でのグループイベント
- スクリーンに映し出されたインターネット上の情報配信画面
- 捲れあがった紙の写真
- スタジオの外周を歩き回るアーティスト
- テート・モダンのタービンホールの床に出現した巨大なひび割れ
- 台座に載せられたボトルラック

良いアートライティングとは、アーティストが次の要素を的確に組み合わせたときに何らかの形で生じたモノ――説明がつかないような特殊性をもった何か――を言葉にする試みです。

- 素材

- 物体
- 技術
- 人々
- イメージ
- その他多数

しかし、残念ながら、アートを言語によって定着させることには、アートを書くに値するものにしている性質、それ自体を殺してしまうリスクがあるため、アートライティングとは必然的に、大なり小なりの葛藤や弱点を抱える探求なのです。

優れたアートライターは、この作業の矛盾を受け入れ、正面からこの難問に向き合いますが、一方でリスクを自覚しない悪いアートライティングは、作品をすでに確立したものとして受け取り、その重要性をさらに強固にするために言葉で装飾する必要があると勘違いしています。

多くの優れたアートライターたちは、結果である作品に最も影響を及ぼしたとみられるアーティストの選択はなんだったのかを突き止めています。そこでは、意図的な選択もあれば、偶然や協働のなかの選択、あるいは取るに足らないような些細な選択、不可避的な選択、やむを得なかった選択、現在進行形の選択、公に表明されている選択など、さまざまな場合が考えられます。

優れたアートライターは、以下のどの選択が作品全体において最も重要な意味をもつこととなったかを、鋭く観察し思考することによって、共感的な推理を行います。

- アーティストが用いた素材
- アーティストの写真のフレーミング方法
- アーティストが採用した技術
- アーティストに着想を与えたイメージ
- アーティストが見出そうと決めた場所
- アーティストが協働しようと決めた人々

アートの商業取引では、作品の価値がお金をもとに計量化され――作品の価格が、ハンマーが叩かれる瞬間まで、入札者から入札者へとラリーされていくオークションルームでのプロセス――それによってアートの根源的な流動性を鎮めようとしますが、アートライティングもまた、言語を使って可変的なアートを定めようとする点で、同様に矛盾を孕んだビジネスといえます。

アートについて書かれたテキストのなかには、詩やフィクションなどの形式を通して、アートに内在する流動性をオマージュするものもありますが、多くは言語を通してアートを固定化させることを試みています。

そのため、さまざま観客や読者の姿をイメージするということは、彼らが求めるアートの固定化はどの程度であるかを見極めることでもあります。読者がそれほどアートに親しくない場合には、より基礎的な知識が必要となります。数値化された情報だけを求める読者であれば、それを与えることです（統計、価格、記録、日付、来場者数）。

子供に向けて書くときは、そのアートを言葉や数で明確に定めましょう。
例えば、「ジェフ・クーンズの《Puppy》（1992）は、70,000本の花でつくられていて、完成には50人もの人手が必要でした」[62]。
また、「ポップアート」、「アブストラクト」、「ポートレート」などあらゆる単語を定義してから使います。若い読者に探し出してほしいものがなんなのかを、わかりやすく示し――「《Puppy》はニューヨークの自由の女神などの他の大きな野外彫刻と何が違うのでしょうか？」――同時に、彼らの自分自身で考える能力を尊重します。

一般的な読者に対しては、物理的な描写や歴史的知識、そして簡潔なアーティストステートメントなど、鑑賞体験を確実な情報でイメージするための助けになるものは、なんでも詰め込みます。

読者に対して一方的であったり、全ての観客がその作品に同じような反応を示すことが前提とされていたりしないよう注意します。いかにその作品が「困惑させ」、「考えさせられる」かを綴ることで、他の誰かのその作品への考えを知ったかぶりしたり、代弁したりするふりもやめましょう。読み手には、その作品が退屈で稚拙であると考える自由があります。反対に、読み手があなた以上にこの作品に感銘を受けて、あなたが感じることのできなかった神秘的な力を作品から見出すこともあるでしょう。

最も難しいのは、このような一般的な読者を対象としたテキストを、専門家にも面白く読めるものにすることで、これには、慎重かつ最新のリサーチと、知的でありながら分かりやすい文章が必要となります。可能な限り全てを読み、特にわかりやすく表れているアーティストの選択に焦点を合わせることから、始めてみましょう。

次のような専門的なアートテキストでは、やや冒険的な領域に挑戦できますが、あまりに難解すぎる文章も好ましくありません。

- アートマガジンの記事
- 学術的な課題論文
- 美術館カタログのエッセイ
- 展覧会レビュー

すでに知識が十分にある読者であれば、アート本来の流動的な側面に迫ろうと試みる挑戦的なアートライティング——芸術用語の羅列ではなく、アートそれ自体とあえて肩を並べようと試みた文章——を純粋に高く評価することができるでしょう。

ヴァルター・ベンヤミンの「歴史の天使」（ソーステキスト1）は、小さな天使を瓦礫の山でゆさぶり、未来へ羽ばたこうとしている彼をつまずかせることで、クレーの大きな目をした男の絵画を、文字通り「流動」させています。これは圧巻の文章ですが、このような野心的なアートライティングには途方もない技術が必要です。あなたのひとまずの仕事は、新鮮かつ思慮深い言葉で表現された、厳選されたアイデアを使って、アートの本質的な流動性を伝えながら、それを固定していくことです。まだ慣れていない場合は、すでに十分に難しいこの作業をこなすことだけに集中しましょう。

4

実践的な「ハウツー」集

これより先の実践的な提案は、これまでの一般的なガイドラインよりもさらに具体的です。ここに挙げられている便利な提案リストを見ないで済む日がきたとき、あなたのライティングは奥行きをもって進化しているでしょう。

それまでは、アートライティングが陥りがちないくつかの落とし穴を意識し、これらのささやかな改善テクニックを試してみましょう。

>具体的に

大雑把な描写と包括的な芸術用語で、アートを取り扱わないこと。この本からひとつだけ助言を選ぶなら、これにしてください。文章をすぐさま向上させるのは、適切に選択されたひとつのアート作品と、それに対するわかりやすく博識で新鮮な言葉です。次のような作品の周囲をあてどなく漂う漠然とした言葉の数々は、どこにもたどり着くことなく、ページ上で生き絶えます。

> ハルーン・ミルザの作品[図11]には複数の技術が用いられている。それによって、観客が予期しなかったような、ある種の「音楽」に伴われた、光のショーをもたらしている。

この未完成の架空のテキストの一節は、多くの初心者によるアートライティングと同様に、答え以上にたくさんの疑問を残しています。どの技術なのか？　光はどこからきたのか？　「ある種の『音楽』」とは何なのか？　なぜこれが「予期しなかった」ものだったのか？　書き手が言及しているのはどの

[図11] ハルーン・ミルザ《Preoccupied Waveforms》2012年

作品なのか？　2つ目のフレーズはそもそも、文章として成立していません。
　残念ながらこの場合は、以下の有益な改善策を念頭におき、初めから書き直すのが正しい判断です。

- 具体的に。タイトルとデータを追加し、要点を実証し視覚化する
- 2つの要素を、筋が通る一文にまとめる
- 単語を漠然とさせる句を取り除く（「ある種の〜」や「〜のような」）
- 受動態を避け、能動態に書き直す
- 「観客が予期」するものを憶測で語らない

以下の修正版を見てみましょう。

> ハルーン・ミルザは、《Preoccupied Waveforms》（2012［図11］）で、ジャンクショップの明滅するテレビセットやカラフルなLEDチューブライトといった、騒々しく発光するさまざまな技術を集め、それらが発するハム音やバズ音のノイズを組み合わせて、シンコペーションされた律動的な音楽をつくり出している。

ここでは、ブレのない名詞（「ジャンクショップの［…］テレビセット」「ライト」「ノイズ」）と、具体的な動詞が場面を設定しています。読み手が、展示会場で何が起こっているのかを想像できるよう、視覚的に豊かな言葉を活用しましょう。出発点となるベースさえ定められれば、このあとにミルザが作り出すソン・エ・リュミエール（訳注：俳優などを使わず、特別な照明装置や音響を中心に展開される大規模なショー）についての有意義な議論が続いたとしても、読者は完全体制でついていけます。その体験を正確にイメージさせることで、読者は自分自身の作品鑑賞を、確信をもって深めていけるでしょう。

＞描写に肉づけする

文章の書き出しを弱々しくしてしまわないでください。例えば、「ブラジル人彫刻家、エルネスト・ネトは、空間を利用したマルチメディアのイン

スタレーションを制作する」というように。
もう少しヒントを加えましょう。色は？　素材は？　タイトルは？　骨組みとなる説明に、具体的な肉づけを施すのです。

ネトの《Camelocama》(2010) [図12] を例に書いてみましょう。

樹木のような構造の《Camelocama》は、
- 中庭の中央から湧き出している
- 色とりどりのかぎ針編みの網から成る
- 編み上げられた黄色の網に吊るされた円形の天蓋から伸びる「枝」、カラフルな塩ビ製のボールで満たされたマットレスのような丸いネットの「幹」をもっている
- 寝そべって頭上の14本のこぶを見つめるよう鑑賞者を誘う。そこでは、オレンジ色のプラスチックのボールが、エイリアンの、発光する睾丸のように重たそうに垂れ下がっている

背景の古典的な建築物との対比について話しても良いですし、色とりどりのボールがIKEAの子供向けのプレイルームを彷彿させるということだって書けるかもしれません。
　こういった生き生きとしたエッセンスが、そのあとに、どのように活きていくかを考えてみるのです。しかし、まずは読み手がすぐにその作品をイメージできるか確認してくださいね。

＞作品のイメージを目の前に置いておく

自宅で書くときには、作品の写真を
- 上から下へ
- 右から左へ、左から右へ
- 角から角へ

と眺めてみます。

この訓練は、絵画や写真など、平面の作品を見るときに特に重要です。

「端」や「空白」を無視せず、作品全体に気を配って見てください。絵や映像に現れる、何の出来事も発生しない「裂け目」に注意を向け、「なぜアーティストはこの奇妙な“空白”を含めたかったのだろうか」と問うのは、ときに良い出発点となりえます。

＞抽象的で難解なアイデアを、別の抽象的で難解なアイデアで「説明」しない

抽象名詞が次から次へと重ねられると、テキストが不明確でぼんやりした概念の霞になっていきます。このことは、アートライティングの「してはいけないことリスト」ナンバーワンです。

おそらくあなたも、次に挙げるような、びっくり仰天する文章に出会ったことがあるのではないでしょうか。このテキストは、あるグループ展のカタログで公開されたものです。

> （我々の作品は）形式を内容と対象物の表面的な姿に従属するサバルタン、図像を、全ての理解へと通じる重要な入り口とする、中東の現代美術に対する推定上の指定に明白である、批評的な言説における緊迫した不均衡性に応答している[63]。

これが地球上で、もはやたった8人しか話すことができない、消滅の危機にさらされたチャミクロ語で書かれたものだとしたら納得します。読者はこの短い文章のなかで、少なくとも9つの抽象的なアイデアを処理しなくてはいけません。

- 緊迫した不均衡性
- 批評的な言説
- 推定上の指定
- 従属するサバルタン
- 表面的な姿
- 対象物

[図12] エルネスト・ネト《Camelocama》2010年

- 図像
- 重要な入り口
- 全ての理解

これらの言葉は、大体5つに1つの割合で考えなしに使われています。誰がこれを読み進められるでしょうか？　書き手は何を見てこれを書いているのでしょうか？　どうしたらこの言葉で、作品の体験を伝えることができるのでしょう？

＞抽象的な言葉は控えめに

抽象的な名詞は、作品の基本的な姿と意味を読者にしっかりと定着させてからに使います。ひっきりなしに抽象的なアイデアを畳みかけるのは、読者にとっては拷問でしかありません。

「哲学と文学における駄文コンテスト」（現在は休止）の映えある勝者を見てみてください[64]。最優秀賞は常に、長々とした一文に抽象的な言葉をひとつまたひとつと積み上げた書き手に授与されています。

ここでもうひとつ別の例を挙げます。以下はギャラリーのプレスリリースからの引用です。

> イメージのあり方、その概念の拡張を常に模索するラスリー [図13] は、対象物における形体上の特徴を強調し、それと特定の文化的背景との繋がりに対する問いへ道を開くことで、その指標的な結びつきから逃れる写真を生み出します。写真はイメージがただの物体となる場となり、したがってそこは、見ることの基本的条件にラスリーが問いを投げかける場となります。今回の展示では、キャビネットを思わせる壁面付けの彫刻作品が、ラスリーの写真に特徴的な複数の性質（サイズ比率、連続性、そしてモジュール性）を連想させます。しかし、キャビネットの入れものとしての見かけ上の有用性は、写真はオブジェクトとして加えられていますが、表象としては立ち退けられている、という矛盾をそこに読み取らせます[65]。

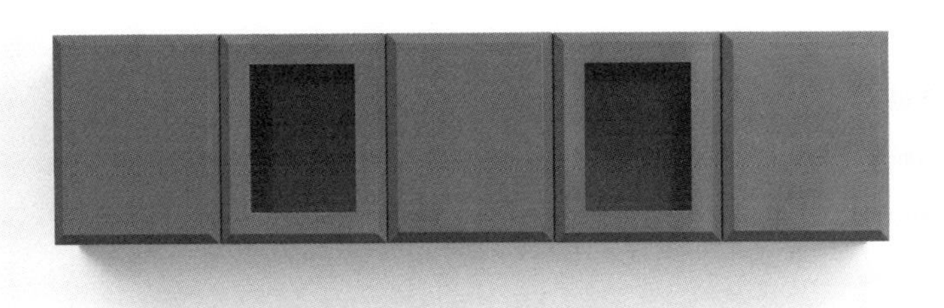

[図13] エラッド・ラスリー《Untitled (Red Cabinet)》2011年

この本は、わかりやすく堅実な言葉遣いに重点をおいています。ただ響きが良いという理由だけで、適切で具体的な言葉を選ぶことはできません。

　的確で、慎重に選び抜かれた言葉は、アートライターが言語を通して作品を理解しようと実際に試み、その結果を読者に伝えようとした証となるのです。

>文章に中身のある名詞を取り込む

完全な心象イメージは、明確な名詞によってつくり出されます。

　例えば、オクウィ・エンヴェゾーのクレイギー・ホースフィールドの写真に関するテキストの「工業都市」「街角」「工場の床」(ソーステキスト2 [図5])。

　また、ゴヤの「パン屋の家族」を思い出してください(フランシスコ・デ・ゴヤ《The Family of Carlos IV》約1800年頃 [図4]。著者はルシアン・ソルヴィーの他に諸説あり)。全国のパン屋さんに、このフレーズが19世紀の嘆かわしい階級社会の偏見に根差していることを弁明しつつあえて説明すると、パン屋という名詞には、凡庸、安っぽい、貧しい、不健康、粗野、栄養過多…といったたくさんの形容詞が凝縮されています。

　言葉の無駄遣いを避けること。すなわち、具体的な名詞を使うこと。

> 「僕が気に入っている建築と彫刻の違いの定義は、そこに配管があるか否か、だね」
> —ゴードン・マッタ=クラーク[66]

その観点からすると、廃屋の壁に巨大な曲線を切り込んだ1970年代の彫刻家／建築家、ゴードン・マッタ=クラークが差し込んだ「配管」という言葉は、絶妙に選択された明確な名詞であり、文章に見事に息を吹き込んでいます。

　マッタ=クラークのお茶目な言葉の選びは、一見でたらめで奇妙に思えるかもしれませんが、実際、「配管」という言葉は、彼のアートへの職人的態度や、パイプや内部構造を覗くために既存の建物の壁を切り込んだ彼のスタイルをはっきりと連想させます。

>喚起的な言葉で作品を描写する

タンクに浮かんだあのサメや、「R.Mutt」の署名が入った磁器製の便器などを議論するのでない限り、読み手が作品を一度も見たことはない、という前提で書き進めます。執筆するテキストが、写真付きのものであったり、実際に作品の隣に貼られるテキストであったりしても、文章の書き出しは、読み手が思い描けるか、あるいはすぐに理解できる事柄から始める必要があります。

まだ知られていないアーティストについて最初に書くときや、新しいアートを読者にいち早く紹介する場合は、なおさらです。

この作品の何が特別なのかを、明確に述べましょう。集中して、具体的に。あなたの解説が、2003年以降の『Flash Art』誌の表紙を飾るような作品を対象とする場合には、さらに考えを練る必要があります。
抽象的な名詞の数に慎重になりましょう。抽象化は控え、代わりにすぐにイメージできる名詞を使うようにします。

ここで、故スチュアート・モーガンは、フィオナ・レイのペインティングをこのように描写しています（イメージしやすい具体的な名詞を太字にしてあります）。

フィオナ・レイの《Untitled (purple and yellow)》(1991) のなかでは、風に運ばれる**棺**、**きのこ雲**、墜落する**飛行機**、2つの**インクのしみ**、海辺にうちあげられた**クジラ**、折れた枝をもつ**木**、それらが出会い、入り混じっている。これはこの作品を記述するさまざまな方法のうちのひとつに過ぎない。これが複数のパラレルワールドから訪ねてきた、持ち主のいない**乳房**、ヘブライ語の**手紙**、雄鶏の**トサカ**、ひどく擦り切れた**男性用下着**の説明をしてくれることはない。

ソーステキスト7:
スチュアート・モーガン「Playing for Time」『Fiona Rae』1991年

モーガンは、自身の描写に生きた名詞（棺、雲、クジラ、木）を織り込むことで、レイの活気に満ちたペインティングの細部を読み手に視覚化させるだけでなく、さらにこのアーティストの広大な想像力を強調しています。

＞ 形容詞：ひとつを選ぶ

気の利いたひとつの形容詞は、パラグラフ全体を磨きあげます。形容詞への最良のアドバイスは、ひとつを選ぶこと、そしてそれを十分なものにすることです。

このような退屈な形容詞を打ち込んでしまったときには、パソコンのサウンドアラームがなるように設定しておきましょう。

- 「挑戦的な」
- 「洞察に溢れた」
- 「刺激的な」
- 「文脈上の」
- 「興味深い」
- 「重要な」

これらの万能な言葉は、ツタンカーメン誕生以来のあらゆる芸術作品に対して、大体当てはめることができます。「端然と」「快活な」「湿潤な」…など、あなたが読書をしているときに出会う巧みな形容詞を（パソコンの特別なファイルに）コレクションしておきます。自身の書いた、息の根の止まったような退屈な言葉に辟易したときには、いつでもそのコレクションを覗いてみましょう（同じように、躍動感のある動詞のコレクションを集めておけば、それもライターにとってかけがえない財産となるでしょう）。

あなたの基本的な最初の仕事は、作品を読み手に植えつけることにある、ということを忘れないでください。頭に寸分違わないイメージを浮かばせる言葉を選ぶのです。あなたの話の対象となっているイメージを最初にきちんと思い描くことができなければ、どんな魅惑的な解説であったとしてもパッとしません。

形容詞に関していえば、少ないほどより良いです。学部生は、以下の3つの形容詞を頻繁にリストします。「この作品は挑戦的で、洞察力に溢れており、印象的だ」院生はこれを2つに削ります。「この作品は挑戦的で、洞察力に溢れている」。

多くのプロは、不必要な形容詞を、全体を通して避け、次のような喚起的な言葉をひとつ選ぶことで、的確な言葉をピンポイントで使用します。

具体的な(喚起的な)形容詞

- 荒れ果てた
- 煌々とした
- 華奢な

抽象的な形容詞

- 儀礼的な
- 指標的な
- 文化的な

次の、美術批評家のデール・マクファーランドによる雑誌の記事には、具体的な形容詞が多く用いられています(ポイントとなる形容詞は太字)。

(ウォルフガング・ティルマンスの) ドレープへの探求 [図14] ――寝室の床に投げ捨てられた、**しわくちゃに折りたたまれた**衣服の布、Tシャツ、ジーンズ、ボタンやポケット、まちのディティール――においては、このクラシカルな形式が、全く**予期外**のテーマとして強調されている。
写真は、積みあげられた**汚れた**洗濯物の色と手触りの視覚的な喜びを捉えている――青いサテンのランニングショーツの光と陰の戯れ。**不快なシミでまだらに色づく白色の**コットン。

それらはエロティシズム以上の何かを示唆していた。服を脱ぐ行為が鮮明に喚起させられ、そこには着ていた人物のぬくもりや匂いがいまだ残っているようだ。風通しの悪さ、ことによれば、まるで**暑い夏の**夜、窓のない部屋で**蒸しむしとした**布団に絡まっているときのような、そんな閉塞感さえある。

乱雑さと儚さの美は、ティルマンスが描くものの一部だ。必然的に消えゆく瞬間への、**悲痛な**偏愛を抱いた彼は、それがどれほど**愛しく**、どれほど**特別で再現不可能な**ものであるかを**熱情的に**記録しようと試みたのだ。

ソーステキスト8：
デール・マクファーランド「Beautiful Things: on Wolfgang Tillman」『frieze』1999年

ひとつの明確な形容詞（「汚れた」「窓のない」「悲痛な」）は、煮え切らない言葉を書き連ねるよりもずっと描写力をもちます。

またマクファーランドの二様に取れる形容詞は、互いに矛盾することがなく、「しわくちゃに折りたたまれた」が、意味のない「イエティ」（駆け出しライターのページを埋める、互いに矛盾する修飾語のペアを指す私の造語。つまり「しわくちゃで滑らか」というような。51ページを参照）に陥ることはありません。

マクファーランドのテキストは詩的な例ではありますが、彼の優美なライティングは、形容詞の明確性だけではなく、作品から引き出された具体的な名詞（「積みあげられた汚れた洗濯物」「青いサテンのランニングショーツ」）が繰り返し差し込まれることで、支えられています。

また彼は、閉ざされた親密な雰囲気をさらに高めるための、非視覚的な感覚を呼びおこさせます。

- におい：「着用者の […] 匂い」
- 手触り：「蒸しむしとした布団」
- 動作：「服を脱ぐ」

ティルマンスの甘美な写真は、ソフトポルノの趣と少し似ていますが、マクファーランドの味わい深い言葉は、彼の作品とよく調和しています。このテキストは、ティルマンスの静かで官能的な写真とともに奏でられる、完璧な抑揚の伴奏を作成することで、ピーター・シェルダールの「それが存在しない世界では想像さえされなかった、より良い何かを提供」するというアートライターへの忠告を満たしているのです[67]。

[図14] ウォルフガング・ティルマンス《grey jeans over stair post》1999年

＞力強い能動詞を豊富に詰め込む

刺激的な動詞は文章をエネルギーで満たします。緩慢なテキストを活気づける一番簡単な方法は、基本的な動詞をすくいあげ、それをはつらつとした動詞（転覆する、昇る、轟く、陥る）に置き換えることです。予期しないアクションで、テキストにムチ打つのです。

以下は、『e-flux journal』に掲載された、デジタルイメージの不確かな状態について書かれたヒト・シュタイエルの有名なエッセイの一部です（ポイントとなる動詞は太字）。

（ヒト・シュタイエル《Abstract》2012年［図15］を参照）

貧しい画像とは、オリジナルのイメージの非合法的な混雑種の5代目だ。その系譜は疑わしい。そのファイル名は意図的にスペルが**書き損なわれる**。それは度々、血筋や帰属する文化、あるいは著作権に公然と**抗う**。それは以前のそれの視覚姿のリマインダーとして、あるいはその疑似餌、おとり、指標として**流通する**。それはデジタル技術の約束を**反故にする**。ただ焦ってピンボケしたというレベルではなく、多くはもはや一体イメージと呼ぶことができるのかさえ疑わしい段階まで**落ちぶれる**。第一に、このような荒廃したイメージを生産できるのはデジタルテクノロジーだけである。

貧しい画像は、同時代の哀れなスクリーン、視聴覚生産物の残骸、デジタル経済の彼岸へと流れついたゴミである。それは［…］、商品、もしくはその似姿で、贈り物あるいは賜り物として地球じゅうに**引きずりまわされる**。それは喜び、あるいは死の脅威を、陰謀論、あるいは密造品、レジスタンス、あるいはパロディを**広める**。貧しい画像は特異性、明白性、驚異性を示している、人がなおそれを**解読する**ことができるのであれば。

ソーステキスト9：
ヒト・シュタイエル「In Defense of the Poor Image」『e-flux journal』2009年

シュタイエルがこの短いパラグラフの中に挿入した言葉のチョイスに注目

[図15] ヒト・シュタイエル《Abstract》2012年

してください。

- 「書き損なわれる」
- 「落ちぶれる」
- 「抗う」
- 「反故にする」
- 「解読する」

また、劣化した画像の多様性を伝えるために彼女が使用しているひねりの効いた名詞にも注目しましょう(「混雑種」「疑似餌」「密造品」)。形容詞も知的に織り込まれていますが(「荒廃した」)シュタイエルの力強い文章をかすめてしまう副詞が少ないことにも気づいてください。

類語辞典を乱用して華麗な文章を組み立てることを勧めているのではなく、ここで目指しているのは語彙を増やすことで自身の思考を広げることです。シュタイエルの多様な名詞と動詞は、無数の新しい仕様のなかで折衰されていくデジタル画像、そして彼女が残りのテキストで展開していく「劣化」というさらに大きな主題を強調します。

　この冒頭部分のパラグラフでは、シュタイエルはまずシーンを設定し、「貧しいイメージ」をどのように定義しているかを記述することで、21世紀のアートにとって、これが何を意味するかを解いていく前に、それがどのように振る舞っているのかを示します。

＞動詞：もう一度ひとつ選ぶ

アート言語のもうひとつの傾向として、非常に恐ろしいDVS（重複動詞（Duplicate Verb）シンドローム（Syndrome））があります。その名が示す通り、これは、ひとつで十分にもかかわらず、2つの言葉を不必要にまとめる症状を指します（修飾語の「イエティ（yeti）」（51ページ参照）の非道な弟分といって良いでしょう）。

　例えば、「この論文は、インカ・ショニバレの植民地時代以降の遺産を批評し、紐解きます」。

　同様に「この研究／展示／作品は

　　挑戦し打破します」
　　調査し問いかけます」
　　探求し分析します」
　　研究し再考します」
　　転換し一新します」

ペアになった動詞は事実上、同じ機能を果たし、何もない文章をただ複雑にするためだけに結合されています。動詞を2つにする場合には、2つの異なる意味が機能していることに確認してください。そうでなければ冗長な動詞は取り除きましょう。

＞地獄への道は副詞と共にある

これはスティーヴン・キングが授けた知恵です[68]。文章を間の抜けたものにする副詞は、容赦なく排除します。副詞はテキストの整った芝生を乱す雑草のようなもの。上記の例では、副詞はほとんどありません（ソーステキスト7、8、9）。一部の副詞は必須ですが（あるいは、以上、いつも、など）、プロのライターは副詞の数を少なく保っています[69]。

＞混乱を避ける

これは副詞や過剰な形容詞、そして恐怖のジャーゴンとの戦いを意味します。ここで、イメージしやすい具体的な名詞（太字）が使われた、ジョン・ケルシーの軽やかで簡潔な文章を見てみましょう。

（フィッシュリとヴァイスの）「女性」は小・中・大（1m）の3つのサイズがあり、それぞれが4体のセットになって登場する（並べられたキャストと、それを支える正方形のフロア）。「**車**」は実際の**車**のサイズの約3分の1だ。この縮尺は、それらにアートの「外観」を与える。ギリシャや新古典主義の**小彫像**、あるいは**台座**に置かれたミニマリストの**彫刻**、それらはただそこにとどまるかポーズを取るだけでたやすくアートの場に住まう。それは審美的な影武者か、彫刻の形をした替え玉であることだってありうる[1]。**かかと**ひとつ取っても、「女性」は、片方の足が体重を支え、もう片方の足がわずかに曲がった、古典的なコントラポストポーズの自然体の美しさを真似ることに成功している。[…]

ここには室内装飾の形をした**スチュワーデス**と**車**がある。その逆も然りだ。価値観の秩序が常に整った安全で快適な世界へと僕らを返すと同時に、その凡庸性をもって軽々とこの場所に出没する。この貯蔵空間は、まるで**駐車場**のようにいつもすでに満たされていることに気づかされる。

ソーステキスト10：
ジョン・ケルシー「Cars. Women」『Peter Fischli & David Weiss: Flowers & Questions: A Retrospective』2006年

ケルシーのシンプルで親しみやすい言葉遣いは、フィッシュリとヴァイスのドライな作風にマッチしたイメージをつくり出し、前提となるベースをつくったあとに、車によってギャラリーがアートのための「駐車場」として実際に機能していることに気づくという、彼の聡明な観察を深めていきます。彼は、抽象的なアイデアのほとんどを一行に凝縮しています[1]。かつ、それ以前に、作品の物質的なイメージをしっかりと伝えているために、読者はケルシーの解釈へ唐突に投げ込まれることはありません。

副詞と同様、抽象的な名詞と抽象的な形容詞は、アートライティングを汚水のように濁らせる不純物です。あなたが何を見ているかを、読者が知っていることが確実になったときに初めて、漠然とした言葉(「影武者」「替え玉」)を使うこと。

>論理的に情報を並べる

意図的に劇的な効果を狙うのでない限りは、論理的な順序をあらゆるパラグラフ——全体の文章、ひとつの章、段落、文章——で維持する必要があります。

- 時系列を保つこと
- 一般的な事柄から具体的な事柄へと進むこと。基本的には、全体的なアイデアを紹介してから、詳細や例を埋める
- 情報に優先順位をつけること。重要な情報は、最後もしくは最初におき、中間に埋もれさせない
- 関連する言葉やフレーズ、アイデアを同じ場所にまとめること

>論理的に順序づけられた文章

以下は、伝説的な美術史家、レオ・スタインバーグがMoMA(ニューヨーク近代美術館)で行ったレクチャーでの発言から引用された一文です。後にアートフォーラムより書籍化されました。

ラウシェンバーグは、《White Painting with Numbers》(1949) の翌年、オブジェをおいた感光紙を日光にさらすという実験を開始しました [1]。

ソーステキスト11:

レオ・スタインバーグ「The Flatbed Picture Plane」1968年

この一文は、アーティストのロバート・ラウシェンバーグの青写真として知られるものについての議論を、誰が(ラウシェンバーグ)、いつ(「1949の翌年」)という基本的な情報を示すことから始めています。ロジックは時系列的に、かつ一般的な事柄から特定の事柄へと進めていきます。わかりやすくするために、動詞の動作主をすぐ認識できるようにしておきましょう [1](一般的な読者層に向けたものや報道テキストの場合、主語と述語をすぐに結びつけて読めるようにすることは、ほとんど必須です)。

以下のバージョンでは、スタインバーグの分別ある順序がでたらめに再編成されており、その結果として文章に混乱がもたらされています。2番目の例では、読み手が時間を遡る必要があるだけでなく、アーティストではなくオブジェが実験を動かしています。

日光にさらされ、オブジェが置かれた感光紙は、《White Painting with Numbers》(1949) の翌年に行われ、それがラウシェンバークの実験の始まりとなりました。

ラウシェンバーグの日光にされされた感光紙に置かれたオブジェは、《White Painting with Numbers》(1949) の翌年に、実験を開始しました。

単語の順番にはかなりの自由がありますが、適切な順序を決めるための論理的な流れを学んでおきましょう。もつれた文章は全て、慎重に並べ替えます。上の例のように、句読点が散らばっている場合は、順序が混乱している可能性があるので整理が必要です。複雑な構造となってしまった文章には、上記の中間バージョンのように、「どのように」「なぜ」「何が」の書き直しが必要です。

＞論理的に順序づけられたパラグラフ

この『Artforum』誌の記事では、批評家、映画製作者、学者であるマンシア・ディアワラが、マリのスタジオ写真家、セイドゥ・ケイタの作品を検証しています。彼は、フランス領スーダン（現在のマリ共和国）の首都、バマコの気品高いブルジョア階級たちの、美しい白黒写真を、1940年代から作成していました。

ディアワラは、花を持つ若い男を中心に据えたポートレートの丁寧な読解を通して、時代のコスモポリタンであった、バマコの人々を捉えるケイタの見事な能力を追います。

著者はまず、このイメージで観察されるディティール——衣服や小道具、動作——に読み手の関心を向けさせ、これらがフランスの植民地支配下の教育や西アフリカの近代主義といった、より広範な歴史的設定に向けられていることを示唆します。

（セイドゥ・ケイタの）ポートレートは、「我々」を象徴しながら、「我々ではないもの」を象徴するという奇妙な感覚をもっている。例えば、左手に花を持つ白いジャケットの男性を見てみよう［図16］。彼はメガネと、ネクタイ、腕時計を身にまとい、ハンカチが織り込まれたジャケットのポケットには、ペンが差し込まれている［1］——これらはみな彼の都会性と男らしさを象徴している。彼は正真正銘のバマコの男のようだ［2］。しかし、彼が顔の前で花を持つ様は、このポートレートのプンクトゥムを、「我々ではないもの」を認識させる瞬間を構成する。花は彼の女性らしさを際立たせ、彼の天使のような顔と長く細い指へと注意を向けさせる。これはまた、当時バマコの学校で教えられていた19世紀のステファン・マラルメのロマンティックな詩を想起させる［3］。それどころか、花を持つ男は、私に1950年代のバマコの教師たちの姿を呼びおこした。彼らは、マラルメの詩を暗唱し、彼のしゃれたスタイルに身を包みんで、いわんや自分自身をマラルメと見なしさえしていた。

ソーステキスト12：

マンシア・ディアワラ「Talk of the Town: Seydou Keïta」『Artforum』1998年

[図16] セイドゥ・ケイタ《Untiteled》1959年

マンシア・ディアワラの明快な口調は、このポートレートの現代的なディティールへの明確な観察力と相まって、ケイタのしとやかな写真と調和しています。ここで読者は以下のことをはっきりと読み取ることができます。

［1］ 写真にあるもの
［2］ 一般的な推測
［3］ ディアワラ個人の反応

一人称（私）の使用にはリスクもありますが、ここでは間違いなく、ポートレートの親密性と率直性とバランスが取れています。ディアワラは、上記のようにポートレートの背景について豊かに描写しながら、そのあとに続くエッセイを進めていき、このアーティストの作品を「バマコの女性の美しさを引き立たせる装飾的なもの、そして西アフリカの現代性に包まれた神話的なもの」という2つの機能へと解きほぐしていきます。

ディアワラは、この作品が何なのかを明確にしてから、作品が何を意味し、なぜそれを考える価値があるのかを探っています。

この整った文章は、並べ替えられた途端に明瞭さを欠いてしまうでしょう。この点を説明するために、ディアワラの完璧な文章のひとつを、大雑把なアマチュアスタイルで書き直して台無しにしてみます。

スクランブル版：
「1950年代、おしゃれなスタイルに身を包んだバマコの教師たちが、自分自身をマラルメとみなし、花を持つ男のように、彼の詩を暗唱していた。それが私に呼びおこされた」

ディアワラ：
「それどころか、花を持つ男は、1950年代のバマコの教師たちの姿を私に呼びおこした。彼らは、マラルメの詩を暗唱し、彼のしゃれたスタイルに身を包みんで、いわんや自分自身をマラルメとみなしさえしていた。」

上の不揃いなバージョンでは、以下のような混乱が生じています。

- マラルメの詩を暗唱したのは誰だったのか？　花を持つ男？それとも教師？
- 著者は正確には何を思いおこしたのか？　花を持つ男？　バマコの教師？　彼らが暗唱した詩？　1950年代にこの出来事があったこと?

不適切に構築されたバージョンは、書き手の記憶の詳細から始まり、そこからそのソースへと戻っていきます。主語／述語（「私に呼びおこされた」）が最後に置かれることで、ようやくこれらの関連性が個人の追憶から引き出されていることに気づかされます。

読者はおそらくは意味を誤って捉えることになり、このもつれた文章をひもとくための努力は無駄になるでしょう。

最後の校正で、文章とパラグラフとが論理的な順序をたどっているかを確認しましょう。最終的にはそれをかぎわける嗅覚を得られるでしょうが、それまでは――あるいは文を乱したくない限りは――読みやすくなるように単語やフレーズを並べ替えてみます。

- 時系列の順序に従うこと
- 一般的な事柄から、具体的な事柄へと進むこと
- 関連する用語やアイデアは近くにまとめること

＞自分の考えを完全なパラグラフへ整理する

特に雑誌への寄稿記事や学術論文の執筆の場合は、テキストをメモの切れ端のような、わずか2行の断片的なパラグラフへと切り取らないでください。あなたが書いているのは、箇条書きのEメールやツイート（練習の場合は除きます。ソーステキスト5参照）ではなく、こなれた散文です。それぞれのアイデアを、適切なパラグラフに集めましょう。

同様に、1ページ単位の切れ目ないパラグラフになってもいけません。消化しきれないテキストの塊は分割し、一口サイズに切り分けます。

パラグラフ（意味段落）とは？

パラグラフはひとつの要となるアイデアに対応しており、それに関連する完全な文章——完結しない不可解な文章や、締めが曖昧であったり不合理であったりすることのない文章——で構成されます。

多くの場合は、最初の行で軸となるアイデアを紹介し、前のパラグラフからのスムーズな移行を行います。一般的に、パラグラフは最低3文で構成され、10か12文を超えることは滅多にありません。基本的には、引用でパラグラフが終わることはありません。最後の行（あるいは終わりまでの数行）で最初の行を発展させ、全てを適切に切り上げ、なおかつ次に来るものを匂わせるのが良いでしょう。

ライターで美術批評家のブライアン・ディロンは、『悲痛な希望：9人の心気症たち』（2009）で、自身の健康状態を病的に思いつめる、心気症に悩まされた9人の有名な患者たち——シャーロット・ブロンテからアンディ・ウォーホル、マイケル・ジャクソンまで——の実生活のケース・スタディを示しています。

ここで彼は、エッセイの執筆、伝記、研究、美術批評にまたがる高度なアートライティングを手がけています。ディロンは、ウォーホルの生涯にわたっての死の執着への入り口となったと彼が推察する、ウォーホルの幼少期を支配した患いの数々を挙げています。

ウォーホルの心気症の起源は［1］、彼の肉体的な美に対する桁外れの執着のように、見かけ上は簡単に見分けることができる。1975年のウォーホルの著作、『ぼくの哲学』*で、彼は「子供の頃、一年おきに3つの神経衰弱」を経験したと告白している。「ひとつは8歳、ひとつは9歳の時、ひとつは10歳のとき。その攻撃——舞踏病はいつも夏休みの初日に始まった」［2］。［…］彼の兄弟であるポール・ウォーホラによると［3］、彼の生涯を変化させたと考えられるこの病を患う数年前から、彼はすでに病弱気味だった。2歳のときには、目の腫れのためにホウ酸を浴び、4歳のときは腕を骨折[…]。6歳のときには猩紅熱に罹り、7歳のときには扁桃腺肥大を患った[4]。これらのエピソードは決して特異なものではない。彼と彼の家族らがそれを回想するなかで、与えた意味をのぞいて。それは、彼の身体的および、精神的衰弱の物語を構成する一編となった。

*The Philosophy of Andy Warhol (From A to Band Back Again) [落石八月月訳『ぼくの哲学』新潮社、1998]

ソーステキスト13:

ブライアン・ディロン「Andy Warhol's Magic Disease」『Tormented Hope: Nine Hypochondriac Lives』2009年

このパラグラフでは、ウォーホルが幼少期のほとんどを、不健康な状態で過ごし、この繰り返しの出来事が、身体的に病弱で、精神的に脆弱な彼の自己イメージをつくり上げたというひとつのポイントに焦点を当てています。

最初の文章が、その起源を説明するというこのパラグラフの目的を明確に示しています[1]。そしてそのあとすぐに、この背景が、身体的美しさへの執着とともにあったウォーホルの芸術制作とどのように関連しているかが伝えられます。

ディロンは、ウォーホルの病弱な幼少期についての彼の主張を裏付けるために、多くの例を挙げています。

[2] アーティストの本からの引用
[3] アーティストの兄弟からの直接的な情報
[4] ウォーホルの生涯で実証されている出来事(舞踏病、ものもらい、腕の骨折、猩紅熱)

(これらの情報源の詳細は本の最後にあるディリオンの注に記載されています。学術論文の場合はこういった参照物には注釈をつけます)

ライターは主題——病に冒されたアーティストの幼少期——を最後まで見失うことなく、なぜこれが問題となるのかを、最後の文章でこのように示します——「それは彼の身体的および精神的衰弱の物語を構成する一編となった」。この最後の考察が、病弱な幼少期が、ウォーホルののちの人生へ継続し及ぼしていった影響について書かれた、次の章へと繋がっていきます。

美に取り憑かれたウォーホルのアートのルーツは、彼自身の「体の脆さと、完全性への可能性」のギャップにあるのかもしれない——彼はエッセイの終わりで、作品を観る新しい方法をこのように提案しますが、そこに至るまでに十分な根拠を構築しています。

確かな背景情報が読者にしっかりと染み込むことで、著者の思考に追いつけることができるようになり、なおかつ読者それぞれが作家の解釈についていくかどうかを、自身で選択することができるようになって初めて、ディリオンは意味を抽象化していきます。

アーティストの人生と作品を綿密に検証したディリオンの方法は、アーティストの伝記から抜き出された出来事を、作品の解説に当てはめることの有効性を疑問視する一部の人々によって批判されました[70]。どのようなケースであっても、作品から抽出された「症状」に基づいてアーティストを精神分析してしまっていないか注意してください。

お気づきのように、ディリオンはそのような悪習を回避しています。彼の最終的な解釈は、人ではなく、アートを再考しているのです。

＞リスト化を避ける

ドラマティックな効果を狙って多様さや過剰さを強調するのでない限り、次の情報の羅列は、致命的な退屈さをもたらしてしまいます。これら3つ以上をリスト化しないようにしましょう。

- 名前
- 作品のタイトル
- 美術館、ギャラリー、コレクション

不完全なリストは避けます。例えばグループ展のアーティストを、全員ではなく、部分的にリスト化するのは望ましくありません。

ジャーナリズムやニュースのテキスト執筆で参加者をリストする場合は、名簿は完全でなければいけません。キャプションやハングアウトを活用し、会場、日付、全員の名前を含めましょう。そして、論理的な順序に従ってそれらを並べます。特定の優先順位をつける理由がない限りは、名前は五十音順にすること。

同様に、作品や展覧会をリストするときには、年代順に並べます(あるいはテキストの内容に即した別の規則で並べます)。

しかし、リスト化は、それぞれの要素が実際に興味深いものである限りは、スタイリッシュで刺激的になりえます。例えば、デイブ・ヒッキーがお気に入りの10年について説明する、次のテキストを読んでみましょう。

リモ*、ホモ、ビンボ*、リゾートコミュニティ、がらんとしたスタジアム…それは70年代だった。巨大な極彩色のフードプロセッサーでかき混ぜられた文化、私はそれをとても愛していた。

*リモ:リムジン

*ビンボ:性的に魅惑的で頭の軽い女性を揶揄するスラング。金髪な白人女性のステレオタイプなイメージを指すことが多い。

ソーステキスト14:

デイブ・ヒッキー「Fear and Loathing Goes to Hell」『This Long Century』2012年

ヒッキーのリズミカルなリスト(リモ、ホモ、ビンボ)は、一部のアートライターが、もっともらしい記述に見せかけようとする、美術館やギャラリーの煩わしい一覧とは、全く異なるものです。

しかし、もし必要な場合には、この退屈な名前一覧リストはプレスリリースの一番下に固めてください。

＞ジャーゴンを避ける

スタラブラスが書評で翻訳した、「濃厚で粘り気のある言葉遣い」を思い返してください（12ページ参照）。

> 「展覧会は［…］さまざまな形態の交渉、関係性、適応、コラボレーションから生じる共同生産の空間媒体である」

こういった口先だけうまい決まり文句は、流行りの新生児の名前のように時代とともに古くなっていきます。例えば「脱構築主義」や「（メタ）ナラティブ」のような旧来のジャーゴンは、「ティファニー」や「ジャスティン」に負けず劣らず、1980年代の空気を醸し出しています。

対照的に、専門的な芸術用語はジャーゴンではなく、多くは例外的に発生した媒体と技術、あるいは動向と芸術形式を指しています。

- インパスト
- トロンプルイユ
- グワッシュ
- ジャンプカット
- フルクサス
- アルテポーヴェラ
- サイトスペシフィックアート
- ニューメディアアート

これらを正確に定義するための、信用できる情報源がインターネット上には数多く存在します[71]。一般の読者に向けて書くときには、絶対に必要な場合だけ、馴染みのない用語を用い、それを簡単に定義します。書かないほうが単純でてっとり早い場合もあります。

ジャーゴンは、オックスフォード英語辞典では「見慣れない単語、もしくは一部の特定の人々に特有な会話形式」と定義されています。ときにはまったく普通の単語が（「協働」「空間」）がアート論へと頻繁に差し込まれてしまうことで、一転してジャーゴンまみれの文章となることがあります。

もっと恣意的な場合だってあります。「関係性」?　自分の言葉を見つけて、自分のアイデアを表現してください。ジャーゴンや、すでにパッケージ化された問題を組み替えただけで良しとするのではなく、アートライティングとは困難な仕事であることを受け入れたうえで、書く努力を続けます。

＞迷ったら物語る

ストーリーテリングは、効率的であるにも関わらず、アートライターの手法のなかでは見落とされがちな技です。ロバート・スミッソンは、彼のエッセイ「ニュー・ジャージー、パサイクの遺跡を巡る」(1967) を、マンハッタンから、ハドソン川の不毛の河岸までのバスの旅の物語で始め、産業廃棄物の本質についての語りへと繋げていきます。デイヴィッド・バチェラーの、現代の「センスの良さ」を支配する「白」への執着について書いた良書、『クロモフォビア』(2000) は、金持ちのアートコレクターの桁違いに白とグレーで支配された家への気味の悪い訪問から始まり、カルヴィン・トムキンスのアーティストの人生を綴った伝記──デュシャンからマシュー・バーニーまで──は、心奪われるライフストーリーのコレクションとして生彩を放っています[72]。

美術館のテキストや学術論文の場合、ストーリーテリングは慎重に使用する必要がありますが、長文記事や、アーティスト・ステートメント、ブログ、エッセイにおいては、シンプルで優れたストーリーテリングが効果的です。適切なストーリーは、魅力的な読書体験をつくると同時に、関連する多くの情報を提供することができます。

著名な美術批評家であるマイケル・フリードは、彼の代表的なエッセイ『芸術と客体性』(1967) に、アメリカの空っぽのハイウェイを駆ける、トニー・スミスの夜のドライヴの喚起的な物語を差し込んでいます。

「五〇年代の初めの一年か二年、私がクーパー・ユニオンで教鞭をとっていた時、あるひとが、ニュー・ジャージーの未完成の高速道路に乗り入れる方法を教えてくれた。私は3人の学生を連れて、メドウズのある場所からニュー・ブランズウィック市までドライヴをした。暗い夜で、灯も路肩標も白線もガードレールも何も無く、あるのはただ平地の風景の中を通って進んでいく暗い舗装道だけだった。風景は遠くの幾つかの丘に枠づけられ、だが叢煙突や塔や煙霧や色光が点々と見えていた。このドライヴは意義深い経験だった。道路と殆どの風景は人工的なものだったが、それは芸術作品とは言えないものだった。他方で、それは私にとって、芸術には決してなかった何かがなされていた。最初私はそれが何なのか分からなかったが、しかしその効果は、私がそれまで芸術について持っていた多くの観点から私を解放することになった。そこには、芸術においてはどんな表現も持たなかったような、リアリティーが存在していたように思えた。[…]それ以降、大抵の絵画がずいぶん絵画らしく見える。」

その夜、スミスにとって明らかになったように思えることは、絵画の絵画らしい性質——芸術の因習的な性質と言ってさえいいかもしれない——であった。

ソーステキスト15:

マイケル・フリード著　川田都樹子・藤枝晃雄訳「芸術と客体性」『批評空間モダニズムのハード・コア《現代美術批評の地平》』のトニー・スミスの引用（「Art and Objecthood」『Artforum』1967年）

フリードは自身の主張を説明するために、スミスがドライヴウェイ上で経験した、決定的な啓示を長々と引用しています。

スミスが、物語の終わりまでに、伝統的なペインティング（「絵画の絵画らしい性質」）は、彼の前に広がる広漠とした風景と比較すると、制限されたものであるということを認めた瞬間——それは、フリードにとっては、モダニストの芸術が英雄的に打ち負かされる、演劇的体験への痛々しい回帰を表していました（フリードの雄弁に主張されたこの議論は、モダニズムへの時代遅れの擁護に陥っていくために、その後、非難の的となります）。

>ストーリーテリングと時間ベースのメディア

ストーリーテリングは、映像やパフォーマンスなど時間軸のあるアートについて書くときに、特別実用的な手法となります。

クレア・ビショップは、『人工地獄』(2012) で、そこで議論する多数のパフォーマンスベースの作品——例えば、パヴェル・アルトハメルの《アインシュタイン・クラス》(2005[図17])。この作品では、ポーランド人アーティストのアルトハメルが、自身が主導する、問題を抱えた10代の少年たちが参加する物理学クラスでの、手に負えない状況を取り上げている——を歴史と理論に基づいた彼女のテキストを彩る鮮やかな物語へと変換していきます。

ある晩、私はアルトハメルと連れ立って、その科学教師の家に行った[1]。アルトハメルはそこで、少年たちのためにこのドキュメンタリーの完成途中の試写を行おうとしていた。私たちが着いたとき、すさまじい騒動の最中だった。少年らは爆音でハードコア・テクノをかけ、インターネット・サーフィンをし、喫煙し、そこら中に果物を投げ、互いを庭のプールに落とそうと牽制しあっていた。この狂乱もどこ吹く風とばかりに、落ち着き払い、周囲のカオスに動じずにいたのが、科学教師とアルトハメルだった[1]。少年たちのうち映像を観たものはわずかで(そしてそれは、こうした騒ぎをなにひとつ伝えてないわけだ)、あとの数人の頭のなかは、私の携帯電話を盗もうとしたり、ネットに興じたりすることでいっぱいだった。
夜が更けるにつれ、私が気づいたことがある。アルトハメルは、子供たちと科学教師という2つのアウトサイダー的集団を共存させたのであり、そしてこの社会的な結びつきは、学校に退屈さを感じていたアルトハメル自身の体験を、遅まきながらも修正しようとするものだったということだ[2]。《アインシュタイン・クラス》の特性となるのは、アルトハメルの作品の多くと同じく、周縁に生きる人々への同一化だ。そして、アルトハメルが自らの過去を遡ってそれを回復させることのできる状況づくりに、そうした人々を起用することも特徴のひとつとなっている[3]。

ソーステキスト16：
クレア・ビショップ著　大森俊克訳「第九章——教育におけるプロジェクト：『いかに芸術作品であるかのように、授業を生きさせるか』」『人工地獄 現代アートと観客の政治学』(「Artificial Hells: Participatory Art and the Politics of Spectatorship」『Artificial Hells』2012年)

ストーリーが下敷きとなったビショップの説明は、この出来事の希少な直接的記録として機能しています。出来事の詳細を記すことによって、彼女の全体的な主旨、すなわちアルトハメルが完成させた映像は、実際のこの夜の混乱と相関性をもっていない、とする主張の裏付けがなされています。読者は以下の情報を得ることができます。

Q1　起こったこと[1]
Q2　それが意味するもの[2]
Q3　これが重要な意義をもちうる理由[3]

ここでは全体を通して文章が一貫しています。ビショップのこの作品への冴えわたった解釈に対する賛否はともかく、読者は《アインシュタイン・クラス》に、色褪せない印象を得たのではないでしょうか。

>ひとりのアーティストに対するストーリーテリングとライティング

これからする提案は、次のような、かろうじて機能しているだけのイントロ部分に活力を与える、思いがけない秘訣となりえます。

> キッチュなイメージと野心的なテイストのアートを制作して、世間に物議を巻き起こすファルハード・モシリは、テヘランに拠点をおくイラン人アーティストです。

この導入部分と、モシリについての記事を幕開けるネガール・アジミの鮮やかなストーリーテリングを比較してみましょう。

[図17] パヴェル・アルトハメル《アインシュタイン・クラス》2005年

数ヶ月前、アーティストのファルハード・モシリは奇妙なメールを受け取った。「こんにちは、モシリさん」。そこにはこう書かれている。「私はあなたが作品制作を中止することを願っています」。数週間後、有名なオンラインアートマガジンの記事が、フリーズアートフェアで、彼が公開した作品を「麻痺した新しい金持ちのためのおもちゃ」と酷評した[1]。同業者のアーティストであり、ギャラリストでもある著者は、集められた作品——《Fluffy Friends》[図18]と名づけられた、蛍光色に輝く動物たちの精巧な刺繍シリーズ[2]——を「自由のために血を流した、全ての勇敢なイラン人への侮辱」だと宣言した。著者は決定的な際どい一撃として——これは2009年の大統領選挙の争いとそれに続く流血騒動のわずか数ヶ月後だった[3]——アーティストは「彼のイラン人魂を削りとって、電卓に置き換えた」と書いた[4]。
テヘランに拠点をおくモシリは嬉しそうだった[5]。「これらの手紙を大切にしているんだ」と彼は私に言う[6]。「これは人々が額縁に飾る卒業証書のようなものだとわかったんだ。そばに保管しておくよ」[7. 8]。

ソーステキスト17:
ネガール・アジミ「Fluffy Farhad」『Bidoun』2010年

このライターは、挑発的なアーティストに読者の興味をそそらせるだけでなく、ストーリー仕立ての導入部分に、たくさんの背景情報を凝縮することで、あとに続く記事で具体化されていく、複数のテーマを設定しています。

読者は、
[1] アーティストが国際アートフェアで発表したものを知る
[2] 彼の作品に対して最初のイメージを得る
[3] イランの政治状況について少しばかり知る
[4] このアーティストがアートワールドの一部の人々から批判される理由を知る
[5] モシリがテヘランにいることを知る
[6] 著者がアーティストと直接話していることを知る
[7] モシリが同業者の非難に、無頓着であることを知る

[図18] ファルハード・モシリ《Kitty Cat》「Fluffy Friends」シリーズ 2009年

[8] アーティストのややひねくれたユーモアセンスを感じる

ストーリーテリングは、愉快で易しい読書体験を可能にし――巧みに用いりさえすれば――たくさんの情報を織り込むことができます。

>ストーリーテリングとブログ

日記と批評とジャーナリズムが独特に組み合わせられたブログは、紙の出版物の字数制限から解放された、ストーリーテリングの生きたプラットフォームです。

アーティストのエリック・ウィンゼル［彼の文章は、『Bad at Sports』（運動は苦手）というウィットに富んだタイトルのブログで読むことができます］は、選抜されたギャラリーによって組織されるベルリンのイベント、「ギャラリー・ウィークエンド」［図19］についての、『ArtSlant』に掲載するレビューの導入部分として、次の物語を提供しています。

最近、たくさんのウワサがベルリンアートワールドの内部を飛び交っている。［…］

これまでのところは、去年の9月の『ターゲスシュピーゲル』紙*のカイ・ミュラーの話が一番最高だ。匿名という条件下で話すディーラーが、この街の主要な組織メンバーを詳細にまとめた図式を描き、即座にそれを小さな紙片に引き裂いて、ポケットに押し込んだ、という話。仲間からすでに追放されたミステリアスなディーラーが、さらなる報復を恐れて、午前3時のゲルリッツァー公園のひと気のない場所で、裏切りを裏付けるこの証拠を、灯油に突っ込んで火を点けて処分したとしか思えない。［…］

僕がこの話をもちだしたのは、来たるギャラリー・ウィークエンドについて話すのなら、この状況に漂う暗雲について言及する必要があると思うからだ。バーゼル選考委員会を管理し、abc（art belrin contemporary）アートフェアを運営するあのギャラリーも、ギャラリー・ウィークエンドを設立したうちのひとつだ。ああ、確かにディープ・スロート*というのも一理あるね［1］。だけど誰も、世界で最も規制の少ない業界のひとつが、排他的ではないなんていってないよ。

*『ターゲスシュピーゲル』紙：ドイツの日刊紙
*ディープ・スロート：ウォーターゲート事件が明らかとなる過程で記者にニクソン政権の内部情報を漏らしたとされる人物の通称。転じて内部密告者を意味する

ソーステキスト18：
エリック・ウエンゼル「100%Berlin」『ArtSlant』2012年

学術論文や美術館に取りつけられるテキストには、このライターの口語口

[図19] エリック・ウェンゼル《Berlin, Potzdamer Platz, October 22, 2011》2011年

調は適さないかもしれませんが、ここでは、ベルリンの業界内通者の裏話を語るには適切な口ぶりです。ウォーターゲートの謎の男、ディープ・スロートを直感的にストーリーに加えることで [1]、スリリングな陰謀のプロットを強化しているのはお見事です。

この後、彼の投稿は、ギャラリーで展示されているものを作品ごとに検証していきます。彼はこの冒頭部を使って、地元のシーンを舞台にアートをうまく設定すると同時に、ホットスポット、ベルリンのニュースを熱望する好奇心旺盛な読者を引き寄せるための不思議な写真 [図19] を作成しています。

＞それでも迷ったら比較

比較は、この本のなかで最も歴史ある美術史の技術であり、プージンがゴシック様式の大聖堂の神聖な誉れと、古典的な建造物の異教の罪とを対比した1836年には、もうすでに使い古されていました[73]。さらに、このお馴染みの手法は、モネとモリゾ、マレヴィッチとモンドリアンの比較にいそしんだ大学の新入生時代を思いおこさせるかもしれません。

「比較」は、アートライターの菓子箱のなかで、最も食欲をそそらない飴みたいなものです。しかし、優れたアートライターたちは、この戦略を利用して、今なお素晴らしい結果を残しています。たくさんの素材を網羅しながら、双方の作品を新鮮な目で見るには、知的に選択された対比は非常に有効です。

例えば、

- ロザリンド・クラウスが、シンディシャーマンへの憶説を証明するために行った2つの写真作品の綿密な検証（ソーステキスト4）
- デュシャンとピカソの対比によって引き出された、デヴィッド・シルヴェスターの2人のアーティストへの力強い観察眼（ソーステキスト6）
- 最近の作品と昔の作品とを並べることで、リチャード・セラの長いキャリアをカバーしたマーティン・ハーバートの賢明な比較（ソーステキスト25）

例えば、メディアをまたがって制作するアーティストを比較する際には、ウェブベースのプロジェクトとギャラリーのインスタレーションとを対比させることができます。

クリス・クラウスは、『芸術の居場所』（『Where Art Belongs』2011）で、ジョージ・ポルカリの最近の写真作品と、1940年代の初期の「ドキュメンタリー」写真［1］とを比較しています。

これによって彼女は、最近の写真において人々は、「普遍的な人間性」ではなく、理想的とはいいがたいアイデンティティを共有しているがゆえに団結しているのではないか、というより大きな考察に光を当てていきます［5］。

[図20] ワーナー・ビショフ《Departure of the Red Cross Train, Budapest, Hungary》1947年

[図21] ジョージ・ポルカリ《Machu Picchu Cliff with Tourists》1999年

（ジョージ）ポルカリは、この作品を「フォトジャーナリズム」と控えめに述べているが、彼の国際的な文化と貿易の刹那的な発展を捉える能力は、この作品を最も広義の意味における「ジャーナリズム」にしている。私はマグナム・エージェンシーの創設者であるワーナー・ビショフを思い出す[1]（ポルカリも彼について書いている）。第二次世界大戦に影響されたビショフがシュルレアリスムを捨てたとき[図20]、彼は、今後は「人間の苦しみの顔に」意識を向けることを誓った。
[…] ポルカリの作品にポートレートはない。彼の世界では誰もが傍観者だ。これも由来して、移民の多いLAやメキシコ国境、マチュピチュのインド人の土産行商人を撮った彼の写真[2][図21]は、一貫して写実的な表現となっている。そこにはファッション広告の背景として使用されるモロッコや中央アフリカで撮影された「カラフルなエネルギー」は存在しない[4]。ポルカリは第三世界を関係者と見なしている。彼の写真は、嘆かわしい惨状を描くことも、見る者と主題が共有する「普遍的な人間性」を世に讃えるためのいかなる根拠を示すこともない[3]。[…] ここでは誰もが観光客なのだ[5]。

ソーステキスト19：
クリス・クラウス「Untreated Strangeness」『Where Art Belongs』2011

ここでは、同時代のポルカリと過去のビショフ[3]だけではなく、エキゾチックなファッション撮影と第三世界のドキュメンタリー写真[4]との対比が絶妙になされています。またクラウスは、特定のポルカリの写真のイメージを読者に植えつけることで[2]写真のスナップショットのスタイルを想起させ、ビショフの、ヒューマニズムを喚起させる戦後ヨーロッパのモノクロ写真との対比を強調しています。
　クラウスはこの短い2つのパラグラフのなかで、作品イメージの適切な印象を構築し[2]、これらの作品が彼女にとって称賛に値した理由を示し、さらに人々がこれに注目すべきより重要な根拠を指摘するという3つの仕事をやってのけています。

>直喩と隠喩は注意して使用する

直喩は「〜のような」、「〜に似た」といった言葉を利用し比較を行います。

「今日は疲れた1日だった。まるで犬のように働いた。」
「ギャラリーのプレスリリースを揶揄するのは、赤子の手を捻るようなものだ」
「その新入社員は、金魚のフンのように上司のそばを離れなかった」

対照的に、隠喩は、本来は関連しない2つの物事を一緒に用い、ありもしないような対比によって意味を強調します。「芸術は私にとって一番大切だ」という味気ない文章と、「芸術は私の魂そのものだ」とを比べてみてください。

暗喩は直喩よりもリスキーですが、アートの言語は暗喩で溢れています。しかし、未熟に使用されているケースも多々見られます。

「絵画は言語だ」
「そのアーティストはテーマのために、西アフリカの歴史を掘る」
「ウェブベースのアーティストグループ、ヘビー・インダストリーズはアートとグラフィックデザインの境界を破る」

一部のプレスリリースは「〜の父／母」「金字塔」「彗星（のように）」「原石」といった同じような使い古された比喩に甘えるばかりです。自身の用いる比喩に自覚的になり、使おうと試みる場合は、自身の比喩を開発しましょう。

>比喩の混合を避ける

以下はジョン・トンプソンが、自身がキュレーションした「重力と恩寵」展（Gravity and Grace、Hayward Gallery、ロンドン、1991）に伴い、公開したエッセイです。ここで彼は「1965年から75年にかけての彫刻の変化する状況」を再考しています。

1967年[…](マイケル・フリードのモダニズムの)美学の「サラブレッド」が、文化的な厩舎から逃げ出して随分経った。

ソーステキスト20:
ジョン・トンプソン「New Times, New Thoughts, New Sculpture」『Gravity and Grace: The Changing Condition of Sculpture 1965–1975』1993年

この文章ではモダニズムが馬であり、それが馬のように厩舎から逃げ出しています。ここでの比喩は一貫しています。以下と比較してみましょう。

比喩の混合:
「1967年[…](マイケル・フリードのモダニズムの)美学の「サラブレッド」が飛び立って随分経った」

馬は飛行しないので、この混合した比喩は修正の必要があります。最終原稿を確認する際に、混合比喩がないかどうか確認しましょう。
どういうわけだかアーティストステートメントに蔓延っている、芸術家気取りの比喩は取り払いましょう(「私の写真は宇宙を探求している…」)。自身の比喩に自覚的になり、宇宙旅行は宇宙飛行士に任せます。

>良い直喩には慎重な熟考が必要

アートライターの仕事が、アート特有の流動性を何らかの形で言語に固定させることにあるとすれば、それを見事な直喩が成し遂げてくれるでしょう。無類の美術批評家兼、アーティストであるブライアン・オドハティは、ホワイトキューブのギャラリー——彼いわく「神経症かと思われるほど自意識過剰な箱」——を喜劇に登場するいやにすました俳優に例えています。

私がホワイトキューブと呼んできたその箱は、不思議な物件である…しかしながら、雑に扱われたホワイトキューブというのは、おきまりの喜劇に登場する、真面目な男のようなものだ。何回頭をぶつけても、何回落とし穴にはまって這いだそうとも、そのシームレスな無色の笑顔を絶やさず、

さらなる玩弄を求める。ブラシでなぶられ、満たされ、再び塗り直されるそれは、なお空白を保ち続ける。

ソーステキスト21：
ブライアン・オドハティ「Boxes, Cubes, Installation, Whiteness and Money」『A Manual for the 21st Century Art Institution』2009年

コンテンポラリーアートは、笑いのためには、どのような努力も厭わない壮大なコメディであり、主催ギャラリーはこの使い古されたジョークにもはやうんざりしている、というここでの比喩は、素晴らしいものです。そして、それゆえギャラリーの白さが歯を見せた笑いに見えるというさらなるメタファーも含まれています（「そのシームレスな無色の笑顔を絶やさず」）。

>最後のヒント

執筆中はインターネットをオフしましょう。wi-fiが繋がらない部屋や図書館や地元のカフェ、古いパソコンはありますか？　そこが執筆に集中する大部分の場所となります。メールの送受信を確かめたり、Facebookを見たり、事実情報を検索することは、集中と思考の流れを途切れさせます。オンラインへと戻るのは、最初の草稿を書きあげたあとにしましょう。

　最低でも2つの草稿を修正しますが、3回がより良いです。可能であれば文章を寝かして、次の日に再編集するようにします。朝になれば、鋭い感覚が蘇っています。就寝時にはイケてるように思えた辛辣な意見も、朝になれば不安定で危なっかしく聞こえることに気づくでしょう。レイモンド・チャンドラーを一回経由させて、レイチェル・カーソンを降臨させることで、文章を機知に富んだものに書き直します。必要とされる文字数をこなすだけではなく、高速誤字チェックを行い、それから「印刷」あるいは「送信」を強打するのです。

- 再読、再執筆、再編集

- 単語の再考、再配置、再起動
- より多く、より良い例を見つけること

テキストを声に出して読み上げます。上記のリストの提案におおむね従ったかどうか確認してください。膨らみきった抽象的なアイデアが、押さえきれないほど詰め込まれてはいませんか？　あなたの思考の点がちゃんと繋がっていますか？　さらに語彙を磨きあげて、文章を簡潔にする余地はありそうですか？

読んでみて、単調に感じた場合、あるいは途中で大きく深呼吸したくなった場合、あるいは中身のない奇妙な問いを投げかけていると気づいた場合は、書き直してください。

私はいつも紙に印刷してから修正しています。スクリーン上では、どういうわけか見つけることのできない不適切な言葉や反復、脱字や、カットアンドペーストのアクシデント(「彼女がのアート」)、誤字(「芸術科のお気に入り」)も、紙の上だと発見することができます。

しかしテキストが発表されたあとに、迷いこんだ削除を乞う言葉たちに気づくことだってあります。読み上げて正しいと感じたときに初めて「送信」をクリックします。句読点ひとつ修正が必要でなくなったときに初めて提出します。

執筆の対象者を正確に定義してください。これは、一般的な「好奇心の強い読者」を想像するのではなく、読者の実際の顔と名前を想像することを意味します。

特定の誰か――師匠や自身のヒーロー、友達――に向けるつもりで書くのが良いという人もいます。書くときはその人の意見が自分にとって重要となる人物の顔と名前を完璧に思い浮かべて、心に留めておきましょう(もちろんそれが自分自身であっても構いません)。

ライターの障害物を取り除く方法

あなたが喜んでメールする相手は誰でしょう？　その相手に向けて書くとき、あなたの創造性はみなぎり、魔法のように正しい言葉が目の前に現れます。何の気も使わずにウィットに富んだジョークが出てきて、語彙が次々と溢れ、アイデアが膨れ上がる相手、それはあなたにとって誰でしょうか? 彼らの友好的な顔をはっきりと頭のなかに思い浮かべ、彼らに向けて書きましょう。

読者がそれに夢中になるように話しましょう。全てのアートライティングは——おそらく他のあらゆるライティングもそうですが——最終的には説得の仕事です。アートライターは、読者に次のことを説得しようと試みます。

- 自分はこの主題について洞察力をもっている
- このアートは一見の価値がある(もしくはない)
- 話していることについて熟知している

助成金申請のためのライティングは、自分のアートプロジェクトが支援に値することを、授与団体に説得させるという定まった目的をもちます。おそらく、この本の全ての「良い」例は、その説得力のために成功しています。

- デジタル画像は何百もの方法で変態および移動する(シュタイエル、ソーステキスト9)
- ファルハード・モシリのアートはその制作者と同じくらい両義性がある(アジミ、ソーステキスト17)
- ベルリンにはギャラリーの秘密結社が本当に存在するかもしれない(ウェンゼル、ソーステキスト18)

頼りないプレスリリースの悲劇は、致命的な説得力のなさにあります。そこに記述されるアートは、まるで時間を使う価値が、ほとんどないかのように伝えられているのです。彼らが戸口からマスコミを誘き寄せるのに苦労するのも不思議ではありません。

第3章のそれぞれの形式に取りかかるときには、上記の有用なヒントを全て念頭におき、自分の意図した通りに執筆してください。

第3章

秘訣
形式別
コンテンポラリーアートの書き方

「見かけで判断しないのは浅薄な人間だけなんだ。」

―オスカー・ワイルド 1890[74]

今日のアートワールドでは、評価、説明、解説、ジャーナリズムなどの多様なテキスト形式に合わせて複数のトーン——美術史ジャーナルの学術性、ブログのゴシップ性、本の解説の「客観性」、資金申請書の実務性——を取り入れながら、複雑な歌声を奏でることが求められます。現代のアートライターたちが独自の「声」を得ることに苦しむ理由はここにあります。この章では、それぞれの形式で求められるトーンを説明し、ヒントを共有します。特に次の構造に重点を置いて説明します。

- これは何？／何を意味している？／だから何？
  アート作品を見るときの3つの問い（59ページ）
- 学術論文および複数のアーティストについて書く際の基本的なアウトライン
- 逆三角形のニュースフォーマット（一般化された、より開いた冒頭部を、誰／何／いつ／どこ／なぜ、などの詳細な描写で先鋭化。最後に「刺す」。152ページ）
- 作品、プロジェクト、またはアーティストを通じ、自分の文章を導くルールや鍵となるアイデアを特定すること。シンプルに年代順でもOKである

上達してこの構造に慣れていくにつれて、ミックスさせたり、より良くすることができるでしょう。この技術が習慣化できれば、あとは書くだけです。しかし、もしまだ始めたばかりなのであれば、この手引きが、あなたの新しいパートナーになるはずです。

1

学術論文の書き方

>はじめに

授業の課題であれ、専門誌への掲載であれ、学術論文は一般的な関心領域から始めます。それが、猛烈にあなたの心をつかむ、眠るのも惜しませるほど興味深いトピックのときもあれば、教授から指定された関心の薄いテーマのときだってあるでしょう。しかし大抵、あなたの出発点は、どこか中間点で見つけられるはずです。指導教員に推薦図書／記事を教えてもらうことです。もしくは次のような適切なアンソロジーや概論集、シリーズから始めましょう。

- チャールズ・ハリソン、ポール・ウッド『Art in Theory 1900–2000: An Anthology of Changing Ideas』Wiley-Blackwell、オックスフォード／マサチューセッツ州モールデン、2002年
- ロザリンド・クラウス、ハル・フォスター、イヴ＝アラン・ボワ、ベンジャミン・ブークロー、デイヴィッド・ジョーズリット『Art Since 1900: Modernism, Antimodernism, Postmodernism』第2版、vols.1～2、Thames & Hudson、ロンドン／ニューヨーク、2012年(テーマ別の包括的な参考文献を含む)
  [尾崎信一郎、金井直、小西信之，近藤学編『ART SINCE 1900 図鑑 1900年以後の芸術』東京書籍出版、2019年]
- 「Themes and Movements」シリーズ
  (デヴィッド・カンパニー編『Art and Photography』2003年、ジェフリー・カストナー編『Land and Environmental Art』1998年、ヘレナ・レキット、ペギー・フェラン編『Art and Feminism』2001年など) Phaidon Press、ロンドン

- 「Documents of Contemporary Art series」シリーズ
（クレア・ビショップ編『Participation』2006年、イアン・ファー編『Memory』2012年、イエンツ・ホフマン編『The Studio』2012年、テリー・メイヤー編『Painting』2011年、リチャード・ノーブル編『Utopias』2009年など）MIT/Whitechapel、マサチューセッツ州ケンブリッジ／ロンドン
- Routledgeの「Readers」シリーズ
ニコラス・ミルゾエフ『The Visual Culture Reader』第3版、2012年、リズ・ウェルス『The Photography Reader』2003年、Routledge、ロンドン／ニューヨーク

これらの概論だけに頼ることはできないので、要約されたテキストの原本となった完全版を探す必要があります。

たった一冊の論集からテキストを派生させることはできません。情報源を幅広くもつことです。参考文献はあなたの努力と独創性を示します。所属する機関や地元の図書館に、信頼できる情報源を検索できるJSTORや、Questiaなどにアクセスできる設備が整っていれば、専門的な記事を入手することができます。

グーグルを賢く使いましょう。気の利いた検索は次へと導いてくれますが、信頼できる組織の情報だけ利用すること。

リサーチを始めるにあたり、徹底した参考文献をもつ学術論文や、ネット上の素晴らしい講義を見つけることがあるかもしれません。しかし、既存の資料を剽窃してはならないということを絶対に忘れないでください。そこでは優れた参考文献だけを参照し、最初の草稿のための読書リストをつくるのです。

まず、その主題に関する重要なテキストを3つか4つ読み、メモを取ります。主なポイントはなんだったのか、数行でそれぞれの章や記事を要約すること。自分の問いと関連してくる重要な情報を、短く書き留めます。あ

なたの考えを実証していくためには、次のような「エビデンス」を集めておく必要があります。

- アーティスト、批評家、キーとなる人々のコメント
- 作品
- 展覧会
- マーケットデータ
- 歴史的事実

これらのエビデンスは、自分自身の具体化された考えを補強する役目を担っています。ひたすら主題に関する事実だけを並べた百科事典のようなレポートをつくるために集めるのではありません。

また、引用コメントはひとりの人物の見解でしかなく、十分な情報が備わっていたとしても、明白な真実ではないということに注意してください(アーティストのコメント引用については22ページの「説明 vs. 価値づけ」を参照)。

執筆を進めるに従い、エビデンスに文献の完全な情報をタグ付けしておきましょう。そうすれば、著者、タイトル、日付、出版社、出版地、ページ数、版数、(雑誌の場合) 巻数、(信用できるウェブサイトからの) URLアドレスとアクセス日時といった、注釈となる情報を最後に探す必要がありません。注釈は単なる専門的な豆知識ではありません。これは、著者が考えを実証するという作業を真摯に受け止めており、先駆者たちの仕事を承認していることを示します。

読んでいてピンときた単語は書き留めておきます。便利なフレーズや単語を、それらが適すると思われる章のそばにリスト化するのです。これは朝の3時や、締め切り間際の夜、言葉を見失ったときの頼れる味方になるはずです。

この短いながらも堅実なリサーチのあとは、ヴィジュアルで関連を見つけ

られるように、フリーハンドでフローチャートや時系列図、アイデアマップを書き出します。そして裏づけとなるエビデンスに関連する自分の関心事を挙げていき、それらに優先順位をつけます。

100字以内で、最初の研究の焦点を書き留めることができるようにしなければなりません。これがおおよその研究課題の形となるはずです。
しかし、課題の最初の切り口は、次のような問題を孕んでいる可能性があります。

- 誘導的な問いである(あらかじめ答えが示唆されている)
- 漠然とした前提に基づいている
- 広範すぎる
- 狭すぎる
- 古すぎる
- 完全な情報、また信頼できる情報が存在しておらず、たどり着くことができないためにリサーチが不可能
- 千里眼が必要

研究課題は、リサーチの時間が長引き、修正が多くなるほどに、言い換えや改良が必要になるでしょう。博士課程の場合は何十回もの変更が要るかもしれません。3週間の課題の場合でも、最大1回は必要です。

＞研究課題

始める前から課題の答えを予想し、論文の考察を「証明」しようとしてはいけません。それではまるで「誰がロジャー・アクロイドを殺したのか」と問う代わりに、執事が犯人だということを論証する探偵のようなものです。あらかじめ方向づけられた結論へと導くためにエビデンスを探すのではなく、未知を探求するのがこの仕事です。次の例を見てみましょう。

誘導的な問い：
有力ギャラリーは、どのようにして美術史の流れを決定づけてきたのか?

有力なギャラリーが美術史を形づくってきたという仮定はおそらく事実ではあるでしょうが、十分に論証されなければいけません。これは「美術史の流れ」をつくってきた、他の無数の要素を排除した質問です。

漠然とした前提：
今日のプライベートコレクターは、いかにしてアートシステムに対し、コマーシャルギャラリー以上の影響と力を形成してきたのか？
この問いの「仮説」には、今日はギャラリーよりもコレクターの方が強いプレイヤーであるという主張が隠されています。どのコレクターが？　どのギャラリーと関連して？　どのように「力と影響力」を定義しているのでしょうか？

広範すぎる：
美術史におけるマーケット取引の役割は何か？
これはあまりに観念的すぎる議論です。

古い：
有力なギャラリーは新しいアートの出現を検証する役目を果たしているのか？
もちろんそうです。これは問いを構成するには、今日においてあまりにも自明でしかありません。

リサーチが不可能：
アーティストが成功するために最も重要な要素は、力あるギャラリーにあるのか？
これには、あまりにも千差万別なパターンが考えられるために、的確に答えるのが不可能です。成功はここでどのように定義されているのでしょう？　経済的に？　批評的に？　社会的に？　それとも個人的に？　また、才能や、個人的な交友関係、アートマーケットの流行、キュレーターの選出、影響力のあるコレクターの嗜好など、数量化できないものはどのように考慮しましょう?

千里眼：

これから現れるアートマーケットは、今日の現代アートシステムにどのような影響を与えるか？

予言は要りません、お願いします。

有効な研究課題：

今日のイギリスのコマーシャルアートギャラリーと美術館の関係はどのようなものか？ 2004年から14年のテート・モダンによるギャラリーからの収集の事例を参考にして論じる。

この問いは、明確な時期と事例に焦点を当てています。テートの収集と、ギャラリーやアーティストからの適切なコメントを調査することで完成できます。

一度、実行可能な課題を定めてしまえば（要求されているならば、250～600字の文章にすること）より直接的なリサーチに踏み込んでいくことができます。

なぜそのアーティスト、作品、事例を代表的な例として選んだのかを（イントロで素早く）明確にして、自身の研究課題に深く答えていくことができるようにしましょう。

そして、割り当てられた時間内で、課題を適切に対処できるかどうかを確認します。多くの研究者は次の1/3の集中のルールに従っています。

- リサーチの時間のために1/3
- 最初の草稿を練り書くために1/3
- 草稿を磨くために1/3

自分に与えられた時間を数量化し、それに応じて時間を分配することです。草稿の修正に十分な時間がかけられるよう注意してください。最終的なブラッシュアップと仕上げの時間を過小評価してはいけません。最後に、自身の主張を確定する箇所を補強するための、土壇場のリサーチが必要となることもあります。

また同時にこのとき、全てが「アカデミックな口調」になるよう、言葉を整える必要もあります。この3つ目の重要な段階を急いではなりません。

＞構造

学生は大抵、リサーチや関連する資料をまとめることには慣れています。苦戦するのは次の段階です。以下の作業で、有効な学術研究と、単なるレポート、あるいは、カンに頼っただけの研究との差がつきます。

- 正確で実行可能な課題、および関心のある分野に焦点を当てること
- 発見したエビデンスから自身の主張を定式化すること
- 掘り起こした全ての資料を、自身の主張に基づいて、取捨選択し、構築すること

以下は、学部や修士課程レベルの学術論文の基本的なアウトラインです。最低でも、最後から2番目のパラグラフまでには、あなたの論文が何についてのものであるか読者が必ずわかるようにしてください。

1 **課題とトピックを紹介する（最初か2つめのパラグラフで）、具体的に！**
  (a) 論文の問いや関心のある領域に接近するための研究から得られた主張や論点はなんなのか？
  (b) トピックを文脈化する。客観性を保つために、自身の個性をなくす必要はない。その代わりに、例となる作品や出来事の説明、適切に選択されたエピソード、本文に関連してくる引用などを示しながら始めるのが良い

2 **背景を提供する（2〜4つめのパラグラフで）**
  (a) 歴史：他に誰がこれについて考えてきたのか、あるいは書いてきたのか？　彼らの主となる考えはなんだったか？
  (b) 鍵となる用語を定義する：どのような定義が存在しているか？　どれを採用するのか？

(c) なぜ注目しなければならないのか？ 何が問題となっているのか？ いまそれについて考えることがなぜ重要なのか？

3 上記の上で構築され、導かれた最初の考え／章

(a) 事例

(b) さらなる事例

(c) 最初の結論（とても短い小論、ここで考察をまとめる）

4 上記の上で構築され、導かれた2つめの考え／章

(a) 事例

(b) さらなる事例

(c) 2回目の結論（短い小論、ここで考察をまとめる）

5 上記の上で構築され、導かれた3つ目の考え／章

(a) 事例

(b) さらなる事例

(c) 3回目の結論（長めの小論、ここで考察をまとめる）

6 最後の結論（序論の繰り返しではない）

主要な点を要約し、最も進化した形で自身の議論を再主張すること

7 参考文献と付属：インタビューの記録、図表、グラフ、アンケート、マップ、Email記録、往復書簡記録

中間章では、好きなだけたくさんのアイデアを詰め込むことができます。各アイデアの副章は、長さが大体同じくらいになっているはずです。ほとんどの博士課程の学生は、160,000字から200,000字を書きあげるまでこのパターンを繰り返し、全体をまとめあげる機能を果たす、しっかりと明確な主張を結ぶことで、そのテーマをめぐる思想への、新しい貢献を生み出すのです。

リサーチから引き出された議論――あるいはテーマ、主となる結論、包括

的な見解——を明確にし、論文を通して自身を導いていきます。プロセスで出会った広く関連する情報と興味深い引用を溜めこんでいき、それを形のないまま山積みにされた紙の上に投げ込むだけでは、うまくはいきません。しかし、論文がノーベル賞に値するような素晴らしい理論である必要もないのです。布地を走る糸のようにあなたのアイデアを縫い合わせる、理屈にかなった観点が表明されていれば大丈夫です。

自分自身の視点を利用しなければいけません。より独創的であるほど良いのですが、はじめにそこで頑張りすぎる必要もありません。各章の終わりで、そこでの新しい参照点がどのように今までと関連しているかを読者に認識させるために、あなたの議論や見解、テーマ／リサーチ課題を読者が思い出せるようにしておきます。新しい指摘は、自分の議論を発展させるものであり、議論を繰り返すのではなく、ニュアンスを加えるものであるべきです。

選んだ例が、その考えをどのように引き出したのかを読者が見抜くことができると期待してはいけません。繋がりをきちんと記しましょう（63ページの「どのようにアイデアを実証するか」を参照）。

また、論文の要点とは関係のない、周縁の余計な節や章がないか意識的になり、それらは削るようにします。網羅しきれていないリサーチの全てを利用する必要はありません。自分の正確なテーマと議論を伝えることのできる、力強い例だけを抽出するのです。自身の主張にたどり着くための足しにならなかった資料を含める必要はありません。

しかしながら、初期の考えにとっては、それらの無関係な要素は重要です。反対意見を含む、直接的に関連性があると証明できる主張、あるいはその議論にある両義性を示すことのできる例、あるいはあなたの基本的な指摘に対する例外だけを削らずにとっておきましょう。

新米ライターは、学術論文の標準的なアウトラインは、退屈で型にはまっていて無機質な文章しか生み出せないことを心配しますが、それは形式と内容を混合しているからです。専門用語から解き放たれた、よちよち歩きのあなたのアイデアを支えるための、説得力のある証拠、魅力的な語彙、見事な芸術作品を基本的な枠組みに詰め込んでいけば、その単純な構造は簡単に乗り越えることができるのです。

そこには以下のようなバリエーションがあります。

- 章立てのいくらかの並び替え
- 新しい定義と魅力的な背景を冒頭だけでなく随所で提供する
- 議論を拡大、変化、さらには二分させていく
- この主張に意義が唱えられるとしたらどのようなものか？ この疑問に対する他の答えはどのようなものか？ 私の基本的な結論に対する例外はどのようなものだろうか？ と著者が問うことで、反対意見を紹介すること
- 中心的な考えを「答え」よりも、「次なる問い」として提示し、新しい疑問を促すこと

それぞれの考えは常に前回の考えと結びつきながら、事例とエビデンスによって裏付けられていき、あなたの結論を築きあげていくのです。

見つけだした資料（引用、歴史、事例）を整理するのに苦戦したら、それぞれの情報の前にひとつのキーワード、テーマ別の見出しを打ち込みましょう。
次に「並べ替え」をクリックすると、関連する全てのアイデアがまとまって、各章の骨組みを形成しているはずです。

「並べ替え」コマンドを利用して、パソコンに打ち込んだリサーチの順番を並べ変えます。例えば、現代のゴシックについての研究論文の場合、ひとつのワードファイルに最初のエビデンスを入れていき、それぞれの見出しとして一語か二語の単語（「廃墟」「幽霊」「幽霊屋敷」）を頭につけます。研究が進むにつれて、それらの見出しが副章へと成長していく可能性もあります（「廃墟と18世紀文学」「廃墟とモダニズム」など）。

一貫性を確保するためにテーマの拡張の経過をとっておき、それから「並

べ替え」で関連する資料を全てまとめるのです。これにより、どの副章がより多くの情報を生み出しているかがすぐにわかり、論文のアウトラインや流れを描き始めることができます。

そして、それぞれの章を論旨に沿う順番へと整理して、弱い章は削除します。各副章に集められたひとつひとつのエビデンスから、どのような暫定的な結論へとたどり着くことができるでしょうか？ 考えなしの切り取りと貼り付けではなく、グループ化された情報の分析、エビデンスから実りある考えを発展させること。それぞれの章を、筋を通しながら結びつけるための知的な変化を考えることに、エネルギーを集中させてください。

> DoとDon't

剽窃してはいけません。つまり他人の成果を自身の成果として偽ってはいけません。剽窃は不正行為です。知的にも倫理的にも違反しているという不名誉をかぶることとなり、厳しく処分されます。その結果はさまざまですが、再提出や、落第や留年、放校処分、法的な場に及ぶことさえありえます。適切に検証と引用がなされていない限りは、インターネットのコピーアンドペーストもご法度です。ところどころの言い換えによって巧妙に変化を加えた「借りた」文章、節もまた剽窃です。あなたの所属する機関の剽窃・盗用ポリシーを再確認しましょう（大学のガイドラインのほとんどはオンラインで入手可能です）[75]。注釈が必要なものはどれなのか、どのようにソースを適切に引用すればいいかがわからない場合は、www.plagiarism.orgのようなウェブサイトを参照しましょう。

自分に都合の良い引用の挿入はいけません。自身の結論を再確認するための美味しい引用を抜き取る——つまり自分の能力以上により良く表現してみせること——のではなく、自身の論文と関連させ、それが何を言わんとするかを分析するのがここでの仕事です。

多すぎる引用はいけません。自分の意見にとって不可欠でない限りは、ページごとにひとつか2つの引用を含める程度にとどめましょう。ほとんどは、自分の話をしなければなりません。ひとつの引用で4文以上が抜き出されることは滅多にありません。正当な理由がない限りは、引用は簡潔にし、通常は150字を下回るようにすること。

信頼できる情報源から引用します。例えば、身元が証明されたインタビュー、新聞、本、ウェブサイトからの、アーティストやその他の適切な人物のコメントです。

また、引用はその領域の専門家から引き出されるべきです。例えば、論文がヨーロッパにおける芸術文化予算政策についてであるならば、マドリッド美術館のディレクターに——彼女の専門知識が証明されている限りにおいては——公的基金による予算について尋ねることができます。しかし、イタリアの芸術に利用される国家基金との比較について尋ねることはできません。彼女の専門外の情報を使う場合には二重の確認が必要です。借りた言葉が実証するのは、その情報源が考えるものだけです。例えば、あるアーティストの考えのなかでは、彼の作品は成し遂げようとしたことをまさに示しているかもしれませんが、その希望が、彼の芸術作品それ自体から伝わるとは限りません。

その引用があなたの議論のなかでつくり出す、より大きなポイントは何なのか？　常に自分自身で引用を文脈化しなくてはなりません。その引用があなたの思考にどのように貢献しているのか、読者がわかるようにしてください。引用を投げ入れて読者が繋がりを想像するのに任せるようではいけないのです。

大雑把なアウトラインから、一足飛びに本格的な文章を書き出してはいけません。より組織化されたプランと、それぞれの新しい考えに関連する明確な例があればあるほど、書く作業は楽になります。

逆からアウトラインを見てみましょう。完成した（または半分完成した）論文を手にして、それぞれのパラグラフの要旨を並べてみるか、一語で説明してみます。「逆アウトライン」は一貫性のあるものとして立ち上がっていますか？　それは議論を構築していますか？　そうでない場合は、パラグラフを再構成してください（「並べ替え」コマンドを利用して、関連する資料をまとめてグループ化するのが良いでしょう。139ページを参照）。そして無関係な章を削り、自分の考えを構築するために必要な、足りない情報の追加や移動を行います。

逆アウトライン：書く前にアウトラインのコツをつかむことに苦戦した場合には、最初の草稿を書いたあとにフローチャートを再構築するのが良いでしょう。プロは、部分的に事前に計画し、それから「思うまま」に書き、最後にパラグラフを修正し、最適な順序へと並びかえるという方法を取ることが度々あります。

自分の議論のなかから曖昧だったり、脱線していたり、繰り返されていたりする部分を全て削りましょう。一般化するのでなく、具体的にします。

> 「1990年代初期のアーティストは“サイト”を芸術制作の中心としてきた」

1990年代のあらゆる芸術の全てのアーティスト？　それよりもこう書きます。

> 「マーク・ディオンの《On Tropical Nature》(1992) や、ルネ・グリーンの《World Tour》(1993) などの作品のように、1990年代の一部のアーティストは“サイト”を特定の芸術作品の中心としてきた」

次にこの考えがこれらの作品からどのように見出せることができるかを説明します。パラグラフを次のパラグラフへと繋げていくためには、次のような接続詞を利用します。

> さらに、実際、つまり、そのうえ、その結果、そのため、同様に、および、ゆえに、一方、おそらく、しかし…

予想された考えの実例として作品やデータを用いてはいけません。あなたの情報源が論文の助けとして何を意味するのかは、あらかじめ決められるべきではありませんし、リサーチを、予想を確認するという逆の作業に変えてしまってはいけません。これまでと同様に、作品を個々で観て、適切であれば次のことを説明しましょう。

Q1　これは何なのか？　日付、場所、参加者、作品の描写
Q2　何を意味するのか？
Q3　これはあなたの考えや社会全体にどのような影響を与えるのか？

自身の作業の限界や、矛盾する情報も認めることです。学生はしばしば次のように尋ねます。

- 自分のまっさらな論文に「誤作動」を引き起こすような、相反する証拠——市場価格、コレクション、機関、作品——が見つかった場合はどうすればいいのか？
- 厄介な矛盾をただ隠せば良いのか？

いいえ、ほとんどの場合そこには衝突する証拠があるものです。このように前もって例外を認めるか、「矛盾」があなたの進行中の研究を形づくるということを受け入れるのです。

「トーマス・ヒルシュホーンのモニュメントの全てが名の知れた政治家たちに捧げられているわけではない。例えば…」

あるいは、この作業には明らかな限界が存在するということを認めます。

「この論文では1970年代のパフォーマンスの全てを網羅し調査することはしないが、マリーナ・アブラモヴィッチとヴィト・アコンチという2人の主要人物に焦点を当てている」

矛盾する市場価格や、あなたの説明とは異なる振る舞いをしているキュレーターなどを省略するべきではありません。例外を認めて、その特例を文脈化するのが良いです。

「初期のヴェネツィア・ビエンナーレの芸術ディレクターの多くとは異なり、第54回目のディレクターを務めたビーチェ・クリーガーは異

　　例の歴史横断的アプローチをとった…」

しかし、例外が論文の1/3以上を占めている場合は、あなたの主張は深刻な欠陥があるので再考が必要になります。

＞さらなるヒント

研究論文がひとつか2つの重要な単語に集中しているのであれば、その特別な単語を貴重なものとして扱って、控えめに用いるようにしましょう（例えば、「デジタルイメージ」「協働」「対話型美術館（インタラクティブミュージアム）」「新興市場」）。

　全ての文章において、息継ぐ間もなく読者がそれらの言葉に出会ったときには、その言葉は（そしてあなたの文章は）無意味で冗長なものと受け取られるでしょう（「冗長さ」は、「協働とは協働的な作業である」、「対話型美術館は来場者と対話する」など言葉がそれ自体で定義されている場合にも発生してしまいます。これは御法度です）。ニコラ・ブリオーの主著である『関係性の美学』（1998）[76] を読み、著者が複数の同義語を幅広く使用することで（共生、人間間交渉、観客参加、社会的交流、マイクロコミュニティ）いかに彼の包括的なアイデアにニュアンスを盛り込んでいるかに注目すべきです。ブリオーは彼の「関係性の美学」という魔法の言葉の繰り返しを制限することで、それに価値を保たせているのです。

参考文献に力を注ぎましょう。大学の講師はあなたの参考文献の質を重視しますから、初めからここをつくりあげておくのが秘訣です。全ての参考物を詳細に読んでいなくても、それで大丈夫。しかし1ページより短くてはいけませんし、インターネットからの情報だけでなく、たくさんの挑戦的で適切な本を含んでいなければいけません。大学の「一次情報源」の抜き打ち検査に備え、どれだけ役に立つとしても『新版オックスフォード・フランス文学への手引き』（『The New Oxford Companion to Literature in French』）だけでなく、ロラン・バルトの『明るい部屋』（1980）の原本に精通しているようにしましょう。もし二次資料から引用する場合には、そのテキストの本質は解説だということ、原本が常に優位であることを頭に入れておかなければなりません。

正当な理由と、その情報源に漂う疑わしさを明示している場合を除き、プレスリリース、ウィキ、その他の検証不可能な文章を引用しないようにしましょう（例えば、インターネット上の胡散臭い芸術用語の例として88ページのエラッド・ラスリーのギャラリーによるプレスリリースを見てみましょう）。インターネットで遭遇する情報は全て三重の確認を行い、定評ある報道機関のウェブサイトのみ頼るようにします。

一次情報リサーチは大きなプラスになります。例えばアーティスト、オークション主催者、キュレーターに対して自身が行ったインタビューや、独立した調査です。主題の理解に貢献したインタビューや調査からの引用を抜き出し（そして注釈して）、全体の写し、アンケート、調査結果を付録に挿入しましょう。また、引用したエビデンスは全て説明し、それがどのように自分の思考を前進させ、結論と紐付いているのかを正確に示します。

注釈は、引用、統計、歴史的出来事、とりわけ議論の余地がある「常識」と見なされていない事柄です。あなたの教育機関が準拠している注釈形式に従ってください。アメリカとイギリスでは、「シカゴ」「MLA」「ハーバード」である可能性が高いでしょう。

- 『The Chicago Manual of Style: The Essential Guide for Writers, Editors, and Publishers』シカゴ大学出版、シカゴ、1906年（第16版、シカゴ／ロンドン、2010年）
  [ケイト・L・トゥラビアン、沼口隆、沼口好雄訳『シカゴ・スタイル 研究論文執筆マニュアル』慶應義塾大学出版、2012年（第7版邦訳）]
- 『MLA Style Manual and Guide to Scholarly Publishing』米国現代語学文学協会、1985年（第3版、ニューヨーク、2008年）
- ハーバードスタイルについては多少の違いがあるので、所属機関のガイドラインを確認してください。イギリスの場合、コリン・ネビル

『The Complete Guide to Referencing and Avoiding Plagiarism』2007年（第2版、オープン大学出版局、メイデンヘッド、2010年）

ときには機関が、それぞれの要素を組み合わせるか、「バンクーバー」あるいは「オックスフォード」形式に従う場合もあります。特に指定がない場合は、ひとつだけ形式を選択し、一貫性を保つようにしましょう。行き詰まった場合は、手元にあるもっとも学術的なアートに関する本を読んで、そこでのシステムを細心に真似することです。注釈は、厳密な語数を保持するための、情報の掃き溜めではありません。わかりやすい参考文献の表記を心がけること。

最新版の発行年と同じように、第一版の発行年も記載します。「イマヌエル・カント『純粋理性批判』2007年」のような列挙の仕方だと、埋葬された約2世紀後に超常現象のごとく彼がそれらの言葉を書いたかのように見えます。例えば、「イマヌエル・カント『純粋理性批判』（1781年）Penguin Modern Classics、2007年」が好ましい書き方です。

次の例では、基本的なアウトラインの構造が、模範的な学術論文へと変換されています。以下が冒頭部です。

サイトスペシフィック性とは、物理の法則に拘束された、接地した何かを示唆するものであった。多くの場合、重量と戯れるサイト・スペシフィック作品は、物質的に短命であったとしても存在に対して強気であり、消失や破壊に直面したとしても不動性に対して断固としていた。ホワイトキューブの内部であろうと、ネバダ砂漠のなかにあろうと、建築的であろうと、ランドスケープ志向であろうと、当初、サイトスペシフィックアートは「サイト」を実際の場所、有形の現実と捉えていた［1］。［…］サイトスペシフィック作品は、1960年代後半と1970年代初頭のミニマリズムに続いて誕生し［2］、このモダニズムの枠組みの劇的な反転を余儀なく起こした。

ソーステキスト22：

ミウォン・クォン「One Place After Another: Notes on Site Specificity」『October』1997年

クォンの論文は1960年代以降のサイトスペシフィックアート（という言葉と作品の）の変化を記しています。クォンは、私がこの論文から推測するリサーチ上の問いについて、自身の言葉で明白に宣言することはありません。広範な問いを打ち立てることは博士号の基準ですが、上級以前のリサーチの場合は、この巨大すぎる問いを絞り込むのが良いでしょう。

1　**課題とトピックを紹介する：**

1960年代以降、「サイトスペシフィックアート」はどのように変化してきたか？

(a)　主張、論点は何か？
クォンは出発点から［1］、どのように物理的な場所としての「サイト」という考えが何十年にもわたり広がってきたのか、そしてこの変化する定義が作品それ自体にどのように影響したかを示している

(b)　象徴的な例を利用してテーマを文脈化する：
論文の冒頭の章で、クォンは、2人の初期の主要なアーティスト、ロバート・バリー（1969年のインタビューで引用される）とリチャード・セラ、そして彼らのこの芸術形式に対する最初の考えを検証している

2　**背景を説明する：**

クォンはモダニズムの美術史的な枠組みを設定している

(a)　歴史：［2］クォンは検証対象年を文脈化している

(b)　言葉を定義する：過去40年にわたる「サイト」の幅広い定義を追うことがクォンの論文の要旨であり、「言葉を定義する」という作業が全体にわたって繰り返されている

(c)　なぜ問題にする必要があるのか？：
　　クォンは、セラの論争の的となる《Tilted Arc》（1981）を取り上げている。この公共彫刻は、地元での評判が悪く、移設を提案されていた。彼女はアーティストが1985年に書いた熱心な弁護の手紙を引用し、なぜこの作品を移設することが作品の破壊ではないにしても作り替えとなってしまうのかを説明している（セラは敗訴した）

3　**最初のアイデア／章：**
サイトスペシフィックの初期の実践者にとって重要なのは、ギャラリーの「真っ白な壁」から逃れること、あるいは批評することにあった
(a) 例：アーティストのダニエル・ビュラン、そして美術館や他の美術機関の空間を「暴露する」という彼の願望（出版されたクォンの論文中の88ページ）
(b)　もうひとつの例：アーティストのハンス・ハーケ、そして「サイト」を「（作品《Condensation Cube》1963～65のように）ギャラリーの物理的状況から社会経済関係のシステム」への転換とした彼の理解（89ページ）
　　もうひとつの例：アーティストのマイケル・アッシャーの1979年のシカゴ美術館のアニュアル展での実践。ここで彼は「展覧会のサイトとは、全く普遍的あるいは永遠的なものではないことを明らかにする」ことに着手した（89ページ）
(c)　第一の結論：この第一世代のアーティストにとって「サイト」は物理的な展示空間と一致するものだった

4　**2つ目のアイデア／章：**
のちの実践者にとって「サイト」はアートシステムの内部の場所から、より広い世界へとシフトする
(a)　例：アーティストのマーク・ディオンの、オリノコ川の熱帯雨林からギャラリースペースにいたる4つの異なる場所に設置された1991年のプロジェクト《On Tropical Nature》（92

〜93ページ)

(b) さらなる例:「ローター・バウムガルテン、ルネ・グリーン、ジミー・ダーラム、フレッド・ウィルソンなどのアーティストによるプロジェクトにおいて、アイデンティティ・ポリティクスに影響を与えるものとしての植民地主義、奴隷制、人種差別、民族学の因習の遺産が、アーティストの調査の重要な『サイト』として浮上してきた」(93ページ)
さらなる例:美術史家のジェームズ・マイヤーにとって、サイトとは「プロセス[…]一時的なもの、動き、特定の焦点を欠いた意味の連鎖」(クォンによる引用) であるという考え(95ページ)

(c) 第2の結論:「サイト」という考えはますます流動的で、接地しない場所を指すようになる

クォンは新しいアイデア、適切な例、知的で暫定的な考察とともに進めていきながら、「サイト」の定義は時間とともに変化しており、これはサイトスペシフィックアートの性質もまた変化していることを示しているという彼女の最初の主張へと常に回帰していく。

5 **最後のアイデア/章:**
国際的なアートプロジェクトやイベントをまたがったサイトスペシフィックアーティストの移動は、世界的な難民や移民の波と一致している

(a) 例:ポストモダニスト理論家、デヴィッド・ハーヴェイの「交流、運動、コミュニケーションのための空間的な障壁が減少する[我々の変化する]世界」(107ページ) についての発言の引用。

(b) もうひとつの例:「固定されることなく流動化するネットワークとしての現代生活」(108ページ) という考えは、ジル・ドゥルーズとフェリックス・ガタリが「リゾーム型ノマディズム」(109ページ) と呼ぶものを想起させる
注:ドゥルーズやガタリといった理論家を紹介する前に、クォ

ンはテーマの歴史と作品の物質的な外観を徹底して読者に説明している。また、作品がこれらの哲学者の概念に従うことを強いるのではなく、作品の理解のために彼らの考えを使用している

(c) 反例：クォンは、物理的な「サイト」は、アーティストにとっては抽象化、崇高化されたものとなったかもしれないが、特権をもたない人にとっては依然として物質的な現実であるということを認め、そのうえで理論家のホミ・バーバの言葉を引用している。「地球はそれを所有する人々にとっては縮小している。しかし、土地を奪われて立ち退けられた者たち、移民、難民にとっては、国境や国境地域に足を踏みいれる数フィート以上に素晴らしい距離はないのである」(110ページ)

6 **最後の結論：**
私たちは「サイト」を、単に未分化されたひと続きのものへと次から次へと(One place after another)圧縮していくのではなく、場所間の関係や差異として「サイト」を再定義することを検討しても良いかもしれない

ここで目的としていることは、クォンの重要な論文のレジュメをつくることではありません。また、他の読者が、この論文の意味をここで提案している概要とは異なるように解釈することもありえます。スペースを節約するために、たくさんのさらに素晴らしい例や洞察、そして彼女の主張の源となっている完璧な注釈を省略しています。

私が示したいことは、優れた学術研究は、全ての研究例を詰め込むのではなく、力強く先導的な観察を選択的に絞り込み、アイデアごと例ごとに資料をめぐっていく視点を構築しているということです。クォンは、彼女の汚れのない議論を混乱させる可能性のある、ホミ・バーバからの反論となる主張を無視することなく、さらにそれにより自身の思考を広げさせているのです。

クォンの論文は、非常に熟練した高度な学術論文の形を示しています。この論文はさらに更新、増補され、最終的にMITによって出版された重要書

籍、『ワン・プレイス・アフター・アナザー』(2002) の基盤となりました[77]。先鋭の学部生であっても、クォンのここでの思考と研究水準には敵わないのではないでしょうか。しかしここで、くじけてはいけません。

- 堅実なリサーチを行うこと
- 実行可能な論文課題をたてること。憶説から始めないこと
- 集めた証拠から推論される、理論的な結論を引き出すこと(63ページの「どのようにアイデアを実証するか」を参照)
- 可能であれば、適切な例を整理するために、独自の一貫した視点を明確に定めること

最後に提出要件をチェックすることを忘れないでください。
通常、次のことを書いて表紙を完成させます。

- 名前(あるいは学籍番号)
- 論文のタイトル
- 提出日時
- 指導教員あるいは講義の名前
- 所属機関の名前／所在地

最終チェックリスト：校正、および馴染みないスペル、漢字のダブルチェック。最低でも2回の最終草稿の読み直し。特に指示がない限りは、フォントは12ポイントにし、ページ番号の挿入と、最低でも2.5cmのマージンを取ること。段落の初めは1文字あけ、提出ガイドラインを読んで、どこに／いつ／どのように提出しなければいけないかを確認。時間厳守で！

2

「説明」テキスト

＞短いニュース記事の書き方

アート関連の短いニュース記事は、『エル・デコ』から『Artillery』ウェブサイトに至るあらゆるところで見ることができます。専門情報のレベルは幅広く異なりますが、どのニュース記事でも、主となる事実の要約が広い開口部となり、そこから徐々に細かい情報を入れて鋭くしていく「逆三角形」の構造が習慣的に利用されています。

1 **見出し（および副見出し）：**
簡潔かつ最新のニュースで読者の注意を引く

2 **リード：**
注目を引く文章を上にもってくる。自分のストーリーをユニークにしている要素を伝える、思わず続きが読みたくなるようなエピソードであればなお良し。最初の行、またはパラグラフで主な出来事を魅力的に要約する（最大100字）。専門用語や抽象的な表現、哲学的な観念を展開するのはここが最後

3 **誰が／何を／どこで／いつ／どのように：**
明確な言葉で詳細をコンテキスト化し、関係する引用コメントや数値データなどのエビデンスで裏付けながら、自分の主張を定める。部分的な情報は避ける

4 **勢いを落として、最後に要点で「刺す」：**
主旨をまとめる

つまり、重要度順に情報が置かれています（100ページの「論理的に情報を並べる」を参照）。この形式は、より長い記事での短いイントロダクションにも利用できますし、オークションカタログのテキストや、ホームページでのプロセスベースの作品のためのキャッチーな投稿といった報道以外のテキストにも使うことができます。

ジャーナリズムは第一次情報（インタビューや目撃者による証言）から引き出された確実な情報と、公に入手可能な情報（プレスリリースやオークション結果）に基づいています。

　ニュース記事は通常、第三者によって書かれ、ほとんど、あるいは全く解釈的な語りはありません。より自説を含んだジャーナリズムについては、「寄稿アートジャーナリズムの書き方」（217ページ）を参照してください。

＞基本

自分の読者のアートの予備知識レベルを念頭においてください。ほとんどのニュース記事は、専門家以外の人にも理解できるようになっていなければいけません。と同時に、その分野の内部の人も対象としています。わかりやすく知的な言葉で語られる中身ある情報は、どちらにとっても読み応えがあるものです。よくあるお決まりの話や、熟慮の足りない自明なコメントは避けます。「現代アートの世界はますますマーケットの影響を受けている」…なんて冗談じゃありません。具体的に書き、あなたの主張を検証済みの堅実な情報で後押しします。例えば、

- アーティスト／ギャラリーの名前
- 作品のタイトルとデータ
- 売上高
- 入場者数
- 価格
- 費用
- 正確な日時／年

- 寸法
- 距離
- 割合

読者を退屈させないこと。注目せずにはいられない話を見つけ出し、それを簡潔に書くことです。しかし誤った関心を高めるために、わざと反感を買うような書き方をしたり、誇張したりしてはいけません。ジャーナリズムは、主語と述語がすぐに続く簡潔な文章と、決して学術的な言語になることのない、限られた修飾語句のパンチの効いた一言とともに競い合っています。正確性を保証しましょう。必要に応じ、信頼できる情報源から不足しているデータを探し出します。

以下のページでは、公開された2つのニュース記事から、ジャーナリズムの構成要素（上記にリスト）を抜き出しています。最初の記事はブラジルの抗議活動をコンテキスト化したもので、サンパウロ、キエフ、シンガポール、アブダビなどの離れた場所での新しい「文化的地区」の開発に費やされた莫大な費用についての、より長い記事へと続いていきます。2番目の記事は、最近安定を見せはじめた香港のアートマーケットについて報告します。

スポーツでなく公共事業への支出を求めるブラジル国民として街に立つアーティストたち [1]

サンパウロ、リオデジャネイロ。「街に出て!」先月のブラジルで行われた大規模な抗議活動で掲げられた旗はこのように叫んだ。バス運賃の値上げに反対する集会としてはじまったものが、6月20日には100万人以上の人々が行進する全国的な不満の嵐へと拡大していった [2]。[…] デモ隊は2014年のフィファ・ワールドカップと2016年のオリンピック以前に、公共サービスの改善を優先するよう要求している。イベントへの多額の支出——ワールドカップに向けたインフラ設備とスタジアム建設費用は280億レアル（124億ドル）に昇る——は、景気後退のさなかに発生している。昨年、国の成長率は1パーセント未満へと減速した [3]。「我々は、第一世界のスタジアムをもとうとしているが、我々はいまだ第一世界の教育も医療ももっていない」と抗議に参加するキュレーターのアドリアーノ・ペドロサは話す。「非常に多くの対照的な格差が存在する民主主義国を前にして、人々は真に抗議する」[4]。

ソーステキスト23：
C.B.（シャーロット・バーンズ）「Artists take to the streets as Brazilians demand spending on services, not sport」『The Art Newspaper』2013年7～8月

香港、春の売上はさらに堅調に［1］

4月3日から8日にかけて開催されたサザビーズ香港の春の売上高は、オークション業界の中国ウォッチャーにとって心強いニュースとなった。17億香港ドルを超える販売前の見積に対し、売上は予想を超える21億8000万香港ドルに達した［2］。［…］アジアでの現在の売上は、初期の高騰する価格に追いつくべく、いまだ奮闘しているように見受けられるが、販売前に1800万香港ドルと推定された奈良美智の《You Are Not Alone》が、その2倍以上の4100万香港ドルを超える価格で落札されるなど追い風に乗っている。現在のアジアの他の地域での販売においては（おそらく野心的すぎる見積価格のために）一部売れ残りも見受けられた［3］。［…］全体としては、この売上は堅実な地盤の存在を知らせている［4］。

ソーステキスト24：
無署名「Hong Kong Spring Sales Reach More Solid Ground」『Asian Art』2013年5月

［1］**見出し：**自分の「ニュース」が報道に値することを確認。
［2］**リード：**読者の興味を引くフック
［3］**誰が／何を／どこで／いつ／どのように：**完全な情報を示すこと。適切であれば、話の異なる側面も提示する。推測や噂

にすぎない情報が入る場合は、削るか、あるいは次のようにその情報の不確実性を明白に示すこと。「（おそらく野心的すぎる見積価格のために）売れ残りも見受けられた」

[4] **勢いを落として、最後に要点で「刺す」**：主旨をまとめる
通常、最低でも名前付きの情報源（「キュレーターのアドリアーナ・パドロサ」）を簡単に紹介し、その言葉を正確に引用する

＞短い説明テキストの書き方

- アートフェアカタログのテキスト
- 美術館のラベル
- ビエンナーレのガイドブック
- アートウェブサイトの内容紹介文
- キャプション
- 展覧会のウォールテキスト

一口サイズのアートのキャッチコピーの急増は、今日のツイッターに侵食されたアートワールドにおいて「シンプル信仰」として説明されうるものを証明しています。これによりアートは、スピーディに把握され、大量に消費されなければならなくなったのです。委任して書かれるショートテキスト――大体署名なし――には、次のことが求められます。

- シンプルで適切な新しい事実と、有意義な考察のバランスが取れていること
- 小学生からベテランの専門家まであらゆる人に対応していること
- 複雑な要素をもつ作品がほんの数行にまとめられていること

この短い文章を知的に書きあげるには、一般的に認識されているよりもはるかに高い技術が必要です。決して経験の浅いインターンが書いたり、あるいは文字単価で報酬を与えられたりするべき仕事ではありません。きっ

ちり400字にすべく格闘するには、訓練が必要です。気が利いた非常に短い文章をつくることは、スペースのあるカタログテキストの贅沢な5,000字よりもずっと手強い仕事であることは間違いありません。

>基本テクニック

ショートテキストの最も一般的な戦略は、そのアートを検証するためのひとつのメインテーマ、立場を特定することです。全てを網羅することはできないので、例えば次のような点に、焦点をうまく絞ると良いでしょう。

- 素材
- プロセス
- 記号
- 政治的内容
- アーティストの今までの成果
- バイオグラフィー
- 論争
- 技術

アーティストを注意深く観察してリサーチを行い、テキストを貫く、ひとつの重要なアイデアを見つけ出しましょう。比較や、知的な比喩を用いることもできます。焦点が比較的マイナーであっても構いませんが、具体的に書くことです。「このアーティストは21世紀の政治社会の根底にある、あらゆるイデオロギーに問いを投げかけています」はダメ。

全ての情報を収めるために、ニュースライティングの逆三角形の構造（152ページ）を活用することもできます。とりわけ、ニュース要素の強いプロモーション用のテキストに適するでしょう。

「この魅惑的な作品はあらゆる人間存在の悲痛な卑小さを嘆いている」なんて書いてしまったときには赤いライトを点滅させなければなりません。「装飾過多レーダー」を作動させておきます。集中して、全ての言葉に価値をもたせましょう。

鑑賞／読書環境を考慮しましょう。テキストは雑音の多いギャラリーで誰かの肩越しに読まれることも、小さなスマートフォンの画面で読まれることも、あるいはガイドブックを手に展覧会を回っているときに読まれることもあります。「署名なし」テキストであっても何らかの考察を示すべきですが、そこに凝りすぎるよりかは、実用的な側面で慎重になりすぎるほうが賢明です。歯切れ良く、わかりやすい文章にしましょう。文章の長さはプラスチックのラベルホルダーのサイズに合うよう、通常、大体370〜500字に定められます。もし経験あるキュレーターの助けを借りずに作業するのであれば、書く前にテキストがケースに収まることを確認すべきです。大規模な展覧会では、何を最も多くの入場者に読まれるイントロダクションパネルに含めるのか、何を壁のラベルに含めるのかを考えてください。反復は避けます。

作品が到着する前に解説を書いた場合は、どんなものであれ自分の書いた対象となるものを箱から出して再確認します。複写物だけではわからないことがあります。ごく稀にですが、荷解いた作品が、自分が予想していたようなものでないことだってあります（話せば長くなりますが）。その場合、細心にリサーチしたテキストを捨て、必死に書き直さなければいけません。

正確に書きましょう。全てのキャプションの詳細は二重、三重のチェックが必要です。あなたの仕事は美術史を記すのと同じ。この言葉を真剣に受け止めましょう。それは映像作品、それともビデオ作品でしょうか？　以下を見て、照合しましょう。

- カタログ・レゾネ（総目録）
- 直接的に事実が確認された、確かな情報
- 信頼できるインターネット情報源（主要な美術館、アーティスト自身のウェブサイト、Grove Art online）

正体不明のウェブページは一切当てにしないでください。
　また、タイトルを翻訳するときには注意しましょう。従う必要のある公

式の日本語タイトルが存在する可能性があります。

特に短く書きあげるのが困難なテキストの執筆に直面したときには、新参ライターは、すぐに白旗をあげ投げ出すかもしれません。一体どうやって2時間の映画を、多数の構成要素をもつ3ヶ月のパフォーマンスを、たった0年のキャリアで、たった370字で書くことができるのでしょう？　無関係なイメージが詰め込まれた作品や、オープンエンドの作品、意図的に不規則で無秩序につくられている作品だったらどうでしょう？　このような一筋縄ではいかない作品を、手短な一節へとまとめるのは、不可能で矛盾する作業ではないでしょうか？

矛盾はおそらくその通りです。しかし不可能ではありません。

当然、これらのショートテキストは、読者がアートを鑑賞していく時間を——置き換えるのではなく——手助けすることだけを望んでいます。ここにいくつかの特別挑戦的なショートテキスト（長い経歴、映像作品、高密度のイメージ、オープンエンドプロジェクトあるいはマルチパートプロジェクト、デジタルメディアについて書いたもの）を引用し、アートライターたちが利用してきた技術の見本を示しましょう。

＞長い経歴を短く書く方法

理想としては、このようなテキストは、アーティストの何十年にもわたる作品群の真髄を引き出せる学識をもつ、第一次研究と観察に30年は携わっているような信頼できる専門家によって書かれるのが望ましいです。それとは対照的に、あなたはこのアーティストの正しい発音をやっと5分前に覚えたとしましょう。この場合、懸命に図書館にかじりつかなくてはなりません。執筆を求められている量の10倍か20倍のアーティストについての資料を読むよう計画してください。

以下は『Frieze Art Fair Yearbook』からの抜粋です。マーティン・ハーバートは、彫刻家リチャード・セラの50年を4文のパラグラフに要約することに成功しています。

リチャード・セラ　1939年生まれ　ニューヨーク／ノバスコシア在住

リチャード・セラは、現代彫刻におけるもっとも重要な人物のひとりであり、彼の影響力は美術館やコマーシャルギャラリーが彼の鋼板［1］を念頭においてスペースを拡張するほどでした。これらの巨大な作品群は、1960年代に投げかけられたセラの主要作品とは遠くかけ離れているように見えるかもしれませんが［1］、彼のキャリアを通して見てみると、産業的マテリアルの特性と詩学［テ］、特にそれらの物理的および視覚的な重みと空間の占有性［2］への先駆的な検証を彼が行い続けてきたことがわかります。17メートル高の垂直のプレート［1］が並んだ、パリのグラン・パレのための《Promenade》（2008［図22］）といった最近のプロジェクトは、セラがこの検証の限界を押し広げ続けていることを示しています。ここではこのスケール感のなかで、配置の微妙な不規則性と組み合わされた重量感が、観客に荘厳とした効果をもたらしています［3］。

ソーステキスト25：

マーティン・ハーバート「Richard Serra」『Frieze Art Fair Yearbook』2008〜2009年

ハーバートはアーティストの地位を伝え（「現代彫刻におけるもっとも重要な人物のひとりであり」）、そしてその堂々たる主張を、「美術館やコマーシャルギャラリーが彼の銅板を念頭においてスペースを拡張するほど」という文言で実証することで正当性を示しています。そのあとで、彼は伝わるアートライティングの3つの課題を果たしています（59ページ参照）。ひとつの適切な考察を選び、それを最後まで一貫させる技術を軽んじてはいけません。

テーマ：「産業的マテリアルの特性と詩学［…］への先駆的な検証」［テ］

Q1　これはなんなのか？

A　最近の重量感ある作品の簡潔な描写が、以前の、より軽量な作品の例と対比されている［1］

[図22] リチャード・セラ《Promenade》2008年

Q2　**どういう意味か?**

A　セラの重厚な素材は、彫刻の2つの基本的な性質に注目している[2]

Q3　**だから何?**

A　セラの彫刻における驚くべきスケール感についてハーバートが繰り返すことによって、アーティストの巨大な作品に合わせてスペースを拡張する美術館について話す導入部へと巧妙に戻っていく。またこの繰り返しは、この巨大作品への鑑賞者自身の経験へと繋がっていく可能性もある[3]

長いキャリアをもつ著名アーティストを導いていくための実行可能なテーマを見つけられない場合には、いつでもカンニングできます。最初のリサーチで、そのアーティストと繋がりが深く、長いキャリアをもつ著名批評家による要約されたキーアイデアを見つけて、それを再利用するのです。

美術史におけるそのアーティストの姿を、聖人化することなく伝えます(彼、もしくは彼女は誰なのか?)。そのアーティストを重要にしている本質を発見し、彼女のキャリアのさまざまな段階から選択された事例でそれを裏付けしていくのです。

>映像作品を短く書く方法

経験の浅いアートライターは、どのように映像全体を短い文章へ圧縮し、そのうえある程度の分析を示すことができるかと懸念するでしょう。繰り返しになりますが、そのためにはその作品全体を貫くアイデアを探し出すのです。そして例として、2つの異なる作品、あるいはひとつの作品から引き出された2つの重要な瞬間やイメージを簡潔に説明し、そのアイデアを裏付けしていきます。

アンドリュー・ダッドソン　1980年生まれ　バンクーバー在住
アンドリュー・ダッドソンはイタズラ好きな隣人だ[テ]。写真で記録され

[図23] アンドリュー・ダッドソン《Roof Gap》2005年

た[1] 彼の一連の逸脱した行動のなかで[テ]、彼は文字通り、および比喩的に「隣家の塀」を飛び越えている[2]。2画面で映像がループする《Roof Gap》(2005[図23])は、彼が隣人の家の屋根から屋根へと飛びうつる姿[1]を記録している。《Neighbour's Trailer》(2003)では、ダッドソンが、口論のあとに隣家に駐車されたトレイラーを毎晩1インチずつ自身の家へと移動させていく[1] パフォーマンスが記録されている。現在進行中の同様にアナーキーなシリーズでは、塀や芝生といった郊外を区切るオブジェクトを、黒いペンキを使って黒いモノクロームのペインティングへと変換している。これらの無作法な「ランドアート」作品は、ますます私有化されていく郊外の風景を、その固定化された境界を破ることで取り戻すことを試みているのだ[3]。

ソーステキスト26:

クリスティ・ラング「Andrew Dadson」『Frieze Art Fair Yearbook』2008〜2009年

テーマ:「逸脱した行動」に従事するアーティストの「イタズラ好きな隣人」という正体[テ]

Q1 これは何なのか?

A 2つの映像作品と写真作品が簡潔に説明されている[1]

Q2 どういう意味か?

A アーティストは「文字通り、および比喩的に隣家の塀を飛び越えている」[2]

Q3 だから何？

A　ラングは、ダッドソンの作品を、美術史の文脈内（ランドアート）に位置づけられるもの、また郊外を定義する強力な公的／私的な境界に対する社会的な批評として提示している［3］

ラングはダッドソンの2つの映像作品を、ストーリーテリングを利用して要約しており、それぞれのパフォーマンス作品を1行の物語にすることで、彼女のメインテーマである「イタズラ好きな隣人」というアーティスト像へと繋げています。また、彼女は具体的な名詞（「塀」「屋根」「家」「トレイラー」「インチ」）と、能動的な動詞（「飛び越える」「飛びうつる」「破る」）を利用することで、読者にダッドソンの郊外での「逸脱した」イタズラを思い描かせます。一挙一動を解説するのではなく、メインの動きを要約してから、なぜそれが重要なのかを説明するのです。

＞高密度のイメージを短く書く方法

タカノ綾の作品には、多数の馴染みない人物やオブジェクトが漂っています。ここでは、ヴィヴィアン・レーベルクがこの日本人アーティストの漂流する漫画の空想世界をどのように理解したかが示されており、同時にそれがどこへ向かっているのかが説明されています。

タカノ綾 1976年生まれ　東京在住
村上隆によって設立されたカイカイキキのメンバーのひとりであるタカノ綾は、ポピュラーカルチャーとポスト・マンガ・スーパーフラットの美学に影響を受ける［テ］溶解したイメージ［1］を描くことで知られています。淡い色彩で構築される［1］彼女の空想的な世界［2］には、膨らみかけた胸とほのかに色づいた唇をもった、しなやかな身体の少女たちが住んでおり、架空の土地や都市風景で、動物や愛らしい若者たちと踊っています。《On the Way to Revolution》（2007［図24］）は、彼女の代表的なアプローチです。まばゆい混沌が描かれた巨大な平面絵画［1］のなかでは、現実と架空の［2］惑星、星、ヘリウム風船、ファッションアクセサリー、そして生き物たちが流れる前景にむかって、大きくぱっちりした瞳をもった人物た

[図24] タカノ綾《On the Way to Revolution》2007年

ちが突進して転がり込んでいきます。何はともあれ、ユートピアへの旅に、これらの他にもっていくべきものなんてあるでしょうか?[3]

ソーステキスト27:

ヴィヴィアン・レーベルク「Aya Takano」『frieze Art Fair Yearbook』2008～2009年

このテキストを読むロンドンのアートフェアの観衆のために、レーベルクは、彼らにも馴染み深いであろう日本の有名なスーパーフラットのアーティストとタカノの関係を、有効に示しています。それから彼女は自身のテーマを設定し、伝わるアートライティングの3つの課題に取り組んでいます。

テーマ:「ポピュラー・カルチャー[…]に影響を受ける[…]イメージ」[テ]

Q1 これはなんなのか?

A 「溶解したイメージ」「淡い色彩で構築される」「巨大な平面絵画」[1]

Q2 どういう意味か？

A　タカノの「空想的な世界」は「現実と架空の」世界である［2］

Q3 だから何？

A　ライターはタカノのあらゆるものの寄せ集めが「ユートピアへの旅」に必要なものを提供していると想像する［3］

日本のポピュラーカルチャーからの漂着物がいかにタカノのキャンバスに詰め込まれているかを示すためにレーベルクが用いた、具体的な名詞（「少女」「胸」「唇」「若者」「都市風景」「惑星」「星」「風船」）に注目してください。さらに、イメージを形づくる魅力的な修飾語句（「ほのかに色づいた」「大きくぱっちりした瞳」）と能動的な動詞（「突進して転がり込んで」）も簡潔な説明を可能にした一要素です。抽象的な名詞は限られており、私たちが「混沌」、「ユートピア」なアートを把握したときには、その抽象性もほとんど終わりに達します。

>オープン・エンドな作品を短く書く方法

アートライターはどのようにして、自由で予測不可能なアート作品を、その作品の自由な性質を裏切ることなくまとめることができるでしょうか？ライターの、マーク・アリス・デュランとジェーン・D・マーシングは、不規則に展開されるサウンド／インターネットのインスタレーション作品の、気まぐれな異種混交性を鎮めてしまうことなく、その代わりにここで観客が遭遇するであろう一貫性のないソースをいくつか例示します。

オーストラリア人アーティストのマリア・ミランダとノリエ・ノイマルクによるコラボレーション、アウト・オブ・シンクは10年以上にわたり、ラジオ、ウェブサイト、インスタレーションを制作してきた。彼らは、「都市伝説学からエモーショングラフィー、データ収集にいたるさまざまな“科学的”アプローチを通じて、変人、噂、差異、ガートルード・スタイン、アヒル、日常生活、木とカエル、ジュール・ヴェルヌ、火山、ホルヘ・ルイス・ボルヘス［1］」などのいかがわしい境界領域の架空の調査を行ってきた［2］。

インターネット作品でありながら、元々は2003年に設置されたサイト・スペシフィックのインスタレーションでもある《Museum of Rumour》[図25] [3] では、無作為で周縁的なビジョンに対して、完全に合理的な科学的主張が設定されている。

ソーステキスト28：

マーク・アリス・デュラン、ジェーン・D・マーシング「Out-of Syne」『Blur of the Otherworldly』2006年

デュランとマーシングは、アウト・オブ・シンクの作品に投げ込まれているあらゆる秘儀(「エモーショングラフィー」)を定義しようするのではなく、そこで鑑賞者が遭遇する関係のないソース [1] と方法論 [2] の多様性を示唆しています。ライターはアーティストの参照物の予測不可能性を示すために、作品からリストのように例を抜き出して、これらがいかに都市伝説やニセ科学の無作為性を反映しているのかを示しています。ひとつの特定の作品《Museum of Rumour》[3] に当てられた焦点と、視覚的に豊かなディティール(「アヒル」「火山」)は、科学、文学、映画、宗教などが組み合わされた、マルチ・メディアの種々雑多な詰め合わせという、この作品の適切な印象を読者に与えています。

>マルチ・パート・プロジェクトを短く書く方法

21世紀のアーティストはますます、複数のメディアやパートナーを巻き込みながら時間の経過とともに展開する、ギャラリーの壁をはるかに越えて広がる複雑な作品制作に取り組むようになりました。以下は「ドクメンタ13」の展覧会カタログに掲載された、アーティストのセス・プライスのアートとファッションにまたがる年間プロジェクトについて書いたショートテキストです。不定期にアートライティングも行っているイジー・トゥアソンは、ここで、服と彫刻という2つのメイン要素に取り掛かるために、それらを繋げるテーマを賢明に提示しています。

一枚の洋服とは封筒のようなものだ[1]。両方とも平らな型から切り取られ、折り畳まれ、しっかりと閉じられている。両方とも空のパッケージで、中身とそのあとに続く旅を待っている[2]。

2011年、セス・プライスはニューヨークのファッションデザイナー、ティム・ハミルトンとコラボレーションして服のシリーズをデザインした。軍服の仕立てに基づいた軽量衣類のコレクションには、ボンバージャケットや飛行服、トレンチコートなどが含まれている。外地は伝統的な軍服要素であると同時に、芸術的な用途をもつ布地である未加工のキャンバス地だ。裏地には、ビジネス用の封筒の裏側から取られた、銀行のロゴや抽象的な模様が繰り返されるセキュリティパターンがプリントされている。[…]

一方で、プライスはカッセル中央駅の「ドクメンタ13」の展示スペースのために、第2の作品シリーズを用意していた。服のシリーズと並行して開発された、壁にかけられた巨大なビジネス用封筒は、ハミルトンのもつ仕立て、パターン製作、工場の専門的なネットワークを利用することで、同じ素材——キャンバス地の外地、ロゴ模様の裏地、ポケット、ジッパー、袖、股下——を用いてファッション産業のなかで製造されている[3]。しかし彫刻においては、アイデアの比率が異なって歪められていて、洋服以上に引き裂かれた封筒は、ほとんど身につけられるものではない。ここでは動物の毛皮のように肢がぶらさがり、人間の形がぎこちなく添えられている。
「ドクメンタ13」では、この2つのシリーズ作品が見ることができ、ひとつは展示ホールに、もうひとつは一般に販売されている[4]。[…]

ソーステキスト29:
イジー・トゥアソン「Seth Price」『The Guidebook,dOCUMENTA (13)』2012年

ライターは、プライスの2つの「製品」である洋服と彫刻の間の主な違いを説明していますが(例えば、ひとつは身につけられるものであり、ひとつはそうではない)、読者にむけて複数の方法でその2つを結びつけています。

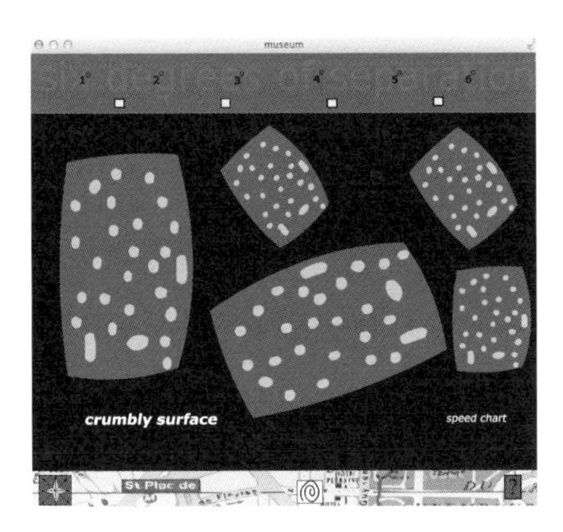

[図25] マリア・ミランダ、ノリエ・ノイマルク（アウト・オブ・シンク）
《Museum of Rumour》2003年

[1] 両方とも封筒のデザインから発想を得ている
[2] 両方とも空のパッケージという共通のテーマを共有している
[3] 両方ともキャンバス地でできており、衣服製造者によって作られている
[4] 両方とも展示中（彫刻）、販売中（衣服）かに関わらず展覧会で「出会える」

情報は、全体的なテーマ（「空のパッケージ」）から、それぞれの介入の具体的な詳細へと、時系列で整理されています。次のような具体的な名詞が説明を簡潔にしています。

- 「ボンバージャケット、飛行服、トレンチコート」
- 「ビジネス用の封筒」
- 「裏地、ポケット、ジッパー、袖、股下」
- 「仕立て、パターン製作、工場」
- 「動物の毛皮」

このライターは、アートライティングで陥りがちな幾つかの落とし穴を巧みに回避しています。彼は、アート／ファッションの横断という安直な歴史を利用するのでも、アーティストの多様な今までのキャリアを検証しようとするのでもなく、この複雑な作品を簡潔に説明するために、ひとつのよく見極められたテーマと時系列、論理的な順序に従っています。

＞ニューメディアアートの短い書き方

ニューメディアアートに関しては、簡潔に記述し、正確に分類するのはさらに難しくなるばかりです。デジタルアートは共同制作者が変動するなかで作られることが少なくありません。また、アーティストのウェブサイトからオンラインのアートマガジン、もしくはギャラリーやフェスティバルでの公開展示へと作品の場所が変わるに従って形式（テクノロジー、寸法）も異なってきます。必要不可欠な基本情報——作者、データ、メディア——さえも不確実となる危険性があるなかで、アーティストであり研究者である

ジョン・イッポリートは、コンピューターをベースとするインスタレーションやビデオマルチキャストの書き方を実演しています[78]。

以下のパブリックコレクションのホームページの投稿は、ウェブ生中継型作品、《Decorative Newsfeeds》のうちの1バージョンについて書いています。これは、アーティストグループの、トムソン＆クレイグヘッドが自身らで記したこのプロジェクトへの説明に基づいています[79]。

楽しげなアニメーションで世界中からの最新のニュースの見出しを伝える《Decorative Newsfeeds》（2004）では、鑑賞者は情報を得ると同時に、ある種のレディメイドの彫刻、あるいはオートマティックドローイングについてじっくりと考えを巡らすことができます [1]。それぞれのニュース速報はBBCウェブサイトから生中継で抜き出され [2]、シンプルな規則でスクリーン上に表示されていきます。これらのニュースの見出しに続いていくたくさんの曲線は、アーティストによって描かれ、データベースに保存されたものですが、それらが互いに交わる方法はコンピュータープログラムの実行によって決定されます。《Decorative Newsfeeds》は、全ての人が抱えるニュースの渦とのあいだの非常に複雑な関係、そして世界中の出来事と連動する報道がどのように人々の生活に影響を与えているかを明確にすることを試みています [3]。

ソーステキスト30：

無著名「Decorative Newsfeeds」トムソン＆クレイグヘッド British Council Collectionウェブサイト

複雑で、絶えず進化を続けるニューメディア作品の短い解説は、そこで見られるものを正確に説明することで、鑑賞者をアシストします。それぞれの文は、ひとつの役割を果たすことが想定されており、ここでは、これまで「伝わるアートライティング—3つの課題」と呼んできたもの（59ページ参照）の順序を逆にして問いに答えています。

Q2　なぜこれに意味があるのか？

A　《Decorative Newsfeeds》は、アート作品でありながら、ニュースを配信することで、鑑賞者に「情報を得ると同時に、ある種のレディメイドの彫刻、あるいはオートマティックドローイングについてじっくりと考えを巡ら」せることを可能にする[1]

Q1　これはなんなのか？

A　「BBCウェブサイトから生中継で抜き出され」たニュース速報が、コンピュータープログラムで互いに接触している[2]

Q3　なぜこれについて考える価値があるのか？

A　この作品は「世界中の出来事［…］がどのように人々の生活に影響を与えているかを明確にすることを試みています」[3]

デジタルアートに関するウェブサイトの投稿には、頻繁な更新が必要です。イッポリートが言うように、「ニューメディアアートの作品は、生き残るために、サメのように動き続けなければならない」のです[80]。

特に作品の制作年データはあてになりません。例えば、2004年にはじまり、現在も進行中のデジタル作品が修正された場合には、制作年は「2004」「2004年から現在も進行中」「2004／2014」などと記述されるでしょう。可能であれば、アーティスト自身のホームページや公認ウェブサイトから第一次情報を直接入手すべきです。

＞展覧会のウォール・ラベルにおける注意事項

ライターが適切なテキストを制作するためのリサーチに何時間費やしたとしても、鑑賞者がそれを読むのに当てる時間は平均10秒です[81]。アーティストのメレコ・モクゴシのような注意深い観察者は《Modern Art: The Root of African Savages》（2013、手書きのコメントで埋め尽くされた注釈だらけの美術館ラベル）において、そこにある多くの根拠なき仮定を発見しています。

次のラベルのような、あまりにお子様レベルの内容は避けましょう。これはオンライン・ニュース・マガジンの『Burlington』が、グラスゴー美術館のバロック静物画展で見つけたものです。

ジョルジュ・ブラックは、複雑な絵画を描くのに苦戦したとき、心をクリアにするために静物画を描くことがよくありました。彼のスタジオのフルーツボウルはまた、手軽なおやつも提供してくれました！[82]

3歳の方がもっとましな作品が作れると言い放つコンテンポラリーアート懐疑論者たちに、さらに、それに合わせたもっと魅力的なテキストだって書けると言われたくはないものです。ラベルをこのような幼稚な雑学以上のものにできるのはリサーチだけ。また、ラベルは鑑賞者ができること、あるいはできないことを教える役目もあります。次のことを許可しているかどうかを明示します。

- 作品に触れて良いか
- どのように扱うか
- 喋って良いか
- メモを取って良いか

2012年のウィーンのMuMOK（ウィーン・ルートヴィヒ財団近代美術館）で撮影された次のラベルは、アーティストの当初の指示を無視しています（「Franz West self-contradicting museum label」[図26] 参照）。

＞流儀に従う

名の通った美術館やコレクション（あるいは出版社）から執筆を依頼された場合は、彼女らは全てのテキストの一貫性を保持する「流儀」をもっているはずです。コピーを入手し、その書き方に従いましょう。例えばそれは漢数字ですか？　算用数字ですか？

　確かな例が必要なときは、お好みの専門的なウェブサイト（例えばオンタリオ美術館や、サンフランシスコMoMAのホームページには何百もの例があります）を調べて、そこでのスタイルに従います。あらゆる細部への方針を確認し（もしくは選んでそれを遵守する）、一貫性を保ちます。キャプションの場合、多くはアーティスト、タイトル、制作年、メディウム、寸法、所蔵先コレクションの順番になっています。追加情報として、撮影者、所蔵／来歴起源、コレクション用の参照番号などが含まれることもあります。特に指定のない限りは、壁面ラベルの読みやすさを確保するために、フォントサイズは14ポイントかそれ以上、そして英字は常にサンセリフ体を使用します。

>プレスリリースの書き方

実際、コンテンポラリーアートのプレスリリースの伝説はそれだけで章をつくるに値するほどです。他のほとんどの業界では、この控えめなA4用紙は次の目的を果たすに過ぎません。

- 業界、編集者、レポーターに報道価値のある情報を知らせる。通常、メディアの報道を期待して、簡単に伝達できるようにバナーとなる見出しをつける
- ニュース記事を書くための要点、わかりやすい言葉をジャーナリストに提供する
- 連絡先の完全な情報を提供する（「詳細につきましては、お問い合わせください」）。著作権フリーの見栄えの悪くない画像か、適切な引用、あるいはその両方を提供する。これで仕事は完了

プレスリリースは、ニュースを重要度に応じて優先順位をつけた、飾り気のない逆三角形（152ページ参照）で構成されます。昔はアートワールドの展覧会のプレスリリースも、ジャーナリストが簡潔な情報を手にいれることができる、いたって普通の便利な案内用紙だったのです。

ここでは2つの比較的控えめな例（アートワールドの基準からすれば）から、重要な部分を抜粋しました。ひとつは有名な芸術賞の受賞者を発表す

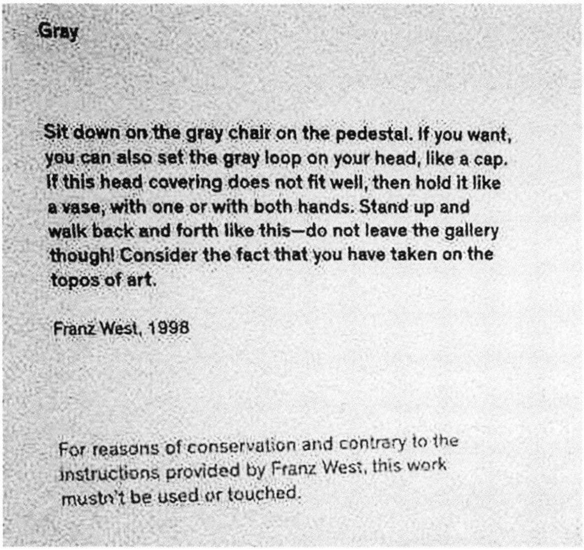

Gray

Sit down on the gray chair on the pedestal. If you want, you can also set the gray loop on your head, like a cap. If this head covering does not fit well, then hold it like a vase, with one or with both hands. Stand up and walk back and forth like this—do not leave the gallery though! Consider the fact that you have taken on the topos of art.

Franz West, 1998

For reasons of conservation and contrary to the instructions provided by Franz West, this work mustn't be used or touched.

グレー
台座の上の灰色の椅子に座ってください。灰色の輪を帽子のように頭に被っても良いです。この頭の衣装がうまく合わなければ、それを花瓶のように片手か両手で抱いてください。立ち上がってこのように行ったり来たりしてください。ただしギャラリーからは離れないように！あなたが芸術のトポスを引き受けたという事実について考えてみてください。
フランツ・ヴェスト　1998

保護上の理由から、フランツ・ヴェストの指示に反してこの作品を使用したり触れたりしてはいけません。

[図26]「Franz West self-contradicting museum label, MuMOK Vienna」
写真：キャサリン・ウッド

る「スタン・ダグラス、2013年スコシアバンク・フォトアワード受賞」という記事。もうひとつは2002年のロンドンのプライベートギャラリー、Raven Rowで開催されたハルーン・ファロッキの個展についてのプレスリリースです。

スコシアバンクは、第3回スコシアバンク・フォトアワードの受賞者に、バンクーバーのアーティスト、スタン・ダグラスが選出されましたことを発表いたします[1]。[…]この名誉ある賞は、受賞者に賞金50,000ドル、そして2014年のスコシアバンクCONTACT写真フェスティバルへの出展権と、世界的なアート出版社、シュタイデルからの国際的な出版権を贈呈いたします[2]。

スコシアバンク・フォトアワード審査員の代表、および同アワードの共同設立者であるエドワード・バーティンスキーは次のようにコメントしています。「スタン・ダグラスは、カナダの写真とアートシーンを彼の傑出した作品で定義し進化させることに貢献してきました」[3]。[…]バンクーバーを拠点とするスタン・ダグラスは、特定の場所や過去の出来事を再検証する映像作品、写真作品、インスタレーション作品を制作してきました[4]。[…]

スタン・ダグラスは、アンジェラ・グラウアホルツ、ロバート・ウォーカーを含む3人のファイナリストから、テームズ・アンド・ハドソンのキュレトリアルプロジェクトのディレクターであるウィリアム・ユーイング[…]インディペンデントキュレーター、ライター、バンクーバー美術館の財団・政府助成金ディレクターであるカレン・ラブ、カナダ国立美術館の写真コレクションのキュレーターであるアン・トーマスという写真界を代表する有識者たちによって選出されました[5]。

ソーステキスト31：

無署名「Stan Douglas wins the 2013 Scotiabank Photography Award」2013年 Scotiabankホームページ

(Raven Rowは) ドイツを代表する映画監督ハルーン・ファロッキによる2スクリーン作品、およびマルチスクリーン作品の、イギリス初となる展覧会を開催いたします[1]。[…] この検証は、彼の1995年の2スクリーンのプロジェクト《Interface》から、イラク占領後に精神的外傷を負った米国兵士の治療におけるバーチャルリアリティの使用について取り扱った2009年の《Immersion》まで、9つのビデオインスタレーションで構成されます[2]。

60年代以降、ファロッキ (1944年生まれ、ベルリン在住) はフィルムエッセイと言われるものを一新しました。[…] ファロッキは、90年代半ばから、2つ、ときにはそれ以上のスクリーンを用いて映像制作を開始するようになります[4]。[…]

この展覧会は、アレックス・セインズベリーによってキュレーションされます。スチュアート・カマー、アンチュ・エーマン、オトリス・グループがキュレーションした、テート・モダンのファロッキの単一スクリーン映画の上映とイベントを開催する「Harun Farocki. 22 Films 1968–2009」(2009年11月6日から12月6日) との連動企画です[5]。

ソーステキスト32：

無署名「Harun Farocki. Against What? Against Whom?」2009年 Raven Rowホームページ

[1] 主となる発表が入った一行の見出し、または短い段落
[2] 直近のイベント、展覧会に関する情報 (最大4文) ——何の賞／何の作品が展示されるのか
[3] 適切な (専門用語のない) 引用
[4] アーティストについての重要な背景情報 (最大4文)
[5] 詳細情報を加えた短い最終パラグラフ

さらに住所、営業時間、メールアドレス、電話番号、担当者の名前などギャラリーの詳細情報を含めましょう。別途、直接関連する高品質の写真 (最低解像度300dpi) と、アーティスト、タイトル、制作年、メディウム、寸法、場所、撮影者の名前など掲載するためのキャプション情報を全て送ります。

上記の基本的な形式に従う場合、まず、抽象的で難解な考えを、別の抽象的で難解な考えで「説明」しないと誓ってください(86ページ参照)。

プレスリリースを書き終わったあと、それをアーティスト本人に見せることを、どういうわけか過剰に腰が引けたり渋ったりしてしまうときには、努力の程度に関わらず、それは悪い兆候です。シンプルかつ知的な言葉遣を保ちながら、書き直します。

>実用的なヒント

適切な写真を選びましょう。写真は1,000の宣伝文句と同じくらいの価値があります。 報道は、最前線のニュースを求めているため、通常は最新作品のすっきりとしたわかりやすい写真が必要です。新聞に写真がうまく印刷されるかどうかを確かめるには、それを白黒で印刷してみること。写真が灰色に沈んでしまったら、はっきりとしたコントラストの他のイメージを選んでください(この方法はカラー印刷あるいはウェブ上で掲載される写真にも利用できます)。

発表の仕方とわかりやすさは最も重要です。印刷物の場合、ジャーナリストが必要な情報を簡単に抜き出すことのできるよう、行間を広めに空けることで、ゆとりあるプレスリリースに仕上げることをお勧めします。美術評論家は、プレスリリースをざっと見て、アーティスト/ギャラリー/展覧会の見出しを吸収するか、重要な事実だけを走り読みします。常に素材、プロセスあるいはどのように作品が作られているか、場合によってはどのようにアーティストがそのアイデアにたどり着いたかといった、基本的な背景情報を全て含めるようにしてください。概念的にまくし立てるのではなく、堅実な情報を提供します。また、イベントに関連するアーティスト、キュレーター、批評家のステートメントを示すことで(これは常に欠けています、なぜ?)、注目を集められるでしょう。

批評やインタビュー、アーティストの声明、カタログテキスト、作品の写真などの全ての要素が入った、ギャラリーやアーティストの包括的なホームページは、批評家が必要とする全てのリサーチを提供します。このような戦略を取ることは、報道をひきつけるのに役立つのです。

「1973年ウィソール生まれのニュー・メディア・アーティスト、アントワープで初の展覧会開催」という件名のメールに、急いで全てを払いのけて、メールを開くような報道関係者はひとりもいません。主流報道陣の関心をひくためには、報道価値があって、注目をひく、一般層に向けたフックが必要です。ことによれば、あなたの展覧会では52.4カラットのピンクダイアモンドと8,601個のダイアモンドで覆われた5,000万ポンドの値をもつ頭蓋骨を展示するかもしれません。あるいは全ての収益はアムネステティ・インターナショナルに寄付されたり？　それともアーティストは恵まれない子供たちと活動しているだとか？　そこまでではなくとも、展覧会を幅広い層（非専門者層）へ報道してもらうためには、せめて本の出版や、新作映画、大規模な展覧会、あるいは特に希少であったり、価値があったりする作品に関連している必要があります。

著名の批評家からの自身の展覧会へのレビューを得るのは、簡単ではありません。美術批評家は毎日何十ものギャラリーからのプレスリリースを受け取っており、その大半は未読のまま削除されます。一般的に彼らのレビュー対象のチョイスは独立して行われており、ギャラリーへの定期的な巡回から引き出されます。ときには、信頼できる同業者からの情報や、アーティストのスタジオ訪問、アートワールドでの話題性の高さ、ネット検索によって選ばれることもあります。一見の価値があるおすすめ展覧会を知るために、アーティストを――彼ら自身の展覧会がないときには――情報源として頼ることもあります。あなたのギャラリーに批評家が訪れてほしいのであれば、以下のアドバイスをします。できるだけ多くの美術評論家と友達になり、自分ができる最高の展覧会を開き、それから彼らがドアを開くために必要なことは何でもしてください（204ページの「雑誌やブログのための展評の書き方」内のFAQを参照）。

あらゆる報道陣に対応する、ただひとつのプレスリリースをつくらなければならないという決まりはどこにもありません。内容と質を、自分のターゲットとするメディアの需要に合わせて検討することです。

あなたのニュースをそのまま挿入できるようにしましょう。ギャラリーは、雑誌編集者が、自分たちのプレスリリースの部分的な情報やわかりにくい文章を、公開可能なニュースに変換する大変な作業をやってくれると思っています。芸術の母のために書かれたかのような大げさな称賛（「世界で最も偉大な存命彫刻家」）や、芸術用語の乱用はいりません。情報（誰が、何を、どこで、いつ、どのように、なぜを全て示して説明）と、パンチの効いた見出し、メディアがそのまま引用できる文、著作権フリーで完全なキャプションが添えられた高解像度の写真を提供します。

>プレスリリースの50の濃淡

奇妙なことに、コンテンポラリーアートが熱くなればなるほど、ギャラリーの広報はさらに一段と間抜けになるようです。A4のこの奇妙な紙は、アートワールドに染み付いた因習のように傍若無人に存続してきました。インターンのゴーストライティングによる「プレスリリース」。展示されたアートをわかりやすく説明しながら、同時に神話化させるという矛盾する作業を背負った「プレスリリース」。プレスに決まって無視を決め込まれた「プレスリリース」。もはや、「ギャラリープレスリリース」とは容認された「誤称」なのです。

しかし、いつかこれら全てが、アイビーリーグのコミュニケーション学部卒業生だけのスタッフで固められたPR部門によって専門的に編集されたときには、バカげた印刷物や誤字、非論理的で切れ目の見当たらない文章の数々を恋しく思う日がやって来るのかもしれません。ギャラリーのプレスリリースは、アートライティングお馴染みの問題児です。

おそらくプレスリリースは、報道の物理的な穴を補うことに役立ち、ほとんど儀式的な機能を果たしています。しかし少なくとも、プレスリリースがあるということは誰かそれを書いた人がいるということです。この文書の特殊な奇妙さを受け入れた人々は、「署名つきプレスリリース」という矛盾に基づいたバリエーションを発明しました。これは、ギャラリー来場者を――案内するのではなく――さらに戸惑わせる可能性があります。それこそ、彼らのポイントです。このミニ展覧会カタログとしてのプレスリリースは、次のような形式をとることがあります。

- アーティスト、キュレーター、批評家のロングステートメント
  例えばアーティストのクリストファー・ウィリアムズの、自身の展覧会（ニューヨーク、David Zwirner Gallery、2011年1〜2月）でのステートメント[83]
  批評家ミカ・スパーリンガーの、彫刻家のミカエル・ディーンの展覧会（ロンドン、Harald Street Gallery、2013年3月）でのステートメント[84]
- 他のアーティストからの論評
  例えばアーティスト、フランシスコ・ぺドラグリオの、マリー・ランドの展覧会（ベルリン、Croy Nielsen Gallery、2012年9〜10月）での論評[85]
- 独創的なライティング
  例えばロレッタ・ファーレンホルツの展覧会（リューネベルク、Halle für Kunst Lüneburg、2013年5月）でのJ・ナギーのテキスト[86]
- 革新的なグラフィック／独立した作品
  例えばチャールズ・メイトンの展覧会（パリ、Balice Hertling、2012年12月）[87]
- 展覧会のテーマと大まかに関連する「寓話」のコレクション
  例えばA・E・ベネンソンの展覧会（ニューヨーク、ブルックリン、Torrance Shipman Gallery、2013年3〜5月）[88]

キュレーターのトム・モートンは、ロンドンのCubitt Galleryで開催した彼の展覧会「Mum&Dad Show」（2007年2月、出展アーティストはキュレーターの両親）で、修正されたプレスリリース／インタビューを通して、「校正履歴」と舞台裏を明らかにしており、それを見ればこの紙がいかにこだわりをもってつくられているかがわかるでしょう[89]。

上記の案は、ギャラリーのプレスリリースがどれほど自由で制限がないかを証明しており、またこれは展覧会のなかで最も良いものにもなりえます。概して、このような独特の方法で書かれたプレスリリースは、その背後に

存在する、アートワールドの慣習に精通して、これらの副産物を生み出すことができる、自信と知識と満ちた著者の姿を示唆しています。これらの方法をやってみようと思ったら、もしくは自分自身で新しく考案しようと思うのであれば、いずれにしてもそこに関わるアーティストとギャラリーがあなたの目先の変わったアイデアを許容することを確認してください。ギャラリーはときどき2つのプレスリリースのバージョンをもっています。ひとつは文字通りプレス向けにつくられているものと、もうひとつの「オルタナティブ」バージョン。これは従来の美術館に隣接している、プロジェクトスペースのようなものです。

＞短いプロモーションテキストの書き方

美術館のパンフレットやウェブサイトのための短いプロモーションテキストとは、ミニニュースが合わさったミニプレスリリースです。ときに、誰が／何を／どこで／いつという詳細が、見出しの側に置かれることで、展覧会、あるいはアーティストの作品の基本的な描写的理解のためのテキストのスペースを広げます。

ロビン・ロード：壁の呼び声　2013.5.17〜9.15　ビクトリア国立美術館　セント・キルダ・ロード180[1]

ベルリンを拠点とするロビン・ロードは、写真、アニメーション、ドローイング、パフォーマンスを手がける南アフリカ人アーティストです[2]。「壁の呼び声」は、彼の故郷であるヨハネスブルグのストリートや政治から着想が得られた新作の展示となります［図27］[3]。ロードの機知に富んだ、魅力的で詩的な作品群は、ヒップホップとグラフィティアート、モダニズムの歴史と創造的表現の行為そのものに言及します。

写真とアニメーションの他、ロードの青春時代と家族に捧げられた特別な展示が添えられる予定です[4]。壁画に対するロードの関心を広げた、このユニークなプロジェクトでは、参加者は、巨大な壁紙でできたインタラクティブインスタレーションに一緒に集まって、絵を描き、色を塗ってい

[図27] ロビン・ロード《Almanac》2012〜2013年

くことができます。

ソーステキスト33：

無署名「Robin Rhode: The Call of Walls」2013年　National Gallery of Victoriaウェブサイト

この控えめな300字あまりのテキストは、例えば南アフリカのポストアパルトヘイトを本格的に分析しようとしたり、ストリートアートの状況を議論したりはせず、説明というシンプルな仕事にとどまっています。

[1] **誰が／何を／どこで／いつ：**「ロビン・ロード：壁の呼び声 2013.5.17〜9.15 ビクトリア国立美術館 セント・キルダ・ロード180」

[2] **メディア（どのような作品か？）：**
「写真、アニメーション、ドローイング、パフォーマンス」

[3] **キーアイデア：**
「彼の故郷であるヨハネスブルグのストリートや政治」

[4] **来場で期待できること：**
「写真やアニメーション」を鑑賞できる。また「参加者は巨大な壁紙でできたインタラクティブインスタレーションに一緒に集まって、絵を描き、色を塗っていくことができます」

ここでの目的は、展示されているものを示唆し、なぜ入場する価値があるのかを提案しながら、わかりやすい言葉で読者をそそのかすことにあります。常連客に対して、これは見逃せないことを説得すると同時に、初めて訪れる潜在来場者も遠ざけないようにします。

＞オークションカタログテキストの書き方

一般的なオークションカタログテキストは、「署名のない」アートライティングの古典的な例です。そこでは、一番魅力的に見えるライティングを作品に施し、見込み客に提示するために、信頼できる技術的および数値的情報（寸法、材料、出所など）と、権威的な美術史の情報を組み合わせます。要するに、このテキストの目的は、価値を確立することにあります。この本の軸でもある、アートライティングの2つの主要な仕事——説明と価値づけ——の観点からいえば、オークションのテキストは明らかに矛盾しています（22ページの「説明 vs. 価値づけ」を参照）。オークションハウスのテキストの内容とスタイルは、アート作品に価値を付与し（つまりは価格）、販売するというビジネスでありながら、次のような「王道」のリサーチに基づいた美術史的解説を中心に展開しています。

- 作品がいつ、どのように作られ、展示され、評価されてきたか
- 美術史、またより広範な歴史的文脈、そしてアーティスト自身のキャリアと人生における作品の位置づけ

稀な例外を除いて、オークションハウスはアート作品のセカンダリーマーケット、つまり以前に所有されていた作品の取得および販売にのみ関与しています。
また、作品に関するカタログのテキストは通常、美術史の教育を受けた組織内の人間——オークションスタッフのライター、研究者、専門家——によって書かれており、販売責任者を含めた他者の意見が取り入れられています。それらの長さは、作品の重要性と期待される収益に比例して、次のように非常に幅広く変化します。

- 余計な解説のない（常に申し分なく集められた）長文の技術的情報
- 長めのキャプション
- 長めの記事
- 本1冊分

この内容は、さらに次のような専門知識を利用することもあります。

- 外部の美術史家の専門知識
- アーティストの死後の遺品や作品の情報

- 代表的なギャラリーのもつ情報
- ときにアーティスト本人からの情報

オークションカタログで、新しい美術史研究が浮上することは滅多にありません。寸分違わない正確性と、情報源の透明性が必要不可欠です。オークションカタログのテキストは、教育的なアートライティングではありません。それは、デューディリジェンスと法律用語を表しています。

デューディリジェンス：「適切で十分な注意と配慮、特に不正行為に関与することを避けるために行使される。あるいは、購入予定者あるいはその代理人によって行われる包括的な査定」
―オックスフォード英語辞典

非の打ち所のないリサーチと、以下のものから引き出されたエビデンスが必要不可欠です。

- 有識な内部者から直接得た専門知識
- カタログ・レゾネ（存在する場合）――ひとりのアーティストによる全ての作品（または作品の種類）をリストした、細心に編集された包括的な公式出版物
- 美術館、大学出版、またはこのアーティストの経歴において広く認められた販売業者からの著名な出版物
- アーティスト自身の検証可能な言葉

一級品と呼ばれるような作品の場合には、すでに「定着した」エビデンスの編集になることもあります。オークションカタログの事実データ（素材と寸法などの技術的詳細、過去展覧会、文学、アーティストや批評家からの引用）は、学術研究においても最も堅実な歴史的情報となります。これらは、妥協のない、立証可能な調査を通して注意深く精査されています。

理論や学術用語、またあなた個人の解釈的見解を示す恐れのある、自由

な解説の気配は全て消してください。かといって、オークションのテキストは、無味乾燥した百科事典の目録や学術論文として読めてしまってもいけません。作品の制作、展示、または以前の所有者に関する（帰属する）引用やエピソードを使用して、活気づいた魅力あるものにしなければなりません。

しかしながら、同時にこれら全ては、作品をめぐる価値の群れ ── 商業性、美術史性、あるいは象徴性──を強化する役目を体良く果たしています。作品の価値の生まれ方を探求し始めれば、どこを掘っても地雷が埋まっています。拡大し続ける芸術と金銭の関係は、今、研究のサブ分野として大変賑わいを見せており、21世紀を揺るがす巨大なアートストーリーをつくりあげています[90]。『美術取引：グローバル経済市場におけるコンテンポラリーアート』（2011）の著者である、アートマーケットの専門家、ノア・ホロウィッツはアートの価値を経済性、批評性、象徴性の3つに分類します[91]。

- **経済性**：これまでに到達した価格はどれほどだったか？
- **批評性**：この作品をユニークにしているものは何なのか？（美術史、アーティストの全作品、メディウムの歴史において）
- **象徴性**：作品の社会的な記号は何なのか？

ひとつ目の経済的価値は、市場専門家によって落札推定額の欄に示されています。オークションのエッセイの内容の多くは、2番目の批評性に焦点を当てているようです。最後のひとつ、象徴性もまた、オークションカタログに添えられるテキストの重要な要素ですが、これはホロウィッツが「より柔軟な可変性」と呼ぶものに左右されます[92]。

例えば、その作品は、進行中のパブリック／プライベートコレクションに必要不可欠であることを、あるいは堅実な投資として納得されるものを、あるいは空っぽの吹き抜けの階段を100パーセント解決してくれるものを、あるいは所有者をただ幸せで誇らしい気持ちにさせるものを象徴しています。つまり、コンテンポラリーアートの購入で得られる象徴的価値に関しては、最終的に取引を締めるものは、全て誰かの推察です。象徴的価値は、購入者の関心をそそる可能性のある、作品制作やそれに続く歴史をめぐる興味深い物語や詳細を通して誕生することもあります。

堅実にリサーチされたオークションカタログは、無味乾燥した美術史エッセイにも、積極的な売り込みになってもいけないため、バランスが重要となります。

オークションテキストは、一種の「誘導」、あるいは心そそらせる魅力的な冒頭文やパラグラフから始まる傾向があります。今日のオークションカタログのレイアウトは、ファッション誌のそれと似ていることがあり、時にはフルページ印刷や、読みやすいリードコラムが掲載され、大きな売り上げをもたらします。理想的には、オークションカタログのテキストは、専門用語なしで専門的知識が伝えられた、積極的で読みやすいアートライティングであることが望ましいのです。

以下の例は、2008年のクリスティーズ・ニューヨークで販売された、フランス近代絵画の巨匠ジャン・デュビュッフェの主要絵画、《La Fille au Peigne》(1950) へのテキストから抜粋しました。

《La Fille au Peigne》は、ジャン・デエビュッフェの最初期の絵画のひとつであり、「Corps de Dames」シリーズのために制作されました。1950年4月から1951年2月にかけて制作されたこのシリーズは、デエビュッフェのキャリア全体における最も中軸的な作品群として広く認められています[1]。「Corps de Dames」シリーズはわずか36作品で構成されており[2]、それぞれが不朽の女性裸婦画として、ワシントンD.C.の国立美術館、パリのポンピドゥ・センター、ベルリン国立美術館、ニューヨーク近代美術館などの国際的な主要美術館に所蔵されます[3]。デエビュッフェは「Corps de Dames」を通して、因習的な女性の美のスタイルだけでなく、絵画それ自体の慣習的な美的原則にも挑みました[5]。デエビュッフェの、戦後美術に広く影響を及ぼした、美術史的伝統の劇的な転覆は、《La Fille au Peigne》の筆致と、人物の独創的な扱いに示されます。

美術史に、デュビュッフェの《La Fille au Peigne》の姿を予感させるものは、どこにもありません。1962年のニューヨーク近代美術館の彼の回顧展のカタログにおいて[4]、ピーター・セルツは「Corps de Dames」を「間違いなく、絵画史で知られる最も攻撃的に衝撃的な作品のうちのひとつである[…]」と述べています。(ピーター・セルツ『Dubuffet』ニューヨーク、1962、p.48)[…] それは豊満なヴィレンドルフのヴィーナスのような親密性[93]をもっていながら[6]、単なるプリミティブな描写を超越しています。

ソーステキスト34:

無署名「Jean Dubuffet (1901–1985), La Fille au Peigne」Christie's Post-war and Contemporary Art Evening Sale」2008年 ニューヨーク

20世紀半ばの伝統的な芸術論の名残(「筆致と人物の独創的な扱い」「プリミティブな描写」)を残すこのテキストは、巨大なアート取引と密接に関係していた過去の鑑識家の姿を思いおこさせます。この朗々とした語りの秘訣は、上品な響きで買い手に安心感を与えることかもしれません。オークションカタログには、過度に専門化された文章や、議論的な文章はありません。

小学校の美術研修にも対応できるようつくられる美術館のラベルとは異なり、オークションのテキストは厳密に成人向けにつくられています。ここでは、読者全員がアートの話題に何不自由なく精通しているかのように、彼らの自尊心をくすぐっています。テキストがこの「不朽の女性裸婦画」の、経済性、批評性、象徴性価値をどのように確立しているか、考察してみましょう。

[1] **アーティストの人生、キャリアにおいて特別な場所を占めている**
例えば、「この作品はこのアーティストの最も代表的なスタイルを示している」「この作品はアーティストが最も輝かしく活動していた時代に制作されている」「この作品はアーティストの全作品における、ひとつの傑出した例である」。作品の歴史的意義は、アーティストのスタジオの写真や、初期の展覧会での展示写真や準備スケッチなどの関連するアーカイブ画像、もしくはインスピレーションを与えるようなアーティスト本人の個人的な写真などの資料を用意することで強化できる

[2] **希少である**

例えば、「これはこの期間に作品のなかでもとりわけ最上級作品として知られる」「限られたシリーズに属している」「販売されることが滅多にない」

[3] **注目に値するパブリック／プライベートコレクションに属している、あるいは属していた**

「良い起源」と呼ばれるこの系図は、広範なキャプション情報に記載される

[4] **「文献」を構築している**

この作品が過去に解説されてきたかどうか。著名な批評家や史家が、この作品について、主要なカタログ、大学出版による出版物、および専門的な定期刊行物で言及した事例を調べる

[5] **美術史上において重要な位置を占めている**

「希少」を超えて、思い切って「傑作」とささやくこともあるでしょう。しかし、これはオークション以外の、他のコンテンポラリーアートライティングにおいては事実上ご法度の時代遅れな言葉。この言葉は、競売人に譲ること

[6] **類似点や同じ懸念を共有する、同じアーティストの他の作品、先駆者、同業者と比較されうる**

《La Fille au Peigne》のテキストの後半では、ヴィレンドルフのヴィーナスに加えて、同時代のウィレム・デ・クーニングの作品との比較がなされている。他にもドガとピカソの女性裸婦画の説明も示されている

全ての引用はテキスト内で細心の注意を払って掲載します（注釈はなし）。さらに、このテキストでは、特に次のことがわかります

- デュビュッフェに関連する専門用語、「アールブリュット」（「ロー

アート（Art）」）の定義

- アーティストの関心についての関連情報（例えば、彼は子供たちのアートに夢中だった）
- 「非常に一般的なものと非常に特殊性の高いものを、女性の体に情け容赦なく並べていくことは［…］喜びだった」といった、アーティスト本人のコメント
- 恐らくコテで砂を混ぜたと思われる箇所は別として、表面を「険しい」荒土になぞらえて塗っているわけではない
- 当時、デュビュッフェの作品は「深く人間的」だと記した、著名な批評家ミシェル・タピエからの最後の引用

オークションのカタログでは、ライターはその作品を購入する理由をただ連ねるのではなく、作品に属する価値を優雅に示します。この仕事の技術は、慎重なリサーチで見つけられる、経済的、批評的、象徴的価値を実証的に最大限にする作品の要素を直感することにあります。

>「アートワールドネイティブの言葉」？

最も優れたオークションカタログのテキストは、理解しやすい簡潔な学術的知識の基準になります。これらのカタログを精読すると、作品が古くなればなるほど、テキストの品位も高まるような印象を得るでしょう。最悪のケースでは、このセールストークは、低品位のギャラリーのプレスリリースをわずかに上回る程度の出来です。

> セルフポートレートでありながら、バイオモルフィックな合成、そして極小のトーテム像である1984年の《Nature Study》は、非常に密度が高く、しばしば非現実的な視覚的対象を介して、ルイーズ・ブルジョワの性の政治学との折衝を完璧に組成しています。優雅で豪奢な姿、繊細に膨らんだブロンズの柱、および磨かれた金の付属物は、男根の効能と女性の生殖能力の両義性とともにある、澄み切ったブランクーシの美学を統合しています[94]。

「完璧に組成」？　「優雅で豪奢な姿」？　次は「上質なコリント革」か何かでしょうか？

　ほとんどのオークションカタログのテキストは、かなりちゃんとしたものです。しかし残念な例は、専門的態度で事実確認と校正されている場合、学士号の研究課題のように見えることもあります。

作品の来歴、過去の展覧会の歴史、そして――ここでドラムロール――最も重要な販売推定価格。オークションカタログの多くは、これらの特別な情報を提供するため、専門家の力を借りながら作られています。推定価格は、並外れて特別な情報なので、率直にいって他の要素では太刀打ちできません。オークションカタログのように価格が一般に公開されることは、他では滅多にありませんが、これは概算にすぎません。オークションが開戦したあとに、プレーヤーがこれを見ることはほとんどありません。細心の注意を払ってリサーチされた完璧に執筆されたエッセイも、それが6、7、8桁以上の驚異的な数字の下に印刷されれば霞んでしまいます。

以下はまだ無名のライターである、アリス・グレゴリーのテキストです。大学を出たばかりの彼女の仕事はオークションカタログのテキストをつくることでした。ここでは、グレゴリーが、そこで求められることに対しての自身の理解を説明しています。

エッセイの原稿はおおよそ形式的なものではあるものの、オークションハウスの全体的なマーケティング戦略において重要な役目を果たしている。ハウスがその作品を評価すればするほど、その作品に与えられる言葉も多くなるようだった。私は、少ないレパートリーの能動詞（「探求する」「辿る」「問う」）に、多数の修飾詞（「気まぐれな」「動作的な」「控えめな」）を振りかけた。そして「負の空間」「バランスのとれた構図」「鑑賞者に問う」[1]というフレーズを頻繁に挿入した。「たくましい強壮性と光の形式的性質への非凡な集中に特徴づけられる、Xの叙情的な抽象化と視覚的なバリエーション[1]、これは最も重要な芸術の一角を先導し、数十年後の戦後アートマーケットを活気づけることとなりました。」私は、ほとんどポルノじみた過剰さで説明し――パレットナイフで、キャンバスにこってりと塗りつ

オークションカタログ：詳細情報

専門家（ライター／研究者をのぞく）は、求められる詳細な技術的情報の一部を提供、確認することがあります。相手の会社や出版物の正確なガイドラインをチェックしなければなりませんが（より多くの情報、より少ない情報、あるいはより異なる情報が必要な場合があります）、公開されるオークションデータは大体次のような事柄です。

- **アーティストの名前、生年月日（と没年）**
- **タイトル**
  バスキアの絵は《Furious Man》？　それとも《The Furious Man》？　三重に確認。
- **サイン**
  作品の裏側や周囲のどこかに記されたサイン全て。これは専門家によって提供される情報。
- **素材の詳細なリスト**
  非常に詳細で有識なリスト。「ミクストメディア」はダメ。例えば「耐熱シリコン、青銅、ポリウレタン塗料」あるいは「紙にオイルバー、アクリル、インク」のように。
- **寸法**
  センチメートルとインチで記載。通常、最初の小数点（cm）と1/8インチまで計測したサイズ。
- **制作年（1年あるいは数年）**
  矛盾や変動がある場合でもそれを開示すること。要調査。
- **エディション**
  該当する場合、APや変形型なども含む。
- **販売推定額**
  オークションハウスの専門家によって確立された、通貨での（£、Ä、$、￥など必要に応じて）販売前の下限および上限推定額。最低落札価格（通常は推定下限額を上回る）が公表されることは絶対なし。これらの数値を正確に計算、予測することは、通常ライターの責任範囲外。
- **来歴／取得起源**
  この作品がアーティストのスタジオを離れてから現在の所有者に至るまで、どのような歴史があったのか。リサーチと専門知識が求められる。
- **過去展覧会**
  公共／プライベート、全ての展示が含まれる。
- **特定の参考書目、「文献」**
  図書館に向かい、この作品を理想的に示している信頼できる参照物（展覧会カタログなど）を探すこと。この作品は白黒、それともカラーで載っている?

けるように——三文小説を書くことで稼いでいることを友人とGチャットで笑いぐさにしていた。三文小説とはまさに私が書いていたものだ。それは恥ずかしいくらい簡単で［…］まがいものだったかもしれない。多くの点で、オークションハウスは、市場への純粋な注意によって、知的に装う必要性からは解放されていた。カタログの言葉が（つまりしばらくの間は私の言葉が）、アートワールドネイティブの言葉にひとつの小さな居場所をつくっていたのだ。

ソーステキスト35：
アリス・グレゴリー「On the Market」『n+1』2012年

実のところ、これはかなり良いアートジャーナリズムです。内通者の知識と、親しげな打ち明け話の組み合わせは、Y世代のアートライティングの有望な素質のひとつを特徴づけます。しかし、ミス・グレゴリーが、彼女のオークションハウスでの仕事は、言語へのあからさまな技巧を偽装することにかかっていると感じていたことは残念な話です。彼女の故意の「悪い」アートライティングは、漠然とした抽象概念の塊です［1］（86ページ「抽象的で難解なアイデアを、別の抽象的で難解なアイデアで『説明』しない」を参照にしてください）。彼女の上質な「本物」のライティングは、具体的な名詞と適切に選択された動詞を使用しています（90、96ページの「文章に中身のある名詞を取り込む」、「力強い能動詞を豊富に詰め込む」を参照）。「アートワールドネイティブの言葉」が、低俗な文章である必要はありません。

幸いなことに、グレゴリーの説明には例外もあります。例えば、2007年のニューヨークのオークションのためにクリスティーズが出版した、『アンディ・ウォーホルの緑の車事故（炎上する緑の車Ｉ）』には、伝説的なコレクター／キュレーター／美術館ディレクターであるウォルター・ホップスのショートテキスト、ロバート・ブラウンの十分に研究されたエッセイ、そして希少な記録写真が収録されており、ウォーホルのお堅い文献書の棚にもすっきりと収まります（グレゴリーの語る、作品価格と文字量の比例も、100ページ越えの分厚さで証明されています）[95]。

オークションの専門家とは、ビジネスにおいて評価されている人物であるため、読むに耐えないまるで学部生レベルの内容のオークションカタログも一部存在します。しかし、メジャーオークションハウスの上層部ほどに、マーケットの動きや、非常に多くの芸術作品の技術的な情報、絡み合った来歴の歴史を知る人物はいません。オークションのプロたちにとって説得力あるセールスコピーを用意するのは容易いことです――そしてもし許されれば、そこにお硬いゴシップでスパイスを添えることだって。

3

「価値づけ」テキスト

＞雑誌やブログのための展評の書き方

まず、十分な数の展覧会を見に行きましょう。あなたの街にも、行くべき場所がリストされた、地元のギャラリーガイドやウェブ案内があるかと思います。プライベートギャラリーの展覧会の多くは入場無料ですが、公共美術館の入場料は幅広く異なります。複雑な営業時間を確認し、多数の選択肢から自分の書くものを選ぶことができるよう、できる限り多くの次の場所に参加してください。

- ギャラリーの展覧会
- オープニング
- 公演
- アート関連のパーティー
- ポップアップイベント
- 本の発売イベント
- アートフェア

すでに活気あるアート界隈を回るだけでなく、まだあまり知られていない展覧会も見つけに行きます。オンラインアートについて書いているのでない限りは、インターネットが作品やギャラリーの人々と直接過ごす時間に匹敵することはありません。冒険するのです。勇気をもちましょう。

あなたの頭から離れない展覧会を選びます。指導教員や編集者が展覧会を指定するのでない限りは（その場合は、それを観て、正直に反応します）、自分にとって良くも悪くも印象に残ったアートを選択します。適切な展覧会をターゲットにしたら、そこで時間を過ごします。よく観て、メモを取り、自分に対してそのアートを説明します。ビデオ、インスタレーションなどの複雑な作品の場合は、観ながら記憶に残ったイメージやフレーズを書き留めます（もちろん全部、最初から終わりまで観てください）。このような詳細は、テキスト内で用いる例として、あとで必要になります。十分にこの作品を知ったと感じたら、ギャラリーを出ましょう。そして、まだ新鮮なうちに、頭に浮かぶアイデアやフレーズを書き残します（といっても、多くは書き進めるうちに思い浮かぶものですが）。

ヒント：自分と同世代のアーティスト、あるいは自分の文化や見解を共有するアーティストをレビューすることを、まずは考えてみてください。主題についてよくわかっていると思われたいのであれば、自分が精通していることを話せば良いのです。実際、多くのアートライターは、10年前後の差はあれど、おおよそ自分と同年代のアーティストを最も素晴らしく書きます。

ベテランアーティストへの先駆的な研究の積み重ねを達成し、さらに新しい有効な観点をも有しているのでない限り（何年もの作業が必要です）、言わんとすることに説得力をつけるには苦労が伴います。1,300字なら、なおさらです。

アートフォーラムにエヴァ・ヘスのレビューを売り込もうと焦らず、現実的にならなければいけません。彼らのもとにはすでに、長年にわたり今日のアーティストたちについて絶妙に書きあげ続けてきたブリオニー・

ファーがいます。更新された観点や、新しいアイデアは歓迎されますが、独創的というより適格性に欠けると判断されないよう注意しましょう。もしあなたが若ければ、多くのアート雑誌が新しいホットな批評家によってレビューされた新しいホットなアートを探していることを、とにかく覚えておいてください。

決して、読者は展覧会をすでに見ている、と前提して書かないでください。読者はギャラリーの1マイル以内に入ったことがないと仮定するか、超スーパースターでもない限りはアーティストの名前を聞いたこともないと考えましょう。意味を考える前に、常にこの作品は何なのかを選択的に説明するよう心がけます。

- この作品は何でできているのか？
- 大きさは？
- 長さは？
- 画像には何が含まれているのか？
- アーティストは何をしたのか？

展覧会で示されているものの物質的特性をひとつ残らず説明することはできないため「展覧会のどの部分、どの作品、どの瞬間を選んで説明するべきなのか？」という疑問が湧くかもしれません。

それに答えるためには、作品のなかで意味をもっていると考えられる特定のポイントを検証します。つまり、その作品のディティール、アーティストの選択のうち、あなたの作品に対する思考——議論、観点——に貢献しているのはどれですか？　展評には必ず、独自の強力なアイデアをひとつ紹介します。プレスリリースやキュレーターのステートメントからは見られることのない、自分自身で発見した考えです。作品へ入り込む適切な方法をひとつ考えるのです。

経験の浅いレビュアーは、ある解釈から次の解釈へと突然飛躍しがちです。最初の段パラグラフ：これはジェンダーについての作品です、次のパラグラフ：これは国籍のアイデンティティについての作品です、3つ目のパラグラフ：Uターン、これは写真の歴史についての作品です、という具合に。あなたのもつ観点のうち、もっとも期待できそうなものはどれでしょうか？ 展覧会の全容を理解できるもっとも包括的なものはどれでしょうか？ そのひとつに従ってください。

文量を定めましょう。ひとつの優れたアイデアに十分な量は、1,250字から2,000字です。2,500を超えると、想像力をさらに膨らませていく必要があるでしょう。1,250以下の場合、わずかでも感触をつくるには、自説を交えた、パンチの効いたコンセプトをひとつ示すことが唯一の希望です。

警告：衝動的なテーゼを発散するために、作品の解釈を歪めてはなりません。あなたの考えは、好奇心と寛大さをもった注意深い観察から純粋に引き出されるべきです。
さらなる警告：あなたの考えは、思慮深く、十分に独創的であるべきです。鑑賞者がいることで作品が完成する、という結論を書いたときには、1957年にデュシャンがすでにそれを言っていることを、そしてそれはもはや使い古された言葉であることを思い出してください。あなたの「考え」が、「境界を揺さぶる」あるいは「既成概念への挑戦」というような凡庸な言葉を繰り返しているのであれば、さらなる努力が必要です。そのような「考え」はすでに心肺停止しています。優れた考えは危険をはらんでいます。リスクに挑戦しましょう。

熟練したアートライターは、自身の導き手となる考えを、執筆しながら探索的に形成していくことが度々あります。修正していくなかで新たな発見をし、要点に磨きをかけていくのです。そのため、初心者であれ、積極的に自分のレビューを練りあげ直していく必要があるでしょう。

自分の包括的なコンセプトを最大70字で綴り、それをパソコンに貼り付けておきます。それは一言のテーマやルールかもしれません。ただし、あなたのアイデアや考察は、作品に拘束力をもたないということ、レビューの内容を形づくるのに役立つだけだということを忘れないでください。自分の解釈に、作品が従うよう強いることはできません。あなたが見つけたその作品のテーマとなるところ――あるいは作品を複雑にしているところ、矛盾させているところ――をただ観察するのみです。その考えは書いているうちに変わってくると思いますが、それで大丈夫です。執筆を始めて、より良い論題に出くわしたり、最初の考えがうまく進まなくなったりしたときには、その試みを捨て、新しく開拓していくのです。

次の例は、ヒルトン・アルスの、ニューヨークのモルガン・ライブラリー・アンド・ミュージアムの展覧会「Subliming Vessel: The Drawings Matthew Barney」への刺激的なレビューの冒頭です。このような非常に実験的なオンラインレビューであっても、「男性性」というひとつのテーマが軸となって、マシュー・バーニーの展覧会が、アルスの自身の父親の記憶をいかに刺激したかが綴られています。

僕の父の話をさせてほしい。父はとてもハンサムで、生きているあいだに2人のパートナーを自身の孤独のなかに葬り去った女殺しだった。彼に近づく方法は電話以外にはなかった。彼は自分の言葉だけで満たされた世界の高潔な長だったのだ。父さんは共有が嫌いだった。彼は、自分の母親の家に部屋をもっていたが、自分の子供とは、映画館やレストランなど、神聖な体裁と威厳を保つのを助ける場所で会うことを好んだ。

ソーステキスト36:

ヒルトン・アルス「Daddy」2013年

ここからアルスは、バーニーの展覧会での最近の経験に対して、彼自身の非常に個人的な内省を織り込んでいきます。展覧会は、重量挙げ、フーディーニ、ノーマン・メイラーといった――そこで集められた魔術のなかでもとりわけ――男性ホルモンが駆動する主題へと及んでいきます。ライターは、彼の幼年期、作品、そして「疲れ果てた男らしさ」についての彼自身の考察という3つの軸を優雅に絡み合わせています。このような独特で個人的なリスクをはらんでいる展評であっても、全体を一貫して覆うひとつの考え――男性性――によって結びつけられていることがわかります。

あなたのアイデアの是非は次で決まります。

- どのように素材を並べるか
- 何を切り口とするか
- どこに特別な注意を払うか
- どの作品や詳細を含めるか

作品のまさにどの部分があなたの優れたアイデアを引き起こしたのでしょう？　この答えが、あなたの説明を形づくるはずです。自分を導くものが何なのかを考えることは、特に次を議論するときに助けとなるでしょう。

映像作品——
スクリーン上のストーリーを伝えることだけに費やす文量は？
グループ展——
どの作品やアーティストに焦点を当てるか？　どれなら省けるか？

次の質問——および新米レビュワーからの疑問——は、この情報は、自分のレビューの背後に燃えたぎる核心的なアイデアを、さらに焚きつけているか問うことで答えられるはずです。否、と思うならば、省くべきです。

- このアーティストの経歴を含める必要があるか？
- 何点の作品について話すべきか？
- このアーティストのコメントを引用すべきだろうか？
- 説明と分析の割合は？

思考に行き詰まったときには、いくつかの前段階のアイデアや、意識の流れを書いてみます。そこから自分のテーマに勢いを与える、重要な部分だけを取り出してください。

もし一生懸命考えても頭に全くアイデアが浮かんでこないのであれば、展覧会を変えてみてはどうでしょう？　問題は自分自身の想像力の欠如かもしれませんし、もしかしたら展覧会の凡庸さが

その空白を生み出しているのかもしれません。その「アート」はもしかしたら熟考する価値がないのかもしれません。その展示の空虚感について知的に議論するか、でなければあなたの想像力に火をつける他の展覧会を探しましょう。

ジャン・ヴァーヴォールトは、ネオ・ラウフの展覧会（David Zwirner Gallery、ニューヨーク、2004年10月）への展評のなかで、ペインターが強調しているドイツ的主体との関係性に疑問を投げかけます。彼は絵画の高度な技術を認め、それらがドイツの歴史上の不安定な瞬間から「皮肉な距離」をもって提示されていることを認識しますが、ラウフの技巧的—しかし非批評的—な絵画は、ドイツのステレオタイプを強化しているだけではないかと疑問を投げかけます。

ここでは、どのように批評家が彼の解釈で「点を結びつける」のか、彼の意見がいかに作品それ自体において実証されているかに注目しましょう（75ページの「自分の思考に従う」を参照してください）。

ネオ・ラウフの作品への好意的な解説は、ラウフは、絵画で社会主義リアリズムの英雄像を再現し空虚化させることによって、ドイツ民主共和国の不幸な社会主義国家のユートピアの死を祝していると主張する[テ]。[…]例えば《Lösung》（《革命》2005[図28]）は、異なる世紀の衣装を着てグロテスクな動きを演ずる人々を、小さな邸宅が取り囲んでいる[1]。兵士は18世紀後期の制服に身を包んで、1950年代のフットボールのユニフォームを着た男に、優雅に処刑を施している。[…] 疑いなくこの光景は馬鹿げている。しかしこの俳優たちの憂鬱な表情と悲哀感…これは誰もが典型的なドイツ人として考えるものである[2]。ラウフの絵画の力に真剣に疑問を投げかけてその完全性を台無しにしてしまうには、彼はあまりに技巧的に熟練しすぎている。[…] 彼の絵画は、いかなる批判的感性も欠如したドイツ的アイデンティティの混乱した意識の神話的な祭典であり、つまりはそのままなのだ[3]。

ソーステキスト37：
ジャン・ヴァーヴォールト「Neo Rauch at David Zwirner Gallery」『frieze』2005年

ヴァーヴォールトはひとつの考えを提示し、テキストを通してそれをたどっていきながら、模範的なアートライティングの構造で提起される疑問に答えています（59ページの「伝わるアートライティング—3つの課題」を参照）。

テーマ：「ネオ・ラウフの作品への好意的な解説は［…］ラウフはドイツ民主共和国の不幸な社会主義国家ユートピアの死を祝していると主張する」［テ］

Q1　この作品はどのように見えるか？／この考えはどの部分から見られるのか［1］
Q2　何を意味するのか？［2］
Q3　なぜこれが重要なのか？［3］

テキストの全文では、ヴァーヴォールトは自身の主張を納得させるためのさらなる証拠を十分に提示しています。彼はメインのコンセプト——このアーティストは、現代のドイツの現実に触れておらず、使い古された迷信を批評するばかりか、それに取り込まれている——を見失うことなく、バヴァーヴォールトがピックアップした細部もこの結論に帰結していきます。この批評家は、全ての絵を網羅しようとはしていませんし、非論理的な結論へと転換していくこともありません（例えば突然、クレメント・グリーンバーグの絵のドグマを持ち出すというような）。

しかし、誰もがラウフの「Renegaten」展に手厳しい訳ではありませんでした。同様にラウフに焦点を当てた、『Artforum』の評論家、ニコ・イスラエルは、この絵画はアーティストが彼自身の主題に対して抱く「嫌悪染みた感覚」を示している、と反対の考えを述べています[96]。

[図28] ネオ・ラウフ《Lösung》2005年

ジェリー・サルツは、『Village Voice』紙で、ヴァーヴォールトの考察を共有していますが、別の言い方で表現しています。「ラウフの絵画が描くのは、生命のない無性のファントムたちの世界だ。いくつかの絵は素晴らしいが、一緒に暮らすのは難しいだろう」[97]。

批評者がフォーカスすべきひとつの点は、唯一有効な視点ではなく、その作品を観察するなかで検討された意見の要点を凝縮し、展評全体を一貫するものを意味します。

> FAQ

1　どうやって公開するの？　ただ展評を送るだけでいい？

一般的に、新聞社は評論人員をもっており、明白な実績のあるライターのみ雇います（211ページの「新聞のための展評の書き方」を参照）。雑誌やオンラインジャーナルの場合、希望する出版社が、持ち込み原稿に関する方針を公開しているか確認しましょう。ガイドラインがある場合は、それに従い、十分に書きあげられたレビューを提出してください。それ以外の場合には、良い知らせと悪い知らせがあります。良い知らせは、全ての雑誌（アート雑誌でも他の雑誌でも）は、常にライターを求めているということ。悪い知らせは、彼らの理想は、素晴らしく教養があって、飛び抜けて情報通で、独創的で才能があって機知に富んで魅力的で、かつその雑誌にぴったりなライターであるということです。この本にあるアートライティングのヒントが、このうちの最初の6つに役立つでしょう。ここでは、最後の要件、つまり対象の雑誌が望むものを提供するということに焦点を当てます。

特定の憧れの出版物がある場合は、それを注意深く見て、読んでください。そのタイトルが何を示しているのか、よく考えて正確に理解しましょう。選んだ雑誌の文量と傾向を検証して、あなたの文章が物理的に収まることを確認してください（訳注：ここでは英字の場合の語数を掲載）。

- 『Art Asia Pacific』『frieze』『Art Monthly』はそれぞれ800～1,000

語のミドル級

- 『Art in America』のレビューは無愛想な450語(おおよそ)で、多くは記述的
- 『Art News』は幅が広いが、「重要性」に応じて300、400、500語のS、M、Lのサイズを選択(基本的に編集者の呼びだし)。『Modern Painters』も同じく、450語、300語、または手短な2行の75語
- 『Artillery』はカジュアルな約500〜800語
- 『Bidoun』および『Texte zur Kunst』は最大1,500語で堅実に書かれた見識あるレビューのヘビー級
- 『BlouinArtinfo』の鋭い一行レビューはリトルリーグ級、いち早いアートライティングの才能を発表
- 『Burlington』(1903年設立)はイギリスのアートワールドの公爵夫人的存在。レビュアーの多くは、対象のアーティストの作品に関する博士号を有しているので、あなたの陽気で実験的なレビューをここに売り込もうとは思わないよう注意。学術的なアートジャーナル誌と同様、主題に対する権利が証明できる場合のみ、ここに提出すること
- 『Cabinet』は素晴らしい読み物ではあるものの「アート」についてはほとんど触れていない
- 『Flash Art』および『Art Review』は陽気な約500語のフライ級
- 『Mousse』はさらに短い約300語、専門用語は一切なく、ニュース要素が強い
- 『Parkett』と『October』は展評を全く公開していない模様
- 『Third Text』は業界一番のヘビー級、深く研究されたアカデミックな口調の最大3,000語レビュー(注釈、論文向けの非一般的な言葉を含む)
- 『TimeOut』はアーティストへの小規模なインタビューとともに完成された長めの記事、もしくはほとんどキャプションのように簡潔でありながら、常にジャーナリスティックで若々しい展評

これらの情報は、形式が変わることもあるので再確認してください。上記の他にも多くあります[98]。このなかでも特に欠けているのはオンライン

マガジンです。それらは自分で語数をカウントしてみてください。もううんざりしていませんか？　自分の力で始めましょう!

アート雑誌のために書く場合、その雑誌の展評欄を観察します。そこでの形式が、一様に、3〜7パラグラフで構成されていることに気がつきましたか？　最初のパラグラフは、メインとなるテーマや方針を紹介しているはずです。中間節では「この作品は何なのか?」を説明し、主となる考察を支える事例を提示します。そして最後の部分で、理想的に「だから何?」という問いに取りかかっています（59ページの「伝わるアートライティング―3つの課題」を参照）。

大したことないように思えるかもしれませんが、このシンプルな形式を忘れないでください。経験を積むに従って、大胆で未知なレビュー構造に挑戦していきましょう。ベテランライターは、この基本的な順序を一緒くたにして、パラグラフを脱線させることができます。彼女らを先導するアイデアは、新参者のそれよりもずっと洗練されており、事前に計画されたアウトラインをたどるのではなく、執筆中にまとまりはじめ、最終稿で完全な形をとります。しかし今のところは、このシンプルな定式を受け入れて、これと共に戦ってください。この基本的なテキストに、ひとつの強力なアイデアと、聡明な観察、豊富な語彙を埋めていけば、すぐに隙のない展評がつくれます。

2　公開前に自分の展評をアーティスト／ギャラリー／キュレーターに見せますか？

公式の答えはNOです。公開されるときが、あなたの言葉が編集者以外の誰かの目に触れる最初のときです。あなたが知るべき全てのことは展覧会のなかだけにあるべきです。

しかし実際には、アーティストと会うのが好きな人にとって、展評執筆というのはスタジオを訪れるための便利な口実となります。特にそのアーティストに関する最初のテキストを公開する場合には、アーティストと話しても良いでしょう。しかし、承認を求めるわけではなく、素材やプロセスに関する正しい事実を確認するためです。初期のテキストは、そのアー

公開の機会を増やすには

高解像度のイメージ（最低解像度350dpi）と、その写真の完全なキャプション情報（アーティスト、制作年、素材、撮影者、ギャラリー。使用許可が必要な場合もあります）を含めます。これまでに発表されたことのない最近の作品、理想としては展評が書かれた年と同年の作品が望ましいです。

校正はしっかりと行います。作品の正確なタイトル、アーティストの正しいスペル（および漢字）を確認します。あなたの名前を署名することを忘れないでください。これを省略すると、いまだに自説を世間に向かって表明することに怯えていることが示されてしまいます。勇気を出しましょう!

古くからの国際的なアートの中心地に住んでいないとしても、絶望しないでください。どこかよそで注目に値する展覧会を観たのであれば、ためらわずにそれを書き、写真を撮って送れば良いのです。馴染みないアーティストとギャラリーに関する特異な情報は、アート雑誌にとってはとても貴重です。彼らは、ロンドン、ニューヨーク、ロサンゼルス、ベルリンをカバーする人員はたくさん抱えています。選択的になりましょう。しかしグラスゴー、デリー、メルボルン、ヨハネスブルグのいずれかの場合は、掲載される可能性が高くなることを頭に入れておいてください。自身の区画を極めるのです。

ティストについての基礎知識を築きあげるため、それが事実上誤った情報であっても何年もアーティストにつきまとうことになります（注：しかしアーティスト本人であれば、ストーリーをつくり替えたり、自身の歴史を忘れたり、物事を自身で構成したりすることができます。これは問題ありません）。

アーティスト本人の自身の作品に対するコメントを使うときには（必須ではありません）そのまま引用します。そのアーティストが、嘆かわしいほど退屈な「アート」を大量生産していると思うのでない限りは、自身が扱っているのは誰かの人生の仕事であるということを忘れないで、センシティブでありましょう。

それが強い非難であっても、書いている内容と自分自身が共鳴しているようにしてください。あなたは今後その作品を取り巻くことになる、言語による永続的な知識を作成しています。そのことを真剣に受け止めてください。

3　否定的なレビューを書いても大丈夫？

もちろん。それが肯定的な反応であれ、否定的な反応であれ、目に見える「エビデンス」によって自分の考えを実証しましょう（63ページの「どのようにアイデアを実証するか」を参照）。

辛辣な展評を書く際には、自戒を込めて次のように問うことがとても重要です。この作品は、正当な理由で自分を憤怒させていることを実証できるほどに、偏屈でイカサマだろうか？　もしくは、今朝はツイてない日からの二日酔いのまま、ムカつく気分で起きたんだっけ？　上に挙げたヴァーヴォールトの例（ソーステキスト37）は、適切に論じられた批判的な展評の一級品の参考例です。

あなたはアーティストやキュレーターの代弁者ではありません。あなたの仕事は思慮深い展評を書くことであり、彼女らの言葉をそのまま横に流すことではありません。アーティストやキュレーターの言葉に決定権はないのです。もちろんアーティストのステートメントを読み、ギャラリーのオーナーと会話するべきですが、作品に対する彼らのそつのない主張の言葉全てを疑う自由があるということを忘れないでください。こういった内部の人物によって、価値ある考えが引き出されたとしても、彼らのコメントを逐語的に繰り返す必要はありません(ただしそれを引用する場合には、カギカッコで囲む必要があります)。展評の多くは脚注を含みません。

4　バイオグラフィーをどれくらい含めるべき?

プレスリリースの末尾に積み重ねられた、ビエンナーレや展覧会、ギャラリーや美術館の名前をリストアップしないでください。通常、簡潔な説明(「ニューヨーク生まれ、ベルリンを拠点とする彫刻家」)で十分ですが、もしこれがレビュー全体にとって取るに足らない情報である場合は、この要約でさえ冗長に感じることもあります。

バイオグラフィーがアイデアの中心にある場合は、適切な経歴情報を選択的に含ませます。しかし、そのアーティストについて噂される性格的な欠陥を、あなたの暴露で確立し、それがその作品で「表現」されていることを「解説」するという、アマチュア探偵ごっこはやめてください。アーティストではなく、作品に集中しましょう。

5　読者は展覧会をすでに観たかも?

あなたの読者は、1998年から部屋を離れたことのない広場恐怖症だと思いましょう。常に何が観られるのかを簡潔かつ知的に伝えます。もちろんあなた自身は、展評のために直接展覧会を観ていなければなりません。

6　誰が展評の対象展覧会を選ぶ?　批評家?　それとも雑誌?

通常、批評家です。あなたが次に該当する場合に、編集者はあなたの選択に任せるでしょう。

- 自分の地元のシーンをよく知っている
- 価値あるアーティスト／展覧会／イベントを選べる
- 利害衝突するものを避ける、あるいは少なくとも事前に知らせる(29ページ「アーティスト／ディーラー／キュレーター／批評家／ブロガー／『クンストワーカー』／ジャーナリスト／歴史家」を参照)

7　アート雑誌は広告主からの展評を掲載しているだけなのでは？

それは全くの迷信です。『Artforum』『Art in America』『Flash Art』『Art Monthly』『TimeOut』『Tate』 などの定評ある雑誌は次のことを絶対に行いません。

- 広告主に報いるために、特定のギャラリーへとライターを誘導する（あるいは遠のかせる）こと
- ライターの文章をギャラリーの広告情報を反映するよう修正すること

アートの広報関係者とアートギャラリーの複雑な間柄は、これよりはるかに捉えがたいものかもしれません。しかし、今までこれらの雑誌に執筆してきた者としてこれだけは約束できますが、そのように噂される展評に対してこれまでいかなる広告的な意図も感じたことはありません。編集者は締め切りが迫っているときだけあなたに詰め寄って、それから不可解な構文に訂正を入れるだけです。

駆け出し批評家のなかには、世間体を心配して、テキストを自己検閲する人もいるでしょう（51ページの「悪い文章の根っこには恐怖がある」を参照）。このことは、昨今の否定的な展評の減少を説明しています。しかし、信頼できる批評家とは、自身の心を語る批評家です。それが報道に値する（良い意味でも悪い意味でも）と思ったとき、そして何か言うべきことがあると思ったときだけ、レビューで展覧会を紹介しましょう。

8　何点の作品を網羅するべき？

1,000字に、2から4点の作品で、かなり包括的な概要を提供することができるでしょう。展覧会が12枚のドローイングとウェブサイトと映像で構成されているとします。後方にある優れた映像には惜しみなく関心を払い、残りにはほとんど反応できなかったとしても、少なくとも多くのメディアがそこにはあったということは記述しておかなければいけません。

9　一人称で「私」と使っても大丈夫？

これは難色を示されます。通常であれば、慣習的な第三者視点へとつき返されます。「美術を鑑賞するとても素晴らしい私の一日」についての回想

は、完全に子供向けの読み物であり、即座にゴミ箱へと投げ捨てられるでしょう。しかし、ブログは「私」が話すことがほとんど必須である、特異な一人称形式を切り拓きました。

>新聞のための展評の書き方

真面目な新聞の美術批評家は、この「ハウツー」本を読まないであろうことを私は知っています。新聞の優れた展評記事は、この本からは集めることができない専門知識を反映させています。自説が表明された博識な美術批評が、誰が/何を/どこで/いつ/なぜというニュース報告と組み合わされた新聞展評は、美術愛好家へ刺激的な新しい観点を提示すると同時に、初めて読む人にもよく理解できるように書かれています。さらに手強いことに、新聞記事の多くは、毎日の殺人的な締め切りに間に合うよう、朝早くから猛烈なスピードで書かれていきます。

新聞の批評家の倫理的評判は、シミひとつあってもいけません。公正でない場合には除名されるリスクもあり、また幅広い範囲をカバーする必要もあります。それはつまり、数世紀に渡る美術史を可能な限り網羅しながら、大量のかろうじて興味がもてそうな展覧会についても押さえておかなければいけないということです。また、彼女らは次のことも書きます。

- 訃報:「偉大な彫刻家、フランツ・ヴェスト、65歳で死去」
- 一般的なアートニュース:「グーグル、アートプロジェクトを拡大」
- 署名記事:「批評家ノートブック:観るレッスン」[99]

そして、ギャラリーやアートフェア、社会的な状況に注目している必要があります。そのうえ、読者が毎日帰ってくるように、独自の個性、継続的な視点、信頼できる意見を伝える必要があります。これらによって、上質な新聞のアートライティングの堂々とした響きがつくられます。

次の例では、ロベルタ・スミス――彼女は20年にわたって『New York Times』紙で執筆をしています[100]――が、ロイス・ドッドというほとんど無名の84歳のペインターを取り上げるという、いささかリスキーな挑戦を行っています。彼女の作品は、アートの中心地であるマンハッタンから遠く離れたメイン州のポートランド美術館で展示されていました。おそらく多くの読者は（私も含めて）ドッドの名前を聞いたことがなかったでしょう。スミスの記事を読み終えるまでに、読者は次のことを得ます。

- 60年にわたって築かれたロイス・ドッドの芸術に対する強い印象
- 展覧会の成果と、どう改善されることができたかに対する理解
- このペインターの美術史の位置づけに対する自然な認識

何よりもスミスの展評は、ドッドの描いた小屋、林檎の木、芝生を自分で見たいと思わせます。これらの理由から、ピーター・シェルダールが優れた美術批評がすべきこととして推薦した「より良い何か」をスミスの言葉は加えていると言えます[101]。

以下の抜粋は、スミスの冒頭パラグラフと最終行から引用しました。新聞の批評家が同時に伝えなければならない、さまざまな異なる情報——このイベントに関するニュース、馴染み薄いアーティストの経歴情報、作品と展覧会双方の説明、解釈、価値づけ——が点々と差し込まれていることを意識してください。

ロイス・ドッドは、執拗に、ときに向こうみずの効率性でペイントを続けてきた。彼女は、自身を取り巻く身近なイメージを描くために60年近く費やしており、それぞれの絵画は、そうあるべきであり、それ以上ではないと彼女が考える限りまで強調され続けているようだ[テ]。そこに余分なサービスはない。

ここポートランド美術館での、ミス・ドッドの作品の控えめな回顧展「Lois Dodd: Catching the Light」は、風景、内装と川の景観、花や庭の小屋と芝生、月や太陽に照らされた小さな羽板張りの家と納屋［…］の絵画で埋められている[1]。
このリストは、因習的で単調にさえ聞こえるかもしれないが、絵画は視線

を捉え続けていた。[…] 見せかけの家庭的な親しみやすさを取り払えば、この絵画は頑強で手に負えない。これらの態度の多くは、朗らかに自立した精神性をかかげて「どちらでも構わないわ」といわんばかりだ[2]。

これまでのところアートの要人たちはほとんどこれを見逃してきた。ミス・ドッドは86歳となり、これは初めての美術館での回顧展となった。ニューヨークのアートワールドから、少し離れた場所で開催されている。彼女はその中心地の縁で何十年も静かに暮らし制作してきた。[…]

注意深く眺め、自分自身を信頼する画家は、同じものを同じ方法で2度描くことを決してできないのだ[3]。

ソーステキスト38：
ロベルタ・スミス「The Colors and Joys of the Quotidian」『New York Times』2013年

最初のパラグラフでは、解釈／ニュース、もしくはテーマ／最初のアイデア、あるいはこのアートへの「入り口」を提示します[テ]。2つ目のパラグラフは、ニュース／説明。具体的な名詞を詰め込んで、それが何なのかを説明します[1]。3つ目のパラグラフでは解釈／説明、あるいはこれが何を意味するのかを提示します[2]。

スミスはこのアーティストは誰なのか、なぜこのニュース——ニューヨークで見落とされている80代のアーティストの最初の美術館での回顧展——が重要なのかを説明します。そして、どのようにドッドの作品が、良い画家のなすことを彼女に教えてくれたのかを広範に述べながら、最後の問い、「だから何?」に回答して終えます[3]（59ページの「伝わるアートライティング—3つの課題」を参照）。

結論に至る前に、スミスは画家のアレックス・カッツのエピソードや、《Apple Tree and Shed》（2007[図29]）といった個々の作品の綿密な分析を議論に加えています。加えて、例えばミニマリスト、ドナルド・ジャッドや、抽象画家のエルズワース・ケリーと関連させながら、美術史におけるコンテキスト化を図っています。彼女を世界クラスの批評家として世に知らしめた博識で寛大なスタイルが、プロットも読者も見失うことのない見事なレビューを達成させています。

＞書評の書き方

理想的な書評は、対象となる本の著者以上にその主題についてよく知っている専門家によって書かれます。つまり、学生や新米からすれば、あまりにも不合理なレベルの知識を有する人物です。もしあなたが書評を書いている本の主題についてよく知らないのであれば、書き始める前にさらなるリサーチをしなければなりません。

書評は、要約ではなく分析です。展評と同じように、簡潔な書評は、ひとつの全体的な視点、もしくは反応を形成する批評の方法を利用することができます。そのあと、それを本から抜粋されたエビデンス（引用、例、節）によって補強していきます。あなたの考察を裏打ちする証拠は、正確にはどこから発見されるものなのか？　あらゆる分析は本の内容に帰する必要があります。

多くの書評は短い概説からはじまり、主なポイント、評価について簡単に説明（あるいは示唆）します。あなたの肯定的、あるいは否定的な評価に説得力をつけるために、同じ主題に取り組む他の出版物から関連する情報を紹介するか、または自身のもつ検証可能な知識を紹介しても良いでしょう。

通常、書評者は、その本の弱点も長所も特定します。初めから最後まで、ほんの少しの欠点——または美点——にも出会わなかったのでない限りは、ある程度の穏当なジャッジが求められます。あなたがその本をひどく嫌いだと感じたとしても、著者がうまくやっている部分を自分に尋ねてみます。逆も同様です。書評で本を評価するときには以下のことを見ましょう。

- 話題性：および内容の重要性
- 議論性：明確で説得力があるか、もしくは矛盾し理解し難くないか
- 娯楽性：文章または画像の質
- 独創性：独創的な（もしくは陳腐な）思考とリサーチの証拠

[図29] ルイス・ドッド《Apple Tree and Shed》2007年

- 一貫性：正確性、もしくは事実上の誤り、矛盾点や不合理な点がないか
- 帰属性：発言の根拠が例証されているか、もしくは根拠がなく疑わしい憶説や一般に認められない仮説でないか
- 例：著者の気の利いた例の選択、あるいは例の欠落や馴染みのなさ、データの古さ
- 提示の仕方：レイアウトとデザイン（通常は著者の権限の範囲外）

サラ・ソーントンの本、『アートワールドでの7日間』（2008）[102] は、魅力的な文章とアート業界のミステリーの鮮やかな描写が賞賛され、多くの好意的な報道で迎え入れられました。対照的に、より批評的な方針をとる『Art Monthly』誌のサリー・オライリーは、ソーントンの、アートワールドを飛び回る、息つく間もない1週間を、業界の低所得層の書評家が過ごす典型的な1週間と比較しています（119ページの「それでも迷ったら比較」を参照）。

サラ・ソーントンが7日間を過ごしたアートワールドは、私も認知するものではあるものの、決して生息することのない場所だ。ソーントンのお金と権力と名声のアートワールド。私のそれは、詭弁の話術や［…］によるゴマすりの世界ではない［テ］。［…］ ソーントンは、調査のために金持ちの上級階層を選び、本の巻末にあるインタビュー対象者のリストで信頼性を加えるべく、多くの大物プレーヤーとの繋がりを的確に固めている。[…] また彼女はインタビュー相手に対し非常に率直であり、[…] マーク・ジェイコブスに、村上隆が、彼がデザインしたルイ・ヴィドンのバッグを「僕の便器」と呼んでいることをどう考えるか尋ねている[1]。[…]

なかにはチプリアーニのプールでベリーニを嗜むプレーヤーもいるかもしれないが、それは大多数の生活とはかけ離れたものだ。[...] スタジオ訪問の章の主題として村上を取り上げるのは、ターキッシュデライトを代表的な食品として挙げるようなものである[2]。[…]

執筆形式としては、自伝と人類学的記録、日曜新聞の暴露記事とが融合した『7日間』の民俗誌的傾向はとても興味深い[3]。ソーントンは人を紹介するとき、その人物の風貌を説明し、それから彼らのスピーチを「彼女はサンドイッチをかじりながら首を傾けた」というような描写で点々と彩る。[…]

ソーステキスト39：

サリー・オライリー「Review: Seven Days in the Art World」『Art Monthly』2008

長年のアートワールドメンバーであるオライリーには、ソートソンの本で描かれるものと彼女自身の経験を比較し、それに代わる意見を提供する資格があります。「ターキッシュデライト」の、ねっとりとした菓子は、不可抗力的に人を引き寄せるが、一部の人にとっては飽き飽きする消化しにくいものであるという比喩は大変よくできています[2]（訳注：ターキッシュデライトはトルコの砂糖菓子で、イギリスでは一般的でありながら、好き嫌いが分かれるお茶菓子として知られる）。この比喩はまた、ソーントンのエキゾチックな観光客的アプローチも示唆しています。これは、ソートソンのアプローチは部分的な見方であり、多くの人にとって馴染みのない——魅力的ではあれど——アートワールドのきらびやかな生活というステレオタイプをかき立てているという、オライリーの包括的な意見と一致しています[テ]。しかしながら、オライリーは『7日間』の美点に無関心なわけではありません。彼女は道すがら、ソートソンのリサーチにおける「的確」さと「率直」性に注目し[1]、この本のハイブリッド化された執筆形式に魅了されています[3]。

読者がこの書評の結論に同意するとは限りませんが、オライリーは、彼女がこの本の弱みと強みとして認識するものへのあらゆる指摘を、例や引用で実証しています。『The Sunday Times』紙が、『7日間』を「これまでで最良の現代アートブームに関する本」と賞賛する一方で[103]、オライリーはソートソンの本は、コンテンポラリーアートは「金持ちの道楽」であるという一般的な認識を打ち消す機会を取り損なったと結論づけています。あなたの反応がどうであれ、自分の意見が形成された一節や考えを正確に突きとめてください。読みながら、自分にとって鍵となる箇所に、引用のために線を引いたり、印づけたりして、優れた結論を裏づけるためにこれを利用していきます。

＞寄稿アートジャーナリズムの書き方

寄稿アートジャーナリズム（基本的に、社説面のむかい側に掲載されており、スタッフではない誰かによって書かれている）は、率直に意見を表明することが奨励されているために、単純なニュース記事とは異なります。

ブログやFacebook、Twitterアカウントのオープンマイク的な今日の文化は、アートを含めたあらゆるものへの即時的な個人的見解を伝えるための21世紀の完璧な手段を提供しました。しかし、優れた解説は、自説に強く偏っていたとしても、次の説得力あるエビデンスに基づいています。

- 一次情報
- 統計調査
- 見識ある観察
- 鋭い分析

トリップアドバイザーやYelpのようなウェブサイトが、「レビュー」を、安宿から期待外れのカクテルまで、あらゆるものに関する不平不満のための無制限のプラットフォームとして再定義したことがきっかけとなって、ウェブ上のアートライティングも同様に、紙面の報道の時代にはほとんど聞いたことがなかった、手荒な批評言語で表現される生の芸術鑑賞談義でわきあがっているのです[104]。

- 美術批評
- ゴシップ
- 市場の注目情報
- 日記
- 統計調査
- 個人的な啓示
- 非公式のインタビューの抜粋
- 目撃証言

これらの要素が結合した寄稿記事の内容は、そのライターのもつ知識、コンテンポラリーアートのプレーヤーたちに関する内部情報、十分な表現力のある解説の才能と比例して優れたものになります。

一流の寄稿批評家／ジャーナリストは——紙であれ、ウェブ上であれ——500字のニュース記事でさえ、美術批評／美術史的考察がなされた知的な文章に転換することができます。

ハイム・シュタインバッハ　ニューヨーク、アナンデール＝オン＝ハドソンのハッセル美術館とバード大学CGSギャラリーで6月22日から12月20日開催。キュレーションをトム・エクルズとジョアンナ・バートン。2014年春、クンストハレ・チューリッヒへ巡回。

　1986年、アシュリー・ビッカートン、ピーター・ハーレイ、ジェフ・クーンズ、メイヤー・ヴァイズマン（ソナベンド4として後世に知られる）を最高位の王座へと押しあげた、時代を象徴するあの展覧会に彼の姿はなかった。ソーホー時代の盛り上がりのなかで、その不在を印象づけた補欠選手のハイム・シュタインバッハは[1]、売れっ子から「端役」に転じた。それから27年後、彼の経歴を1970年代のグリッドベースの作品から今日の大規模なインスタレーション[1]までを追った、この突然の調査は、彼の過去の俗称を葬りさることを意味していた。確かに、このアーティストを象徴するフォーマイカの棚は、忘れさられることのない当時の印[2]として数えられる、時代を完璧に映し出す製品を陳列している[1]。私個人としては、作品の再評価が切に望まれるアーティストを、彼以外に誰も思いつくことができない[3]。

ソーステキスト40：

ジャック・バンコフスキー「Previews: Haim Steinbach」『Artforum』2013年5月

『Artforum』の元編集者、バンコフスキーは、誰が／何を／どこで／いつというあらゆる面倒な事柄は、全て見出し部分へと詰め込んで、シュタインバッハの回顧展について知らせるだけでなく、次のことを簡潔に説明しています。

Q1　そのアートは何なのか？　そしてそのアーティストは誰なのか？[1]
Q2　何を意味するのか？[2]
Q3　なぜ今それに注目するのか？[3]

時代に対応した美術批評ジャーナリストは、アート業界のニュースを繋げる最も主要なパイプであり、ジャーナリズムの情報収集能力と、批評家のアートへの鋭い観点が理想的に結びつけられています。寄稿記事は、専門用語を使わずに口語形式で伝えられることで、読者は、特権的な情報提供者としての著者の姿に信頼を高めていきます。

これは、「フリーズ・ニューヨーク2012」が、新しい洒落たテントで開催されたことを報じるベン・デイヴィスの記事です。

フリーズの会場いっぱいに張られた、洗練された巨大なテント[1]は、自然光で満たされて(曇り空の午後、比較的暗いなかでさえ)、その広大さにも関わらず快適に中を移動することができた。また、出展ギャラリーの名簿も適切にセレクトされているようだ[2]。観衆には活気があり、マンハッタンの億万長者も購買意欲にあふれているように見える[3]。そのようなハイリスクハイリターンな仕事がかかっていることを顧みれば、この空間は比較的リラックスした雰囲気さえある。一体全体、お手洗いさえこんなに素晴らしいなんて。

ソーステキスト41：

ベン・デイヴィス「Frieze New York Ices the Competition with its First Edition on Randall's Island」『BlouinArtinfo』2012年

この出だしは、陽気で突拍子がないように聞こえるかもしれませんが、デイヴィスが軽々と伝えている情報がどれほどお堅いものかを考えてみてください。

[1] フリーズ・アートフェアはまっさらな新しい会場で大規模に——おそらくはさらに拡大中——開催されている

[2] 「正しい」ギャラリーが参加している

[3] お金持ちのニューヨーカーたちが大挙して訪れ、会場は取引で賑わっている模様

さらに、デイヴィスが報告しているように、曇天でも明るく、見事なトイレも備えた建物は快適です。このことは、控えめに表現されたラグジュアリー性だけではなく、主催者の細部へのこだわりを示しています。フェアが終わりに向かうにつれてデイヴィスは再びこう言います。

フリーズの巨大なテントを駆け巡って、僕は一種の閃きを得た。花瓶の輪郭だと思ってみていたものが、向き合う2つの顔であると気づく瞬間と同じあれだ[1]。僕は突然、アート、というこれら全てに想定されているポイントは、このイベント自体の「言い訳」に過ぎず、その逆ではありえない

という非常に強い感覚を得た。前景と背景が入れ替わる場所［…］アートフェアやアートのオープニングイベントの環境に埋め込まれたこれらのオブジェクトは、特定の社会的交流のための「言い訳」として、「会話のタネ」としての地位を体現している［2］。何十年後には、芸術新時代を示すとりわけ大きな出来事とは、巧妙なパーティーの演出だったと思いおこしているかもしれない。

ソーステキスト42：

ベン・デイヴィス「Speculations on the Production of Social Space in Contemporary Art, with Reference to Art Fairs」『BlouinArtinfo』2012年

ライターは昔ながらのだまし絵［1］をマクロスケールに更新し、アートフェアというおしゃべり大会のなかで、作品は便利な会話のきっかけ、そしてパーティーの背景である［2］として、図／地の反転を現在のアートワールドにあてはめています。機知に富んだデイヴィスは、アートシステムの変化のからくりに対する聡明な意見を提供しています。

残念なアートライティングは、不透明な言葉と不可解な論理を表すだけでなく、圧倒的にユーモアが欠けているという事実にも向き合いましょう。もし読者の顔に笑みをもたらし、それと同時に事実をまっすぐ伝えることができるのならば——「深刻」さが求められる学術論文や美術館のテキストではなく、寄稿ジャーナリズムで——ぜひそうしてください。
ゴヤの貴族が並んだ肖像を、18世紀の宝くじの当選を題材とした喜劇芝居のカーテンコールへと見事に転換させたフレーズ、「宝くじに当たったパン屋の一家」を思い出してください（55ページ参照）。160年経った今もこれはかなり面白く、パンチが効いたフレーズです。

＞話しているのは誰？

真の美術批評家の永遠の証とは、アート作品、作品の制作それ自体への幾度となく繰り返される執拗な回帰です。

上に載せたデイヴィスの2つ目のテキスト（ソーステキスト42）は冒頭部の「フック」と最後の「針」部分のみを抜粋しています。彼はそのあいだ、

街で開催される他のアートイベント（MoMAのマリーナ・アブラモヴィッチ、ニュー・ミュージアムのカールステン・ヘラーの遊園地の滑り台）のちょっとした案内を提供しています。それら全ては、卵が先か、鶏が先かの彼の疑問、すなわちアート作品が先か？　それが生み出す社会的交流が先か？　という問いへと再接続していきます。

　真の美術批評家の目は疑いなく、アートに向かって注がれています。対照的に、アートについて最低限の好奇心しかもたないジャーナリスト――基本的にはアートワールドに少し立ち寄った程度の旅行者――は常に気が散っており、作品以外の何かへと注意を向けています。巨額の値札。華やかなギャラリー。海岸沿いの豪華なコレクターの家…。アートを専門としないジャーナリストは、アートというどう話すのか見当もつかないテーマで読者を惑わすよりも、いっそのことアーティストがランチに注文したものをそのまま中継することにパラグラフを費やすでしょう（52ページの「初めてアートについて書くとき」を参照）。

これまでに見てきたように、サラ・ソートソンの『アートワールドでの7日間』に対するサリー・オライリーの意見の要は（214ページの「書評の書き方」を参照）、その本は魅力なく執筆されていたり、リサーチに失敗したりしているのではなくて、アートの宇宙のなかで最も煌々と光る星だけに目を当て、他の無数の惑星――数多の地方シーン、ブロガー、小規模出版社、ロンドンのゴールドスミスやロサンゼルスのカルアーツ以外の学者たち、小規模なプロジェクトスペースとギャラリー、何百万ものその日暮らしの無名アーティストたち――を認識し損ねている、ということにありました。ときおり、これらの衛星が接触するときもありますが、大抵は異なる銀河を漂っています。良い美術批評家はこういった派閥のほとんど（全てではないとしても）を理解しています。その多くは生涯にわたる（もしくはこれからそうなる）アート信者であり、彼らは本能的に同志たちのために執筆しているのです。

アートを専門としないジャーナリストが育むアートとの関係は、おそらく経済学者のドン・トンプソンのそれに近いでしょう。彼は、人気書籍『1200万ドルのサメの剥製』[105] を書くために、一年を費やしてアートワールドの頂にそびえる巨額のオークション界を調査しました。下記のトンプソンの本から抜粋された一節と、そのあとに続くアートのベテラン、デイブ・ヒッキーの『Art in America』への寄稿記事を比較してみましょう。

由緒あるサザビーズのイブニング・オークションに入札するとしたら、何を獲得することを望むだろうか？　たくさんのものがそこにはある。絵画はもちろん、あなたの望む、人々からの眼差しが変わる新しい次元[…]。

消費者が名の知れたオークションハウスに入札したり、名の知れたディーラーから購入したり、名の知れた美術館の展覧会でお墨付きを与えられた作品を好んだりするのは、他の高級消耗品を購入するのと同じ動機である[1]。女性は、ルイヴィドンのハンドバッグを、それについて言及してくれるかもしれない全てのもののために購入する。茶色と金色の皮のトリム、モノグラム柄で特徴づけられるこのハンドバッグを人々はすぐさま認識する。[…]　男性は、4つのダイヤルとトカゲ皮のバンドがついたオーデマ・ピゲの時計を購入する。友人がブランド名を認識したり、尋ねてきたりすることはないとしても、経験と勘で彼らはこれが高価なブランドであることを認め、それを身に着ける者を富と独自のセンスをもつ人物だと見なすのだ。壁にかけられたウォーホルのシルクスクリーン、玄関ホールに置かれたブランクーシの彫刻は同様のメッセージを伝える[2]。

ソーステキスト43：
ドン・トンプソン『The＄12 Million Stuffed Shark』2008年

私のように、これまで見てきた全ての芸術作品の領域に背を向けながら作品を見ると、その先例の複雑に入り組んだ鼓動は、より大きく、より忘れられない経験をつくる。[…] 30年にわたる美術理論と美術史は、芸術の実践に対する理解を破壊してきた。しかし、法、医学、芸術の実践は、正義と安全と幸福の理念を維持し、更新することに捧げられていることを思い出して欲しい[2]。それぞれは、この務めを実行するために、前例のない現実に対処する準備が整った状態で、完全な先例領域を握っている。今このときに必要な過去の法的決定、薬、図像など決してわからない。だから全てが常に用意されているのだ。[…] 実践的な先例としての芸術作品とは、驚くべき新しい状況のニーズに縁組みされ、育てられ、教育される準備が整った「家なき子」なのだ。

ソーステキスト44：

デイブ・ヒッキー「Orphans」『Art in America』2009年

この経済学者が贅沢な消費製品を背景にどのようにアートを設定しているか、および、この美術批評家が他のアート作品への幅広い知識背景に対して、どのようにアートを設定しているかに注目しましょう [1]。ヒッキーは、アートは——法律や医学分野のように——世界全体に向けた高い理想を志していることを示しています。一方、トンプソンのテキストでは、「ブランド」アートは、少なくともコレクターにとっては、せいぜい彼らの設備の整ったロビーのプライベートな空間で、高級時計のステータスを伝えることしかできないとされています [2]。 他の分野からやってきたライターたちは、自身の背景と関連するアート業界に対し、綿密なリサーチを行い——意欲的な美術批評家のように——、自分の読者の関心に合わせてメッセージを効果的に調整します。しかしながら、この読者たちは幅広く異なる場所に属している可能性もあります。

イギリスのアートワールドのメンバーに好きなアートライターの名前を聞くと、私の経験上、ほとんどの人が間髪なく「デイブ・ヒッキー」と言います[106] [学術的な業界では、T･J･クラーク、ネビル・ウィスクフィールド(US)、故スチュアート・モーガン (UK) の名前も多く挙げられます]。

元アートディーラーで、実質的にはアッシュカン・スクール以来アートシーンを追ってきた[107] ヒッキーは、見聞が広く、機知に富み、率直であり、アートとは全ての人のためのものであり、人生をよりよくすることができる、「だから我々はアートに思い悩むのだ」というビジョンを常に心に留めています。彼のアートのキャリアは、ミシシッピ州と同じくらい長いものです (ニューメキシコ大学の元教授、『Art in America』の元編集長、2001年から2002年のサイト・サンタ・フェのキュレーター、飽くことなきアートライター、そして講師)[108]。

ドン・トンプソンは定評ある経済学者であり、トロントのヨーク大学のシューリック・ビジネススクールの上級学者およびナビスコのマーケティング名誉教授です[109]。

ジャーナリズムを読むときは、著者の専門分野を頭に入れておきましょう。例えば美術評論家のデイブ・ヒッキーが、クッキー業界の最適なブランディング戦略に関して頼もしい意見を提供できるかどうかとなると——たとえ彼が1年かけてせっせとお菓子の世界をリサーチしたとしても——それには合理的に疑問を挟む余地があります。

今後、コンテンポラリーアートの議論に取り組む非アート専門家（およびセミプロ）の数は増加していく可能性があります。それはおそらくオンライン上の公開投稿型のアートライティングのプラットフォームの増加、あるいはコンテンポラリーアートへの関心が高まっているにも関わらず、専門家によるアートテキストが致命的な退屈さへと陥っていることに由来するかもしれません。アートライティングへの入り口は広くなりつつありますが、これは美術批評にとって有益だったと証明される日がきっとやってくるでしょう。

熱心な美術批評家は、新しい観点を紹介できるだけでなく、才能があって娯楽性のある新しい美術解説者の一群と競い合わなければならなくなるかもしれません。しかし、特別なアートライターとは、優れた文章を書きながら同時に、アートの本物の知識を示すという、最良の配合を実現できる人物であることに変わりはないでしょう。それこそあなたの目指すべき姿です。

＞カタログエッセイや雑誌記事の書き方

繰り返しますが、まず作品を十分に直接、鑑賞することから始めるべきです。それからさらに観て、読み、YouTubeやUbu-Web（訳注：音楽、音声詩、映像作品を中心とした現代美術の無料オンラインデータベース。ボランティアと援助によって成り立っている非営利団体であり、フーゴ・バルの音声詩からヨーゼフ・ボイスの歌、リチャード・セラの映像作品、ゴダールのインタビュー動画まで希少なデータが幅広くアーカイブされている)、グーグルを利用してインターネットであらゆるものを発見します[定評ある雑誌と同様、アーティストの所属するギャラリーやアーティスト自身のウェブサイト(310ページの「参考資料およびウェブソース」)はもっとも信頼できる情報源です]。

>ひとりのアーティストについての長文テキスト

あなたと真に繋がる作品をもつアーティストを選びましょう。メモを取って、情報源の再確認が必要となる場合に備えて、集めた資料の正確なURLアドレスや文献情報を書き留めてください。まだ連絡を取っていない場合、可能であればアーティストと直接話すことは常に大きなプラスになりますし、それが不可欠な場合もあります。しかしアーティストに何か要求をもって近づいたりはしないでください。アーティストが友人でない限りは、彼らの作品についてできる限りまで吸収し、情報に基づいた質問(あなたの作品について教えてください、ではダメ)を定式化できたときだけ(ウェブサイトやギャラリーを通して)コンタクトを試みます。自分のテーマをつくり、的確な質問を行うこと。スタジオ訪問やインタビューを手配すると良いでしょう。

アートライターがアートを見るときの3つの質問を思い出してください(59ページの「伝わるアートライティング—3つの課題」を参照)。

Q1 作品はどのような姿か? 何でできているのか?
Q2 何を意味しているのか?
Q3 これは世界全体にとってどのような意義があるのか?

以下はチェックボックスではありませんが、あなたが準備し、書き、編集するときに、これらの問いを心に留めておいてください。

- 例を利用して考察を実証しているか?
- 思考の論理が綴られているか?
- それが意味するものについて展開する前に、その作品が何であるかを説明しているか?

- アートを作品ごとに見ているか？

■内容

ひとりのアーティスト（またはグループ）についてうまく書くには、上記の質問に加えて次のことが重要です。

- その作品との個人的な親和性、および共有できる考えをもつこと
- 可能な限り全てを見て読むリサーチを行うこと
- アーティスト、あなたの考察、および割り当てられた字数に合う、正しい構造、システムの仕組みを見つけること

ひとりのアーティストのカタログエッセイや雑誌記事の場合は、通常2,500字から10,000字ほど与えられます。特定の期間やシリーズ、個々の作品に焦点を当てるというスタイルを選択しない限りは、おそらく主な作品（といくつかのあまり知られていない作品例）、全てのメディア、キーとなるアイデアやテーマをカバーすることになるでしょう。展覧会のカタログや特集では、原則的に展示されている作品に言及します。さらに次のような、アーティストのキャリアのなかでの重要な瞬間について論じる必要もあるかもしれません。

- 人生を変えた旅
- 私生活での混乱（アーティストが公の場で話したことのある人生の出来事であり、私生活の暴露ではない）
- 転機となった展覧会や作品（主題やシリーズ）
- 重要な人物や共同作業者との出会い
- 環境の変化：教育的ポストへの着任、制作環境／スタジオの変化
- 新しいはじまり：新しいメディア、新しいテクノロジー、新しい街

そしておそらくアーティストの声明と、そのアートに関する批評的解説を含む必要もあるでしょう。事前調査を行う時には必須項目をリスト化してください。学術論文と同様に、あなたの考えのアウトラインを描くことか

ら始めます。これはフローチャートや時系列図など、紙に情報を組織していくビジュアルシステムの形をとると良いかもしれません。どの例やポイントを含むのかを選択し、そのあとそれが文章内で適切に収まる場所を探します。読者の専門知識のレベルを考えましょう。アートに特化しているか、あるいはもっと一般レベルでしょうか？

多くの場合、ひとりのアーティストへのエッセイの目的は、初めての読者にもしっかりとそのアートの姿形を伝えることにあります。あなたの言葉は今後そのアーティストの名前に蓄積されていく言説を形作っていかなければなりません。あなたの文章が、そのアーティストやその作品の、唯一のテキストだと想像してみてください。最良な形で全てをカバーする方法はなんでしょうか？　あなたのエッセイが複数の著者による（ひとりのアーティストの）カタログのなかに加えられる場合は、他のライターが同じテーマを扱っていないかどうか確認してください。

■構造

以下に説明するテキストスタイルの多くは、学術課題には適していません（130ページの「学術論文の書き方」を参照）。しかしカタログエッセイや雑誌記事であれば、より自由に書くことが可能です。リストのような経歴は、どこか後ろのほうに置くことにして、整った文章を散らかさないようにしましょう。

[年代順] 最も一般的なスタイルである年代順形式 ── 史上初の西洋美術史家といわれるジョルジョ・ヴァザーリ（1511～1574）以降──は、キャリアと人生を通して包括的な論理的脈絡を確保できるという利点があります。しかし、アートをA（初期の試み）からB（最初に実った業績）、そしてC（傑作）へという単純な線的な進化へと縮めるべきではありません。「パブロ・ピカソは1881年にスペインのマラガで生まれました。幼少期は…」といった生真面目な読書感想文のようになることを危惧して、本能的に年代順を避けるアートライターもいます。

　しかし優れた洞察力と溢れんばかりの語彙力、明快な説明力をもってしたら、この構造には驚くほどの柔軟性があることが証明され、独自の考察を取り入れた絶妙なテキストを生み出すことができるでしょう。

キュレーターのアダム・シムジックは、故ポーランド彫刻家のアリーナ・シャポツニコフに関するテキストを、そのアートと彼自身との最初の強烈な出会いについて語る、時系列の文章から始めています[1]。これは、一種のプルーストのマドレーヌ[110]として機能し、シムジックが、過小評価されてきたアーティストの作品と人生を解明することを助けています[2]。批評家は象徴的なひとつの作品、《Le Voyage》を利用して、読者に彼の作品で最初に興味をそそったもの——不均衡性、奇妙な重量感、スケール[3]——を紹介しています。

僕が最初にアリーナ・シャポツニコフの1967年の彫刻《Le Voyage》(《旅》[図30])をウッチのシュトゥキ美術館で見たのは、戒厳令以降のポーランドの寒々しい憂鬱な時代、1980年台の半ばだった[1]。ほとんど他に人の姿がない美術館の会場を歩き回っていると、僕は突然それに遭遇した。空気中に横たわるすらっとした白い蝋の裸体だ。小さな金属製の台座の上に止まって、立つか落ちるかほとんど均衡が取れていないような険しい角度で傾くそれは、幽霊のように楽々と重力を否定していた[3]。その人物の目を覆う、丸い青緑色のポリエステル製の詰め物は、まるで巨大なサングラスのレンズのようにヒッピー時代の流行を伝えながら、同時に失明と知覚障害の状態を喚起するのだった。[…]陽気な感覚を発しながら、それはまた奇妙に興奮しても見え、半分は不透明だが、もう半分は周囲の光を映し込み、吸収するほどに透明だった。それは忘れがたいような化け物であるだけでなく[2]、さらにその奇妙に静かな存在感のために、近くに展示された国際的なアーティストとポーランド人作家たちの作品とは一線を画していた。

ソーステキスト45:
アダム・シムジック「Touching from a Distance: on the Art of Alina Szapocznikow」『Artforum』2011年

この小さなひとつの彫刻は、文字通りシムジックを立ち止まらせました。

この人目を引く作品の説明には、彼のすぐれた観察力が示されており、この奇妙な造形的な作品をさらに知るよう読者を触発しています。この出だしに続いて、彼はシャポツニコフの経歴を通して、最初の洞察——と新しい洞察——を大まかな時系列で追っていくために、アーティストのプラハでの学生時代から、《Le Voyage》が制作された1960年代のパリでの滞在生活、そして1972年の早すぎる死を迎えるまでに制作された彫刻と写真の適切な例を取り上げていきます。

[テーマ別] エッセイでは、細分化した情報を、主要なテーマへと組み込ませたり、あるいは複数のテーマへと分割したりすることがあります。

キュレーターのイヴォナ・ブラズウィックは、コーネリア・パーカーに関するロングテキストで、このイギリス人彫刻家の作品を巡っていくために、複数のテーマ——「ファウンドオブジェ」「パフォーマンス」「抽象」「知識」「力構造」——を特定しています。

ファウンドオブジェは、そのほとんどが一点物であるため、レディメイドとは区別される[1]。模範的なデュシャンのレディメイド——大量生産された便器——が、配管されたり用を足されたりすることは決してない。[…] それとは対照的に、ロバート・ラウシェンバーグのアッサンブラージュ、トニー・クラッグの収集、あるいはコーネリア・パーカーの錬金術的変成[2]で見られるファウンドオブジェは、それらが中古品であり、歴史を生じているという点で特異である[…]。

オブジェクトをめぐる確立された言説と含意は、それに「他の何かを意味する」可能性を与えるとパーカーは言った。「私はこれを取り払い、行ける限りまで[…]押しやってしまうことに関心があります」[3]。

《Thirty Pieces of Silver》(1988～1989[図31])は、リチャード・セラの《Throwing Lead》(1969)[2]のような記録化された行動という形が最初にとられた彫刻作品だ。パーカーは、何百もの銀製品を田舎の小道に配置した。それから彼女は、19世紀を思わせる重厚な機械——スチームローラ

[図30] アリーナ・シャポツニコフ《Le Voyage》1967年

──を使い、それらの上をゆっくりと転がって、平らにならしていく[…]そして、これらのファウンド・オブジェは、メタルワイヤーで吊り下げられ、幽霊のように、地上の浮遊する30面の水たまりに浮かべられた[4]。

ソーステキスト46：

イヴォナ・ブラズウィック「The Found Object」『Cornelia Parker』2013年

ブラズウィックが《Thirty Pieces of Silver》[111]の詳細な説明と解説を記すより前に、必要不可欠な情報──「ファウンドオブジェ」の定義[1]、美術史における最近のあるいは過去の先例[2]、アーティストの声明[3]──をしなやかに引き入れていることに注目してください。そのあと、彼女は光沢ある吊り下がったオブジェクトは、神秘的で空中の水たまりのように見えると説明しています[4]。

テーマ別の分類は便利ですが、アーティストの経歴が素直に従うことは滅多にないということに注意しましょう。作品によっては、複数のテーマを軽々とまたいだり、整理された構造のなかで扱われることを拒否したり、特別な対処を必要とする場合があります。

[質問の投げかけ] 最初の質問は、その作品の入り口へと案内します。この技術の要は、適切な疑問を組み立て、そこから考えられる答え、もしくはそれらが生み出す新しい疑問の観点から作品を整理することです。

アレックス・ファークハーソンは、パフォーマンスアーティストのキャリー・ヤングに関するエッセイを次の問いから始めています。

さて、未来に要求されるものとは何だろうか？　答え：「独自のアイデアを有する、ひとりの創造者」「破壊的革新」「有形から無形への変換」。これらのフレーズは、国際的なビエンナーレでのキュレーターの授賞式スピーチではなく、主流ビジネス雑誌である『ファスト・カンパニー』の記事から抜粋されたものだ[1]。[…]共通して、発見性、創造性、革新性を強調するコンテンポラリーアートと最先端ビジネスの用語集は、今日、前例なく似

[図31] コーネリア・パーカー《Thirty Pieces of Silver》1988〜1989年

通って聞こえる。

（パフォーマンス作品《I am a Revolutionary》のなかで、アーティストの）キャリー・ヤングは、洗練されたビジネススーツに身を包み、滑らかなオフィス空間を行き来している。[…] ヤングがいる部屋には、他に同じように洗練した身なりの中年男性がおり、彼は、彼女を落ち着かせたり、褒めたり、建設的な助言で彼女の奮闘を支えるなどしながら、彼女に対して指示を与えるポジションにいる。「私は革命である」。ヤングは疲弊しながらX回目の叫びをあげるが、またさらにいっそうの宣言を決意する。「私…は革命である」。繰り返しだが、そこには異なる語勢がある。[…]

なぜこのフレーズが、彼女にそれほどまでの苦しみを引き起こすのか？これは、彼女がアーティストとして、前衛性も政治的ユートピアも信じることができないというメッセージなのか？　それとも、彼女が指導者として、自分が本当に急進的なリーダー、先駆者であるかを疑っているということなのか？

ソーステキスト47：

アレックス・ファークハーソン「The Avant Garde, Again」『Carey Young, Incorporated』2002年

批評家によって繰り返される質問は、今日のアートとビジネスの曖昧な境界を検証する、ヤングの作品のオープンエンド性と調和しています。ますます似通っていく経営用語とアート用語 [1]、この重複性とは、ヤングの作品に他なりません。いつか誰かがこの違いを定義する日がくるのでしょうか？　ファークハーソンは、現時点では、これらは「パラレルワールド」にとどまっているものの、ヤングの作品が問いかけていると思われるように、アートとビジネスの境界は崩壊する運命にあるのだろうかという問いを残したまま締めています。

［人生の出来事を背景に作品を埋め込む］　伝記を書いているのでない限りは、通常はアーティストの私生活ではなく、作品の描く変遷に集中します。

この方法では、ルイーズ・ブルジョワに代表されるように、アーティストの特定の人生／作品のストーリーを入れ込んでいきますが、ますますこの人生＝アートという手法は、過剰で決定的になりすぎているきらいがあるので、注意をして使う必要があります。

［A－Z形式］ この形式は、例えば、ルイーズ・ブルジョワのテート・モダンのカタログ（2007）でも利用されており、このアーティストの複雑な人生／アートのストーリーの「百科事典」的性質を反映しています。「X」で必ず格闘することになるでしょうから、この辞書スタイルには豊富な想像力が不可欠です。A～Zの方法を利用する場合には、最初に適切な文字の下に各要点を書いていき、それから残りを楽しみながら埋めていきましょう。

［番号リスト］ アーティストのトム・フリードマンの論集に掲載されたブルース・ヘインリーの研究エッセイ、「Self-portrait as Untitled (without Armature)」[112] は、年代順形式とテーマ形式が、独創的に融合しており、マーサ・スチュワートからジャックと豆の木にいたる突飛な話題に対しての脱線したモノローグを通じて、数字に紐づけられたフリードマンの作品を並べていきます。告白的な口調と、一行の「章」（「トム・フリードマンのスタジオには窓がない」）で書かれた、ヘインリーの型にはまらない奔放なスタイルは、高度に完成しており、フリードマンの交錯した作品とも調和しています。この非正統派の構造を、経験の浅いライターが、自堕落な混乱に陥ることなく使うのは難しいでしょう。しかし、適切な場所で見つけられた重要な資料を全て確保する自信があり、さらに手元の作品が何らかの理由で番号づけシステムに適しているのであれば、試験的にこの構造を試してみても良いかもしれません。

［アーティストをめぐる詩やフィクション］ これには限界がありません。画家、カリン・デビーのオルブライト＝ノックス美術館のカタログで、リン・ティルマンはこの作家の空中浮遊するイメージに対して、空飛ぶ物語を書いています。以下が冒頭部です。

デビーは私に、彼女が空中浮遊する写真を見せた。なぜ飛ばないの？　なぜ重力に従うの？　どうして知りえない向こう側の世界を信じないの？

ソーステキスト48：
リン・ティルマン「Portrait of a Young Painter Levitating」『Karin Davie: Selected Works』2006年

この後に続く自由形式の物語は、デビーの重力から解き放たれた抽象絵画と調和し、これより以前に同カタログで掲載されているバリー・シュワブスキーの正統派エッセイを補足しています（シュワブスキーのテキストは、アーティストの「流動的」な曲線の筆跡と、直線的に走るそれとの対比を中心に展開しています）。シュワブスキーのアーティストの作品範囲を体系的に網羅した、作品ごとの包括的な解説が基盤となり、あとに続くティルマンのテキストが未踏の領域を探索できるようになるのです。

＞アーティストやコンセプトに基づくグループに関する記事やエッセイ

アーティスト、時代、メディウム、アイデアで分類されたグループについての、本（展覧会カタログ、テーマ別論集）や雑誌用の長編の非学術エッセイは、通常注釈や学術論文の言葉遣いを省略しても構いません。しかし、基本的には、次のような同様の構造に沿って進めます（130ページの「学術論文の書き方」を参照）。

1　**そのグループ、テーマ、プロセス、もしくは彼らの共通の関心**を紹介する。場合に合わせてストーリーや例を用いる

2　**背景を与える**
　(a)　歴史：他に誰がこれについて考え／書いてきたか？
　(b)　重要な単語を定義すること
　(c)　なぜこれを気にするべきか？　なぜ今これを見ることが重要か？

3　最初のアーティスト、アイデア

(a)　例（作品、アーティスト、批評家、哲学者などからの引用）

(b)　さらなる例

(c)　最初の結論（次章への移行）

4　2つ目のアーティスト、アイデア

(a)　例

(b)　さらなる例

(c)　2つ目の結論（次章への移行）

5　3つ目のアーティスト、アイデア…

6　結論

7　参考文献と補遺（カタログの場合）

アカデミックな決まりごとから合法的に解き放たれた自由形式は、あらゆる形状に合わせ、調節することができます。例えば、章の並べ替え、あるいは省略、またアイデアごとの章の長さは一定ではなくても良く、たった一文から中編小説まで自由に設定できます。さらに、多少の脱線も許されるでしょう。最終的に要点に戻り、流れを取り戻しさえすれば、あなたの偏愛するヘビーメタルを引きずりこんでも大丈夫です。これまで通り、反論の存在を認めることを恐れてはいけません。異なる観点を考慮し、さらなる疑問を受け入れましょう。標準的なアウトラインに完全に従うエッセイなどありませんが、その基本的な構造は、多くのテーマ別テキスト、あるいは複数のアーティストを中心としたテキストの根底にあります。

次のアート専門誌の記事では、美術批評家のT・J・デモスが、21世紀の自然環境を再考するさまざまなアーティストの最近の作品を検証しています。デモスは、これらのアーティストたちは、経済が人と自然との関係性を形成するという今日の動向は、その結果として誤った「自然」環境だけでなく、お金に基づいた環境政策の潜在的な危険性をも示している、ということを前景化していると言います。以下は冒頭のパラグラフより抜粋しました。

夜空が、《Black Shoals Stock Market Planetarium》(《ブラックショルズ株式市場のプラネタリウム》2001／2004[図32]）のそれほどに、ただならぬ異様さで表れたことなど、これまで一度だってなかっただろう。ここでは、ロンドンを拠点とするアーティスト、リセ・オートゲイナ、ジョシュア・ポートウェイが、プラネタリウムのようなドームに架空の星座を投影している。コンピュータープログラムが世界の証券取引所の経済活動を、リアルタイムで明滅する星へと変換し、それぞれの星は自然ではなく上場企業と対応している。[…] 株が取引されるたびに星は明るく点滅し、市場の動きに応じて、群れになったり分散したりする。[…] 市場が低迷したときには、それらは飢えを経験し、暗闇に圧倒され消えていくのだ。

しかしこの異常な生態系には、明らかに自然の生命が欠けている…。1973年に発表されたブラック・ショールズ方程式は [2a]、[…] 前例のない規模で、金融派生商品の取引指針を定めていった。[…]《Black Shoals Stock Market Planetarium》は、この複雑な計算を、ビデオゲームの享楽的なロジックにまで圧縮している [2b]。[…]《Black Shoals Stock Market Planetarium》が生み出しているものは、精錬された起業家精神の表現にほかならない。それはミシェル・フーコーが逸年の生政治に関する著述で、「ホモエコノミクス」と呼んだものとおおよそ同じだ [2c]。[…] この作品はデータを視覚化するだけでなく、他のあらゆる問題――身体、社会生活、宗教、美学――が存在しない領域における高度資本主義の利己的な実存モデルを示している。

ソーステキスト49：

T·J·デモス「ArtAfter Nature: on the Post-Natural Condition」『Artforum』2012年

デモスの考えを展開していくための舞台と、このあとに続く記事が、どのように設定されているのか見てみましょう。

[図32] リセ・オートゲイナ、ジョシュア・ポートウェイ
《Black Shoals Stock Market Planetarium》2012年

1　**イントロダクション：**

最初のパラグラフで ポートウェイとオートゲイナの《Black Shoals Stock Market Planetarium》という象徴的な作品を説明

2　**背景を提供：**

(a)　歴史：1973年に発表されたブラック・ショールズ方程式

(b)　作品は世界とどのように接続しているか？
ビデオゲームのレベルで、あるいは完全な経済的合理性にさらされた生活の脆弱性を明らかにすることによって

(c)　この話題について考えてきた他の人物は誰か？
数いるなかでも、哲学者のミシェル・フーコー

約10,000字に及ぶそのあとの記事で、デモスはテーマに関連する考えをかいつまんで説明してから、それぞれに例を示すことで補強していきます。以下に部分的に要約します。

3　**最初の考え：**

京都議定書のような気候管理を規定する法令は、事実上「汚染する"権利"の売却」であり、「毎年温室効果ガスの排出量の世界記録が破られる」

(a)　例：購入した排出権に基づいて「大気中に空気洗浄"公園"」を設置する、エイミー・バルキンの《Pubulic Smog》(2004)

4　**2つ目の考え：**

アートとエコロジーはコンテンポラリーアートでますます頻繁に登場するようになった。「ますます多くの展覧会、カタログ、批評の言説が、アートと環境という話題に捧げられるようになっている」

(a)　例：「スティル・ライフ：変化するアートとエコロジーと政治」(「Still Life: Art, Ecology and the Politics of Change」）と題された2007年のシャルジャ・ビエンナーレ

(b)　例：美術館全体の室温を摂氏2℃上昇させた、トゥエ・グリー

ンフォルツの《Exceeding 2 Degrees》(《超過2度》2007)。この2℃目標は、地球温暖化との戦いにおいて妥当な目標として設定されたが、現時点では到達不可能とみなされている。

5　**3つ目の考え**

これらの21世紀のアーティストたちは、「自然を、保護が必要な清らかで分離した領域として捉える傾向のあった1970年代の環境アートの先駆者たち」とは対照的である

(a)　例(歴史的):アーティストのヨーゼフ・ボイス、アグネス・ディーンズ、ピーター・フェンド、ハンス・ハーケ、ヘレン・メイヤー・ハリソン、ニュートン・ハリソン

(b)　例:インド人科学者で環境活動家のヴァンダナ・シヴァは、「バイオテクノロジーと知的財産法」による「企業の生命支配」を明らかにした

例:アーティストグループのクリティカル・アート・アンサンブル(CAE)による《Free Range Grain》(共同制作者として他にベアトリス・ダ・コスタ、シャイ＝シウン・シュ、2003〜2004)のようなプロジェクト。「CAEに遺伝子組み換え成分を調査してもらうために、訪問者が店舗で購入した食料品を持ち込む[…]移動型ラボ兼パフォーマンス作品」

6　**最後の結論:**

「(環境危機と経済的決断)を実践の中心とする多くのアーティストたちが“現代のイデオロギー闘争の最も重要な領域”を占めている[…]というのは完全に真っ当な主張である」

推測ですが、デモスはおそらく記事の正確な筋立てをつくることはしなかったと思われます。経験豊富なアートライターは多くの場合、進むにつれて直感的に素材を構成していきます。デモスの文章は、付加的な詳細情報と分析によって、さらに深みを帯びていきます。ここでの目的は、この豊かなエッセイを一口サイズの断片へと分割することではなく、複雑で先進的なテキストであっても、基本的な構造、順序づけされた情報、そして

実証された考えに基づき、書かれていると示すことにあります。資料の順序は、学術論文ほど厳密ではありません。

- 背景情報となる1970年代のアートの歴史は、それが必要とされる中間地点で示されている [5a]
- 他と比較して長いセクションや、他はひとつの例なのに対して複数の例で構成されるセクションがある

このような記事の基本的な構造は、あなたの話題に合わせて柔軟に調整を施されながら、次の仕事を行います。

- これまでに集めた重要な資料を整理する
- 実証された独自の結論に達する
- これを今考えることがなぜ重要なのかを提示する

デモスのエッセイの功績は、その堅実な構造ではなく、意義あるテーマを特定して、以下のような説得力あるエビデンスを集める批評家の能力にあります。

- 現在のアーティスト
- 過去のアーティスト
- 展覧会
- 文化的および科学的理論
- 経済的政策、手段

そして、これらが意味するものをことば巧みに解説していくこと。また、デモスは、複雑な作品を、簡潔に、かつその解釈を狭めてしまうことなく説明することにも長けています。

>エッセイを発表するのはどうしたらいいのでしょう?

本は通常、出版社の社内編集者から委任されます。アートブック、特に論

集は、アーティストと、場合によっては彼らの所属するギャラリーと相談しながら企画され、彼らが著名なアートライターたちのなかから誰かを選択することになります。あなたの卒業論文（あるいは博士論文でも）が好評だったとしても、編集者が論集を書くように新米作家に声をかけることは滅多にありません。出版への出資は、アーティストと著者の価値と評判にかかっています（彼らは、あなたが明確な文章を書いて、細心の事実確認を行うという前提のもとで、短い冒頭の説明書き、キャプション、販促用の文章などを書く小さなプロジェクトのチャンスを与えてくれるときもあります）。

もし、現実の読者層に受け入れられる魅力的な本のアイデアを持っているという確信があるのであれば、適切な編集者にごく短いメールでアイデアを売り込んでみることもできるでしょう。しかし、これにはほとんど勝ち目がありません。本当に本を出版したいのであれば、自費出版／流通、あるいは小さな独立印刷会社に連絡することを検討しても良いかもしれません。そこでは今日、刺激的な新しい出版物が続々と誕生しているのです[113]。

出版チャンスは、刊行の回転が早い雑誌のほうが多いです。雑誌にエッセイを掲載するためのアドバイスは、展評の場合とほぼ同じです（204ページの「雑誌やブログのための展評の書き方」内の長めのFAQを参照）。雑誌に持ち込み原稿に関する方針が公開されていれば、それに従います。編集者に（やはり簡潔なメールで）刺激的な記事のアイデアを売り込んでも良いでしょう。あるいは、良いことが起こりそうな予感がするのであれば、完璧に磨かれた最終稿を送信して、手を合わせて祈りましょう。

素晴らしいアーティストであるにも関わらず、今まで全く、もしくはほとんど書かれてこなかった人物について取り上げたほうが、掲載される確率ははるかに上がります。今後の展覧会をチェックするために、ギャラリーや美術館のウェブサイトを回りましょう。そして――もしあなたがそれらについて何か話したいことがあるのであれば――雑誌の刊行スケジュールに合わせて記事を送れるように備えておくことです。しかし、報道の目的は、最新の情報で読者を満足させることにあるということを忘れないでください。

完璧に校正された記事と一緒に、例として添えたい4、5枚の画像のリスト、それと選択肢として他に数枚の画像を加えておきましょう（通常は、自分が話題としている最近の作品です）。あなたかその雑誌が、写真とそれらを使用する許可に関する情報を得られるよう、アーティストのギャラリーの連絡先も記入しておきます。

これまでのように、あなたの文章の傾向と文字数に適する雑誌を選びましょう。電卓を引っ張り出して、選んだ雑誌のおおよその字数を割り出してください。37,000字の修士論文を添付して、編集チームがそれを雑誌の基準である6,000字に削ってくれるなんて期待はできません。記事の掲載確率をあげるには、完璧で、報道価値があり、整えられ、完成された、非常に独創的で、魅力的に書かれた文章を送ることです。

記事は編集者からの100%の承認を得てから公開されます。決してアーティスト、ギャラリー、あるいは自分自身に、それに先走って公開することを約束してはいけません。ひとつの雑誌からは拒否されたエッセイでも、別の雑誌には重宝されるかもしれないということを忘れないでください。なのでトライし続けてください。自分の文章を信じるのです。

＞複数のアーティストのカタログ

複数のアーティストを取り上げたカタログは、プレスリリースと同様、アートワールドに新しい形式の可能性を膨らませる刺激剤として機能してきました。標準的なグループ展カタログの枠組みは次のようなものです。

- 包括的なエッセイ
- 展示されている作品を示すイメージ
- 関連する比較写真
- 各アーティストの紹介

しかし、この枠組みは控えめに見積もっても、故セス・シーゲローブが7人のアーティストに特別に委任したプロジェクトによって構成した低予算の紙面上の展覧会、『ゼロックス・ブック』[114]を作った1968年には、すでにやや賞味期限が切れていました。実際、この一般的な枠組みに厳密に従うグループ展カタログはおそらくないでしょう。

アートライターとキュレーターは、彼らのニーズに合わせて直感的に構造をつくり変えます。非常に型にはまっている印象があるかもしれませんが、そこにある要素に自由に変化を加えて、魅力的なアイデア、刺激的な作品、申し分ないデザインを盛り込んでいけば、一瞬で退屈さを克服することができます。ベーシックな序文テキストも、意外性のあるエッセイ形式、イメージ、再版テキスト（必要な許可を得ていることを確認）などで彩れば、そのあとに続く内容にも弾みをつけることができます。

キュレーターのポリー・ステイプルは、グループ展「分散」（「Dispersion―」ICA、2008～2009）の序説で、それぞれのアーティストを紹介する前に、彼女がそれらのアーティストを集めようと思った最初の動機を要約しています（例えば「この展覧会の全てのアーティストはイメージの盗用と模倣という関心を共有している」）。ここでは、各アーティストがキュレーターの関心にどのように「適合」するかを正当化し、整った体系化へと陥るのではなく、それぞれが彼女の問いをどのように自身の言葉で問題としたかを示し、新しい思考の流れを開いていくことが求められます。

このキュレーターはまた、一部のアーティストの共通点（「アイヒホルン、ロイド、シュタイエル、そしてオルセンは、アーカイブが全く非客観的なものであることを明らかにしている」）を示し、そして映像作家の先駆者であるジョーン・ジョナスといった過去の関連する例について言及しています。ステイプルは結論にむかって、建築理論家のカジス・ヴァルネリスの言葉を援用し、アーティストの実践と絡み合わせながら彼女の考察をさらに押し進めていきます。

ステイプルの落ち着いた序説は、展覧会の「分散型メディア」についての条件を十分に説明することにより、あとに続くそれぞれの参加アーティストに対するテキストが、より未知の領域を探っていけるように解放しています。そこではひとりひとりのアーティストが次のような異なる方法で取り上げられています。

- アーティスト／批評家／キュレーターのマシュー・ヒッグスから、アーティスト、アン・コーリアーへの「20の質問」
- マーク・レッキーの「2人の少女、ひとつのカップ」と題されたアーティストステートメント
- ヒラリー・ロイドのビデオ作品に対する批評家、ジャン・ヴァーヴォールトの解説文
- アーティスト、ヘンリック・オルセンの言葉に替わる、故イヴ・コゾフスキー・セジウィックの『クローゼットの認識論』(1990) [『クローゼットの認識論 セクシュアリティの20世紀』外岡尚美訳、青土社、1999年] の引用

以上に加えて、他に3つの個別アーティストテキストがあります。また、このあとには、別冊付録として再版テキストが収録されており（総称して「文脈上の資料」と題されている）、そこには哲学者、ジョルジョ・アガンベン、学者のジャクリーン・ローズといった思想家からの適切な引用が含まれています。

展覧会カタログ『分散』は、展覧会期間を超えて広がり、美術館来場者への単なるお土産以上のものになることで、「独立」した出版物となっています。また、より長い有効期限を獲得した『分散』は、ここで取り上げられるアーティストとテーマについての一般的な資料を探すあらゆる人に役立つことが想定されています。ステイプルの安定したイントロダクションは、彼女のキュレーションの前提をはっきり明らかにするだけでなく、「独立」した本の序文として機能しているのです。

＞テーマのバリエーション

新しい形式を探しているのであれば、地元の美術館、ギャラリー、アート専門書店で独創的でオルタナティブな形式を探すことから始めましょう。

- テキストのないイメージだけのリーフレット
- 箱入りカタログ

- zine
- リングバインダーでとめられた自由に内容を入れ替えられるカタログ

自分のプロジェクトの精神に合わせて、上記の形式をコピー、作成、あるいは発明します。しかし、大抵の書店は、風変わりな形式の本を仕入れるのを嫌がるので注意が必要です。デジタル化に即した選択肢もあります。更新可能で安価なオンラインカタログは、即時性と、柔軟性をもち、簡単に流通できる代替手段として登場しています。しかし、印刷されたカタログには永続性という魅力がありますし、私の経験から言っても、アーティストは（そして他の多くの人も）モニターよりもまだ紙面を好むように思われます[115]。

■論集

カタログは、そのアイデアを検証する関連エッセイコレクションに変換することができます。例えば『ポトシの原則——異国の地で主の歌を歌うには？』(2010)[116]には、作品と関連するテキストがほとんど含まれていません（アーティストと作品リストは巻末に掲載されている）。その代わりに、展覧会のテーマである植民地時代以降のお金とアートの関係について徹底的に研究した論文を載せています。

グループ展のためのテキストやカタログでは、全てのアーティストを扱うか、そうでなければひとりも取り上げないようにするのがルールです。あなたの展覧会／テキストで、全てのアーティストをほとんど同等に扱うことをお勧めします。省略は、永遠の恨みを買うことになります。

全てのアーティストを扱うか、あるいはひとりも扱わないようにします。他の誰かを無視して、お気に入りを選ぶことはひどく不公平であるだけでなく、事実上、展覧会の不正確な記録をつくることにもなります。それが展覧会のアイデア自体に本質的に即しているなど、何らかの理由で正当化

することができ、かつ前もって提示されていない限りは、悪い実践とみなされます。例えば、上記で説明したポリー・ステイプルのICAの出版物『分散』で、アーティスト、セス・プライスの有名なエッセイ「分散」(2002)[117]——この展覧会のタイトルを生み出すきっかけになった——が特権的だったのは理にかなっています。

■ 論文

キュレーターは、必ずしもそれぞれの作品との直接的な相関性を綴る必要はなく、その代わりに、展覧会と並ぶものとして、美術史や理論に基づいたアカデミックスタイルの論文を書くことができます。ジョン・トンプソンは、ロンドン、Hayward Galleryで開催された彼のグループ展「重力と恩寵:変化する彫刻の状況 1965–1975」(『Gravity and Grace: The Changing Condition of Sculpture 1965–1975』(1993)、タイトルは哲学者、シモーヌ・ヴェイユの著書から取られている)へのエッセイで、この展覧会の背後にあるテーマ——1960年代から1970年代にかけての彫刻の動向は、のちの美術史家たちが主張しているほどアメリカ中心ではなかった——を記しています。彼のテキストは体系的にこのテーマを論じていきますが、それぞれのアーティスト、それぞれの作品を秩序立てて取り上げることは意図的に避けています。

■ グラフィック/画像/テキストの融合

カタログは、それ自体が作品になる権利があり、展覧会を「説明」すること、あるいは展覧会を文字通り「記録」することから解放されることができます。例えば、『暗い部屋でそこに存在しない黒猫を探す盲人のために』(2009)[118]はあらゆる予想を覆すカタログでした。ここでは、歴史的なイメージ(ハーポ・マルクス、ドゥニ・ディドロ、チャーリー・チャップリン)と、選び抜かれた引用(「アーティストは、問題を解決するのではなく新しい問題を発明する」—ブルース・ナウマン[119])、そしてチャールズ・ダーヴィンの旅やアルバート・アインシュタインの「特殊相対性理論」などを取り上げた短いテキストの饗宴が催されています。

■マルチパートカタログ

予算がある場合は、カタログを異なる章で複数の部門に分割するのも良いかもしれません。

- アーティストのステートメント
- キュレーターのステートメント
- その他の解説もしくは再版テキスト（複製する許可を得ること）
- 画像（同上、許可を得る）
- アーティストごとの情報

展覧会の出版物のサイズは、ホッチキス留めのパンフレットから重量のある大型本まで幅広いです。マルチパートカタログには、展覧会を通じて蓄積された、たくさんの資料が収録されており、基本的なガイドだけ必要としている観客がいる一方で、この展覧会の背後にあるアイデアに来年まで読み耽っているかもしれない熱心なファンがいることを想定しています。例えば「ドクメンタ13」の、聖書を意味する『ザ・ブック・オブ・ブックス』は、催眠術から魔女狩りまで101のエッセイを掲載した768ページ越えの大冊です。この巨大な展覧会のために発行されたカタログのなかでも、最重量を誇るこの『ザ・ブック・オブ・ブックス』は、アーティストごとのテキストが収められたソフトカバーの『ザ・ガイドブック』、とドクメンタの長い準備期間中の往復書簡やメール、会議メモ、インタビューが集められたアーカイブのような『ザ・ログブック』を含む3つのパートで構成されています[120]。

■「型にはまらない」テキスト

あなたが何も外部からの義務を負っていないときには、その自由を楽しみ、そして執筆について考えてみましょう。

- フィクションや詩
- 無関係なアイデアを並べたリストのようなコレクション
- 大まかにテーマが関連していくA–Z、もしくは索引
- ヘビーメタルへの愛の詳述
- …まだまだ無限に広がります。

こういった発明で解放された感覚を味わって欲しいと思います。しかし、同時にこれが、あなたが扱っているものが要求するものと衝突する可能性もある、ということにも注意してください。

4

アーティストステートメントの書き方

「アーティストステートメントの書き方」、これは確かに矛盾した表現です。アーティストステートメントはアートそのものと同様に、規律への抵抗、自由な自己表現として示されるものだからです。そのなかには、例えばエイドリアン・パイパーや、ロバート・スミッソンによって書かれたような、これまででもっとも爽快なコンテンポラリーアートライティングとして記憶されるものもあります。それでも「私の作品が探っているのは…」というフレーズを検索すれば、文字通り何百万もの結果がヒットします。ものを言えないアーティストは、オンライン上の「即席アーティストステートメント」という生成機能を使うこともできるでしょう。これは、以下のような「ユニーク」なパラグラフを作ってくれますが、アートテキストで使われそうな単語をただ詰め込んだだけだということはバレバレです。

私の作品は{ジェンダー・ポリティクス;複合軍事産業;神話／身体の普遍性}と{模倣的暴力;ポストモダン論;望まれない贈与;スケートボードの倫理}の関係性を探っている。{デリダ;カラヴァッジョ;キルケゴール}と{マイルス・デイヴィス;バックミンスター・フラー;ジョン・レノン}のような多様な影響をもった、新しい[変動;融合;相乗作用]は{秩序化された対話と無作為の対話;明示的なレイヤーと暗示的なレイヤー;世俗的な対話と超越的な対話}の双方から{合成;生成;抽出}されている[121]。

一方で、この本を読んでいるあなたはこのようなテンプレートは脇に置いて、次のような刺激的なテキストを書きたいと考えているはずです。

- 自分の作品に、ギャラリスト、コレクター、アワード関係者、入試担当官、大学の理事会、他のアーティストなどからの関心を引き寄せるテキスト
- 自分の作品と関心が適切に反映されたテキスト
- 今後制作を続けるにあたって思考を手助けしてくれるテキスト
- それを読むことで自分が畏縮したり、恐縮しないテキスト、その代わりに自身が行なっていることを正確に描写しているテキスト

それでは、有意義なアーティストステートメントを追求するために、まずはこの作業の危険性を検証しましょう。下記にリストされた危険因子を避け、2章のいくつかのヒントを参考にすれば、あなたのステートメントは好調なスタートを迎えられるはずです。

>最も一般的な10の落とし穴(およびそれを回避する方法)

1　全て同じように聞こえる

「私の作品が探っているのは…」で始める前に、利用できる無数の他の選択肢を探してください(または独自に考案)。

有名なアーティストのステートメントを読むことから始めることもできます。それをコピーしたり、あるいは威圧されたりするためではなく、そこで示されているトーンや傾向をつかむためです。

スタイルズとセルズの非常に包括的な書籍、『コンテンポラリーアートの理論とドキュメント:アーティストの文章のソースブック』(2012)[122]、あるいはたくさんのアーティストのウェブサイトを見てみましょう。どれもが似ていないことに注目してください。

例えば、スミッソンの文章は、旅や、アートの可能性に対する先見的な思索、想像上の宇宙の再制作について、とほとんど日記のように喚情的です。他にも 会話形式のものもあれば、ほとんど宣言文のようなもの、学術

的なものもあります。この章で掲載する引用は、無数の選択肢を示すために、意図的にそれぞれ異なるものを選んでいます。

2　つまらない

退屈さと正確さはきっかり比例します。細部がきちんとしていることで、あなたのステートメントも際立ち、興味を引きつけるはずです。そして具体的に書くこと。あなたのステートメントは、あなたの作品だけに適用されるものでなければいけません。使い古されたアートの比喩は避けます。具体的な名詞と修飾詞、そして言葉を通してイメージをつくり出すことを思い出してください(82ページの「実践的な『ハウツー』集」を参照)。「アーティストは世界を救うべきだ」と、次のブルース・ナウマンのステートメントとの違いをつくっているのも具体性です。

> 「真のアーティストは、神秘的な真実を明らかにすることによって世界を救う」
> —ブルース・ナウマン[123]

3　嘘くさい

経験の浅いアーティストは、この作業は読者が聞きたいことを先読みすることだと誤解する傾向があります。特にギャラリスト、大学、入学担当者、助成金審査員、コレクター、キュレーターなどに対して書く場合、あなたの読者はそれらを何百も見てきたということを念頭においてください。彼らはオリジナルを鋭く見わける、偽文章探知レーダーを内蔵しています。読者が通常求めているのは、あなたを真に動機づけ、前進させているものです。

> 言葉は自分に忠実に共鳴していなければなりません。もし再読したときに、「これはまさに私が考えていることだ」ではなく、「これだったら間に合うだろう」と思ったのであれば、何かが間違っています。読者が求めているのは守りに入った言葉ではなく、作

品の背後の血の通った人物の声を聞き、この作品を活かし、非凡なものにしている何かをつかむことです。

---

4 言うことがない

直感的な制作を行うアーティストは、自分の思考を紙にインクで固定することが、作品を殺してしまうことになるのでないかと心配します。伝説的なアーティストステートメントの多くは、煎じ詰めると、自分の選択を追うことに帰着しています。例えば、度々引用される1964年のマルセル・ブロータスのステートメントは、芸術的な成功を即席するという齢40歳の彼の決断について説明しています[124]。どの決断（苦労して手に入れた決断、偶然的な決断、あるいは予期しない結果としてもたらされた決断）が自分にとって最も意義のある結果をもたらしましたか？

アメリカ人彫刻家、故アン・トゥルイット（1929～2004）の日記から引用された以下の例では、彼女の素材の選択に隠されたエピソードを説明しています。

[…] 屋外用に、塗装されていない裸の木製彫刻を作ることを考えた。ワシントン国立大聖堂の敷地には、雨風によって蜂蜜色にはげた木彫りのベンチがある。木の下に立つこれは、彫刻とも呼べるのかもしれない。去年の春、ベンチの裸になった素の表面に指を走らせているとき、そう思った。私は、日本の木と、控えめな素材の絶妙な秩序について思いを巡らせていた。

鋼を使うこと、それは単純に不可能なのだ。それは完全に望ましい男性、ただ愛することのできない男性からの結婚の提案のようなものなのだ[1]。木、それが私の愛するものだった。

ソーステキスト50：

アン・トゥルイット「Daybook: The Journal of an Artist, 1974–79」『Theories and Documents of Contemporary Art: A Sourcebook of Artists' Writings』2012年

このステートメントはいささか感傷的に思える人もいるかもしれません。しかし、最後のパラグラフの、理想的であるにも関わらず心が惹きつけられない男性［1］は、鋼に対する彼女の冷めた心と、素敵な木が動かす彼女の脈拍を、トゥルイットがいかにどうすることもできなかったかを伝えています（123ページの「直喩と隠喩は注意して使用する」を参照）。そしてもちろんこれは、「私の作品は、シンプルな日本のフォームの美しさを探り、そしてどのように私のお気に入りの素材である木がその要素を吸収するか検証しています」よりもずっと良いです。

5　一見読んで大丈夫だけど、実際には作品の核心にたどり着いていない

文化的背景についての本題外の情報に注意しましょう（「女性は労働人口の49％を占めていますが、同時に低賃金労働人口の59パーセントを占めています」）。これらの統計が、自分の思考を生み出したのだとしても、結果である作品にたいしての影響は微々たるものです。

全ての自分の出発点を思い出すのではなく――そのなかには実を結ばなかったものもあるはずです――遡ってわずかであろうと実際の変化を見つけましょう。どの瞬間が全てを変えましたか？　制作をしていて最も興奮したことは何でしたか？　他のことは削除します。十分な内容でありながら非常に短いストーリー――100％関連していて、簡潔に伝えられるもの――がここでは役立ちます。ときには、本文の外に、着想を与えた統計や引用を置いても良いでしょう。

6　解読できない

抽象性を重層化しないこと。そして、考えられる作品の意味を引き出す前に、その作品が何なのかを最低でも簡潔に説明することについての章を再読してください（82ページの『実践的な「ハウツー集』特に副章1～3を参照）。

存在論、認識論、形而上学などの単語には、特定の専門的な意味があるということを忘れないでください。これらの言葉は控えめに、必要不可欠な場合にのみ使います。選んでいるメディウムに対して、自分の考えを入れることは必須です。読者が、掲載する作品や写真に写るメディウムやイメージについて、きちんと了解できるようにします。

また、この本で提案されているテクニック、例えば自分の作品をまとめている主要なテーマ、アイデア、ルールを特定する（156ページの「短い説明テキストの書き方」を参照）といった技術を試してみると良いでしょう。自分の作品で本当に満足していること、それは素材ですか？　技術ですか？　制作プロセスや、制作のソースを探すこと？　それともそれが構築した人間関係？　まずはここから始めてみます。

7　長すぎる

アーティストのステートメントの文字数は、ツイートサイズからフルサイズの論文までさまざまです。自分にぴったりの長さを見つけましょう。しかし一般的には短い方が良いです（約500字）。入学願書、補助金申請、ギャラリー申請など文字数が規定されている形式もあります。どこを削れば良いか迷ったら、通常、序文を切り落とします。本当に動き出したときだけ、テキストを始めましょう。

8　読者が知りたいことを伝えていない

異なる目的に応じて、基本的なステートメントを調整することがあるかと思います。その際は、自分の作品制作を変えるのではなく、テキストの切り取りや強調する部分を変えるだけにします。短いカタログのイントロダクションは、多くの場合は規定のない自由な空間です。補助金申請書の場合は、特別な基準を満たす必要がある場合があるので、詳細説明を読んでおいてください。ギャラリーへの申請書の場合は、例えばなぜ自分の作品がその空間に合うのか、またどのように作品を設置しようと考えているか（可能であればある程度、柔軟性をもたせて）を説明する必要があるでしょう。また、自分が少なからず、実践的なことを認知しているということを伝えるために、展覧会実現のための技術や予算も記しておくと良いでしょう。

9　誇大妄想的

「マティスのように、私は…」から始める文章は避けましょう。自分が受けているどんな影響も類例も、鋭い正確さで示され、説明されるべきです。他の人たちからの賞賛（「私の作品は魔術的と称されてきました」）を織り込むのもお勧めできません。外部の支持は基本的に無関係です。あなたの作品についての理解を助けるものであれば、誰かからの短い優れたフレーズは追加の価値があるかもしれません。

しかし、ここでの作業で重要なのは、あなたが何をしているかを明確にする能力だということを覚えておきましょう。

読者に何を考えるべきかを言うことは、もうひとつの禁じ手です。「あなたは〜を感じるでしょう」、あるいは「鑑賞者は〜に感化されます」といった文章は避けます。これは、全ての文章を「私」で始めるということではなく、読者の反応を指示するのではなく、自分がしていること、自分が考えていることに集中するということです。

以下で、ジェニファー・アンガスは自身の芸術的関心が私生活とどのように絡み合っているのかを説明しています。

私の作品は、写真とテキスタイルが組み合わされている。私は常にパターンの描かれた表面に、特にパターンが内在するテキスタイルに惹かれてきた。当初、それは自分を恍惚とさせる単なる視覚的な喜びに過ぎなかったのだが、それから何年かして、研究を通じて、パターンの言語に感動し魅了されるようになる。人々の姿、その人々がやってきた地域、また、年齢や職業、社会的地位が特定できるのだ。私は、自然界に存在するパターンと既存のテキスタイルのパターンとを使って、写真の主題を伝える言語を作りあげ、そのパターンを背景に写真を置いた。明らかな歴史的イメージを除いて、写真は私自身のものだ。私は夫の家族が住むタイの北部を広範に旅している。彼はタイとビルマ（現在のミャンマー）の国境に沿って住むカレン族だ。私の作品は、この部族の人々と彼らの近隣の人々を中心的に取り上げている。自分の文化のなかの夫、あるいは彼の文化のなかの自分自身、「他者」という考えに関心がある。

ソーステキスト51：

ジェニファー・アンガス「Artist Statement」The Centre for Contemporary Canadian Art ウェブサイト　年不明

自分の作品と人生とが、このアーティストのように絡み合っているとは思えないとしても、アンガスが、彼女の興味のある分野、それがどのように彼女の素材と人生の状況と関連しているのか、そして何が彼女を動かし続けているのかを誠実に伝えている点に注目してください。

10　言葉よりもイメージの方がうまく伝えている

幸いなことに、神秘的な啓示に導かれた無口の芸術家という戯画像は、ベレー帽とスモックと一緒に消え去り、アーティストはもはや、批評家や代弁者に意匠を凝らした言葉を作品につけてもらうのをただ待つばかりでいるわけにはいかなくなりました。例えば、ダン・グラハム、メアリー・ケリー、ジミー・ダーハムなどを、ビジュアルアーティストでありながら、素晴らしい執筆の才能に恵まれた注目すべき例外として思い浮かべられるでしょう。

しかし、おそらくあなたはその幸せなカテゴリーには当てはまることができず、書くことと戦っているはずです。まず手書きで、全てを書き出してみてください。その紙の山から、最も期待できると感じた部分を抜き出して発展させるのです。基本的には、自分の作品に関心があり、さらに知ることを望んでいる、共感的で好奇心のある読者のために書きます。このことを心に描くために、この文章は自分の作品を最もよく理解するあの人のもとへ直接届けられると想像してみてください。執筆するときは、自分の背中を押してくれる彼や彼女の顔を心のなかにイメージし続けるのです。

話すことを好む場合は、アート好きな友人に自分の「インタビュー」を録音するよう依頼してみましょう。そのテープ起こしが文章によるステートメントの基盤となるかもしれません。

＞11個目の暗黙の落とし穴

11　ステートメントは問題ないが、作品が心配

素晴らしいステートメントが、魅力ない作品を補うことはありません。ステートメントに「大いなる遺産」という副題をつけたり、作品を押しのけて前に立ったりするようなステートメントは望まれません。自分の作品で見られるものと、読まれるものの相関性を確実にしてください。良いステートメントを書いて、その言葉の期待に応えましょう。

そして最後に。作品制作の中心が執筆でない限りは、書くことよりも作品の創造にたっぷりの時間を費やすようにします。

>ひとつの作品について書く方法

ひとつの作品に対してアーティストが書くテキストは、作品の制作を促したもの、作品の根底にあるテーマやプロセス、またそれが形ができあがるに連れどのように変化していったのかを、伝える手がかりになり得ます。

アーティスト、映画監督のタシタ・ディーンによる次のテキストは、ベルリンの放棄された1970年代のモダニズム建造物（現在は解体）についての映像インスタレーションのほとんど文学的ともいえる紹介を提供しています。

灰色の街の真んなかで、その建物は常に太陽を捕まえて保持していた。ウンター・デン・リンデンからアレクサンダー広場までの道を歩いていると、太陽が格子状の外観［1］に沿ってパネルからパネルへと移動することで、オレンジ色の反射ガラス［1］が完璧に夕日を映し出していることに気づかされる。しばらくのあいだ、ベルリンがまだ私にとって新鮮だった頃、それはただの旧東部の廃墟のひとつに過ぎなかった。その醜さにも関わらず、私を魅了するその建物は［2］、光を騙してからかいながら、その反射の反対側に位置する堅実で実用的な19世紀の大聖堂にへつらっていた。それが共和国宮殿であり、ドイツ民主共和国の元庁舎であるということを知ったのはあとのことだ。議論の中心地であるその場所は、外観の不透明性でその歴史を隠していたが、今では荒廃し、装飾も取り除かれて、未来の評決を待っている。［…］この宮殿の保護のために戦う人々は、このような建物を破壊することは記憶を破壊することであり、都市はこの傷跡を残しておく必要があると信じている［3］。［…］

ソーステキスト52：

タシタ・ディーン「Palast, 2004」『Tacita Dean』2006年

今までの提案が、ここでどのように機能しているかに注目してください。ディーンは視覚的に興味をそそったものの、まさにその場所を正確に特定しています [1]。彼女は、何が好奇心を引き起こしたのか、そしてどのようにそれが彼女を、宮殿を撮るに至らせたのかを説明し [2]、彼女自身の関心を捉え続けている、ここで問題となっている本質を明確にしています [3]。ディーンのこの喚起的なステートメントと、「私の作品は、ベルリンの歴史と建築との関係を探っています」という単調なステートメントを比較してみてください。ディーンのような文学的な才能はもっていなかったとしても、細部を描写していくことはできるはずです。

次の例では、ビデオアーティストのアンリ・サラが、ある作品の制作前と制作中の思考の過程について話しています。ここでは、アーティストは彼の最初の決断 [1]、それからそのアイデアが具現化していくにあたって彼が考えたことを説明します [2]。このスタイルは人によっては説明的すぎたり、あるいは詩的すぎたりするかもしれませんが、サラは、このプロセスベースの作品に着手した動機を伝え、あらゆる感覚 ── 湿ったプラスチックの感触、夜の雨の匂い（の不在）、激しい雨音と花火と競い合う大音量の音楽、「闘いの空」のイメージ──を使って、実際の出来事が彼に引き起こした印象を言葉にしています [2]。 細部の描写が「私の作品は音楽と音、そして都市生活を探ります」と次の文章との違いを生み出しています。

もうすぐ大晦日だ。花火と火薬の香りが街を乗っ取るだろう。新しい年が近くと、年の終わりの青色の空が赤に変わる。[…] 僕はDJの友人にこの年の変遷の瞬間を一緒に過ごそうと誘った [1]。彼が空に向かって騒々しくプレイし、僕はそれを手助けする。僕らは見晴らしの良い建物の屋上を陣取って、大きなプラスチックシートの下に即席のDJブースを作った。とても激しい雨が降っていたのに、雨の匂いはしなかった。自治体の花火はすぐに人々の花火の打ち上げによって覆い隠された。音楽が闘いの空へと達するあいだ、花火がビートにハイジャックされて乗り回されていると時折思った [2]。

ソーステキスト53:

アンリ・サラ「Notes for Mixed Behaviour」『アンリ・サラ』2003年

この喚起的なアーティストのメモは、あなたが自身のステートメントに望む「より良い何か」(シェルダール) を作品に加えているでしょう。

>最後のヒント

ステートメントを発表する前に、ひとりか2人の信頼できる読者から感想を聞きましょう。多くの場合、特に、書こうと思うものが自然に降ってこない場合には、文章は短くして要を得てください。

アーティストステートメントは履歴書ではありません。学歴や、展覧会、プレス、アワード受賞歴などは挙げないようにしましょう。これらは別紙に書きます。ときどきアーティストは、スタジオなどで撮られた自身の写真を載せますが、個人的にはこれは少し見苦しいと思います。

アーティストからの応募を受け入れている大学の入学事務局やギャラリーは、ガイドラインや例をホームページに挙げているはずです。これらを考慮しながら、ステートメントを軽く調整してください。言葉は時に応じて変化させなければなりません。書くことが、他人を満足させるための単なる義務ではなく、あなた自身の思考を追って発展させる助けになるのが理想です。

5

形式比較：ひとりのアーティストをめぐる複数のテキスト

この最終章ではボーナストラックとして、アメリカ人アーティストのサラ・モリスのモダニズムファサードの絵画、というひとつの主題への複数の短いテキストを掲載します。これらの例は、それぞれの読者層や目的に対応した、さまざまなアートライティングの形式で望まれる傾向や内容を象徴しています。さらに、これらはこれまでの章で提案されたアートライティングのアドバイスのいくつかを実演しており、基本的な「説明」テキストから「価値づけ」テキスト、解説テキストへと進んでいき、最後にアーティスト自身の言葉で終わります。このアーティストのホームページ、sarahmorris.infoには、たくさんのアーティスト本人によるテキスト、また彼女について書かれたテキストが掲載されています。

比較を容易にするために、引用はモリスの近年の絵画シリーズや映像作品ではなく、2000年から2007年頃の抽象作品へのテキストに集中しました。このアーティストの、広く賞賛を受けている建築をベースとした人気絵画は、ダグラス・クープランドやイザベル・グラウなど、アートワールドで最もよく知られた人物らによって執筆されてきました。それぞれのアートライターがこの共有のテーマに対して、どのように独自の執筆スタイルと観点を適用しているかに注目してください。

＞簡単な紹介

130人に及ぶコンテンポラリーアーティストを検証するサーベイブック『Art Now』は、ひと通り内情に通じておきたい読者のための人名録として人気です。アートワールドの知識が幅広く異なる読者たちに向けて、わずか400字弱のテキストが、今イケてるアーティストたちのリストを紹介します。

以下の基本的な「説明」テキスト（152ページを参照）は、作品を貫くひとつのテーマ——「新しい都市性」[テ]——を特定することで、サラ・モリスの映像作品とペインティングを取り上げています。ライターは、作品の物質的な見た目を説明する前に、最小限の経歴情報を提示し［1］、そのあと徐々に詳細を追加していきます［2］。また、都市というテーマを強調するために、作品に題された都市タイトルを挙げています［3］。

サラ・モリス、1967年ロンドン生まれ。USA、ニューヨーク／UK、ロンドン在住［1］**。**

サラ・モリスに最初の世間の注目を集めたのは、建築のファサード［2］**をモデルとした色鮮やかなイメージだった。アーティストのなかでも、このニューヨークとロンドンの住民ほど「新しい都市性」というテーマ**［テ］**を美的に変換することに厳格な人物は、これまでほとんどいなかった。彼女の主な関心はアメリカの集合都市であり、3つの最近のプロジェクト——《Midtown（New York）》（1998）、《Las Vegas》（2000）、《Capital（Washington）》（2001）**［3］**——では、モリスはこれらの例外的な都市の特性に注目している。［…］彼女は縮められた遠近感と空間的な歪みをもつ、魅惑的で光沢感あるサーフェイスをつくりだす**［2］**。一見すると純粋な抽象のように見えたものは、急速に渦のように作用し始めるのだ**［4］**。**

ソーステキスト54：

A.K.［アンケ・ケンペス］「Sarah Morris」『Art Now: The New Directory to 136 International Contemporary Artists』vol.2　2005年

この説明の終わりには、このダイナミックな絵画は「渦のように作用」［4］するという、この作品を考察する入り口となる解説が記されています。入門レベルの説明テキストの多くは、どういうわけか、ひとつのシンプルな考えやキャッチーな用語が、特定の作品にほとんど寄生的に付随し、それがテキストごとに繰り返されるようになっています。

このアーティストの場合は、「渦」がモリスの光沢感のある絵画にフジツボのようにしがみつき、紹介文、プレスリリースなどで繰り返し利用されています[125]。しかし、万能的な解釈はこのような短い概説ではどうにか間に合うかもしれませんが、より発展した独自の批評に挑戦したいと思っているのであれば、すでに使われすぎたアイデアは避けるべきです。

＞美術館コレクションのウェブサイトの投稿

この署名入りの投稿は、グッゲンハイムのコレクションのHPでペインティングを紹介しています。これは展覧会の壁面キャプションと同じように、完全な技術的詳細も紹介しながら［1］、同時にややそれ以上の独立した解説に挑戦しています。

サラ・モリス　1967年イギリス、ケント州生まれ
《Mandalay Bay（Las Vegas）》1999年[図33] キャンバス上に家庭用光沢塗料、84×84×2インチ（213.4x 213.4×5.4 cm）　ニューヨーク、ソロモン・R・グッゲンハイム美術館　ヤング・コレクター・カウンシル基金より購入 2000.121 ©Sarah Morris［1］

ペインター、映像作家の［サラ・モリスの］色鮮やかで大規模なペインティングは、20世紀初頭の鋭い幾何学的抽象を想起させ、モダニズムのグリッドの歴史を呼びおこします［2］。［…］

家庭用塗料の光沢と染み込んだネオンカラーによって、主題と共鳴する滑らかな産業的なツヤが達成されており、モリスの絵画は象徴的な建築を分離、抽象化し、様々な構造のファザードを、都市環境の反射光を示唆する色付きのセルをもつ斜めのグリッドへと圧縮します。《Mandalay Bay（Las Vegas）》は、ラスベガス・ストリップのホテルとカジノを下敷きとしたシリーズのひとつです［3］。アーティストは、ラスベガスのホテルが、製品ではなく彼ら自体を宣伝するために巨大な電子看板を共通して掲げる光景に関心をもっており［4］、それが抽象画の気密性と自己言及性に共鳴しています。これらの作品で、モリスは建築が企業の権力の魅惑的なサインとして機能する方法を模倣しており、この場合は娯楽産業のそれが示されているのです［5］。

ソーステキスト55：
テッド・マン「Mandalay Bay (Las Vegas)：Sarah Morris」『Guggenheim Collection Online』年不明

ライターのテッド・マンは、美術史の詳細を過度に説明するのではなく、20世紀の抽象化に関連してこの作品を設定しています[2]。彼はこの（おおよそ）一般層向けの「説明」テキストで、アートライティングの3つの基本要素——それは何なのか？[3]、どういう意味なのか？[4]、世界とどのように繋がっているのか？[5]（59ページ）——を簡潔にカバーしています。

＞展覧会レビュー

イギリス、『ガーディアン』紙のチーフ美術批評家、エイドリアン・サールは、モリスの見せかけの建築には懐疑的です。アーティストは「素晴らしい目」をもっているとしながら、彼女の才能はキャンバスよりも映像において示されるとみています。サールはこの展覧会のペインティングを、機械的で「魂のない」ものに見えると言います。

サラ・モリスは、高層ビルのコンクリートとガラスの壁[2]を、キャンバスを埋め尽くす大きな口を開いたグリッドとして描いている。MoMAの彼女の絵画は、私たちを活力なく振り返る[1]。建築は上に向かって斜めにスライドし、見えない距離まで消えていく。彼女の絵画は、グリッドの法則と、都市と電飾と発光のリズムで足を踏み鳴らしている[3]。彼女の絵は、容赦無く非人格的であり[1]、家庭用光沢塗料で塗られたマスキングテープのセルは[2]人間存在の混乱に全く無関心だ[1]。そう、全てはテンポ、全てはビート、全てはメトロノームのような規則性。色は歌う。しかしそれは人工的な甲高い行進曲だ[3]。

[…]モリスはさらに、絵画を喜びのない機械仕掛けの作品のように見せている。グリッドは接続する分だけ分割されていく。モリスの絵は、彼女の作品を収集する人々のロフト付きのアパートメントにきっとよく映えるだ

[図33] サラ・モリス《Mandalay Bay (LasVegas) 》1999年

ろう。頭まで機械じみた人々のための魂のないペインティング。[…] モリスは映像の構図に素晴らしい目をもっているにも関わらず [4]、なぜ私から逃げだした彼女の絵には、これが少しも織り込まれていないのだろうか。

ソーステキスト56：
エイドリアン・サール「Life thru a lens」『Guardian』1999年5月4日

サールは、モリスのペインティングに非常に独特な説明をしており [1]、これが、魅力的なキャンバスであるがやや単調であるという彼の批評的な反応を補強しています。たくさんの具体的で視覚的に豊かな名詞と、いくつかの明確な修飾詞が、鮮やかで触知的な感覚を読者に与えています [2]。一貫した音楽の比喩に注目してください [3]（123ページの「比喩の混合を避ける」を参照）。「足を踏み鳴らす」「リズム」「テンポ」「メトロノーム」「歌」「行進曲」、これらは、この絵は美しく奏でられた絵画技術と、反復するドラム音が、困惑的に混合しているという批評家の見解を表現します。

サールは全面的に否定的な反応を示しているのではなく、弱点を認識すると同時に、展覧会の成功について評価していることに注意してください（「色は歌う」、アーティストは映像の構図に対して相当なセンスを示している）。サールは強みと失敗を決定づけたポイントを正確に特定しているので（63ページの「どのようにアイデアを実証するか」を参照）、この中立性が煮え切らなさに傾いてしまうことはないのです。

新米アートライターは、説得力をもたせるためには、発言は縫い目のないものでなければならないと想像するかもしれません。しかし「否定的」な展評が絶えず絶望し続けたり、あるいは「肯定的」な反応が、有頂天の賞賛を与え続けたりする必要はありません。展覧会の最高の部分と最低の部分を両方考えみてください。作品をひとつひとつ見て、展覧会のどの瞬間が自分に際立った影響を及ぼしたか記録するのです。

興味深いことに、サールはこの約10年後、このアーティストのギャラリーの展覧会に対するレビューで、モリスの絵画への意見を和らげています。ただし、「彼女の作品は、私を魅惑し挑発すると同時に抵抗する」という、以前の意見を反映した両義的な表現をしています[126]。

＞グループ展のレビュー

「ペインティング・ラボ」は、1999年にプライベートギャラリーで開催されたグループ展で、古くからの絵画という媒体と、最近の写真、科学、グラフィックの進歩を組み合わせた制作を行う、新進アーティストたちを検証しました。美術批評家のアレックス・ファークハーソンは、彼がその結果に感心しなかった理由を説明します。

「ペインティング・ラボ」グループでは、ロンドンを拠点とする10人のアーティストが集まって、彼らの絵画と新しいテクノロジーとのあいだに何の憂慮もない関係を築いている[1]。サラ・モリスは、ソフトフェアで、彼女の80年代の企業のオフィスの写真を、光沢のあるデ・ステイルの絵画性を帯びた図へと変換している[1]。私たちが見ているのは色付きの長方形のグリッドではないという事実を警告するのは、窓枠によって示されたわずかな遠近だけだ[3]。[…]

どちらかというと、作品の大部分は（キュレーターの）マーク・スレーデンの研究室のやや厳格なルールに従順すぎる[2]。これは、コンピューター以降の絵画というタイムリーな研究ではあるが[3]、時折その主旨が、作品の合成的で滑らかな菓子屋の外観のような意図した陳腐性にわずかに調和しておらず、さらに「ペインティング・ラボ」の作品の大部分は、隣の作品で指摘されたポイントを繰り返している[2]。

ソーステキスト57：

アレックス・ファークハーソン「Review of "Painting Lab"」『Art Monthly』1999年

ファークハーソンの最初の言葉は、イギリスのペインターたちのデジタルテクノロジーに対しての整然とした態度、という展覧会のコンセプトを読者に紹介します[1]。ファークハーソンは、アートに通じた読者へ書いているために、「デ・ステイル」などの美術史用語を定義せずに使うことができるということに注意してください。それぞれの作品は、彼の総合的な評価との関連のなかで検証されています。ファークハーソンは、この展覧会の主題は、時代に即しているものの、キュレーターの意向が支配的すぎて、結果的に反復的なものになっているといいます [2]。モリスのペインティングに対する分析的な説明も [3]、この展評で取り上げられる他の例と同様に、展覧会全体への彼の評価の観点に基づいています。

終わりに向かって、ファークハーソンは、ヨッヘン・クラインの作品(「タンポポ畑のボーイフレンド」を描いた絵画)の個人的な親密性を展覧会の傾向の例外として指摘しています。この「ラボ」での実験から得られた結果とは、「テクノロジーとは単調さに等しい」として要約されうるものかもしれないと批評家は結論づけています。

>雑誌記事(主流誌)

この娯楽性のある日曜版の人物紹介欄では、アートを専門としないジャーナリストであるギャビー・ウッドが、モリスとのインタビューから取り上げたコメントと女性誌的な魅力「今日は(モリスは)黒いデザイナーズスーツに鮮やかな黄色いスカートを合わせています」とを融合し、経歴と「ライフスタイル」を強調しながら、一般読者向けにアーティストを紹介しています。この引用ではペインティングについての簡単な説明を行っています。

(モリスの)絵画——モンドリアンを政治的な万華鏡を通して見たような色彩構成のグラフィック——は、建物を出発点として利用し(ワシントンのペンタゴン、マンハッタンのレブロンビル、ラスベガスのフラミンゴホテル、LAの市水道電力局)、そのファサードを、目が回るような効果へと分解しています。「私は常に(実際の)建築は、絵画とは関係しないと考えています」とモリスは説明します。「興味があるのは建築の戦略です——それがどのように個人に権力を得たように感じさせるのか、あるいはどのように娯楽や物差しとして機能するのか」[2]。ロンドンのホワイトキューブギャラリーで開催される展覧会のカタログを執筆したダグラス・クープ

ランドは [3]、モリスのペインティングは権力のシステムを圧縮し単純化することで、逆説的にイメージから省かれたものを示すといいます——何はともあれ、一体何がそこに隠されているというのでしょう?

ソーステキスト58:

ギャビー・ウッド「Cinéma Vérité: Gaby Wood meets Sarah Morris」『Observer』2004年

ウッドは新聞の読者層にとっても馴染み深い有名な歴史的人物(モンドリアン)に議論を設定し、絵画から見られる読者がたやすくイメージできるモダニスト様式の建築の名前をいくつかあげることで作品を忠実に説明しています [1]。作品の意味を深く掘り下げていくために、ライターは美術批評家を演じるのではなく、アーティストからの直接的なコメントを賢く引用しています [2]。

インタビューのタイミングは、今後の展覧会の予定によって決定します。恐らく、この記事の背後には、編集者にこの4ページ見開きの大盤振る舞いを説得した誰か、つまりはこの規模のマスメディア報道にコネのある一流のギャラリープレスがいたのでしょう。

学生は、優れた批評家たちのコメントを引用して良いものか心配しますが、ウッドのようなプロは、クープランドといった書き手たちから冴えた言葉を借りて便乗したり [3]、良質な誰かの文章で自身の文章に趣を与えたりする方法をよくわきまえています。

>雑誌記事(専門誌)

この『Modern Painters』誌——これも同様に、ギャラリーの新しい展覧会が差し迫った折に発行されます——の特集は、アート初心者の読者を対象としています。先ほどの『Observer』の記事のように、クリストファー・ターナーは、親しみやすい文章とアーティストからの直接的なコメントを組み合わせています。しかし、このライターは、よりアートワールドの知識を組み込んでいます。例えば、ターナーは『Observer』のコーディネートの報告とは対照的に、スタジオ訪問から記事を始めていきます。以下の抜粋では、いくつかの基本的な経歴情報と、絵画のソースとなった素材について説明しています。

ブラウン大学の記号学の学位を有する41歳のモリスは[1]、これまでも何度も自身の作品について語ってきましたが、今回は、自分は建築を表現しようとしているのではなく、建築から借用しようとしているのだという話をしてくれました[…]。彼女の起源は折衷的です。例えば、ジョン・ロートナーや、モリス・ラピドスといった建築家たちの曲線的で演劇的な建物[2]から影響を受けているのと同時に、J・G・バラードのSF小説[3]、そして「宇宙空間での活動と観念を具現化させる彼の方法」に感化されているといいます。モリスにとっての建築とは、何よりも権力と心理学についてであり[4]、それぞれのシリーズの色彩とあやとりのような幾何学は、特定の場所の政治性と詩性を生み出すために注意深く選択されています[4]。

ソーステキスト59：

クリストファー・ターナー「Beijing City Symphony: On Sarah Morris」『Modern Painters』2008年

この記事は、一般的な事柄から具体的な事柄へ、そしてその作品とは何であり、何を意味するのかまでを、論理的な順序で追っていきます。ライターはより抽象的な解釈[4]へと進んでいく前に、アーティスト本人の人物像[1]から、外部の参照点——建築[2]と文学[3]——を説明します。具体的な参照物（ロートナー、ラピドス、バラード）は『Observer』のモンドリアンの例よりも幾分曖昧ですが、平均的な『Modern Painters』の読者層はこれに難色を示すことはないでしょう。

>ひとりのアーティストに関するカタログエッセイ（比較形式）

これは、美術館での巡回展覧会のカタログからの抜粋です。通常、アーティストと、場合によっては所属ギャラリーとの協議を通して、組織（ディレクターあるいはキュレーター）から委託されるカタログテキストは、常にアーティストの作品への支持と祝福の精神で書かれるものです。

著者のマイケル・ブレイスウェルは、小説家でありながらポップ文化解説者、美術批評家というユニークなアートライターです。ブレイスウェルの、今世紀半ばのマンハッタンの建築と1950年代のフィルムノワールの視覚的比較は、モリスのペインティングに歴史的な魅力を加えています。

サラ・モリスの新しい絵画と映像作品は、アメリカのモダニズムの豊かな伝統と関連している。それは、1940年代後半、写真でニューヨークの通りと建物を研究したテッド・クローナーの即時的な印象派[図34]、あるいはアレクサンダー・マッケンドリックの映画『成功の甘き香り』(1957) の不穏な魅力、そしてニューヨークのレイモンド・フッド——1929年から1939年のミッドタウンのロックフェラー・センターに代表される——といった建築家たちの建築上のステートメントから派生したものとして見ることができる。

ソーステキスト60：
マイケル・ブレイスウェル「A Cultural Context for Sarah Morris」『Sarah Morris: Modern Worlds』1999年

この比較は、単純にモリスの絵画「のように見える」他のイメージを例示しているのではありません。そうではなく、現代都市へのアーティストの関心を歴史化し、考えられうる先例を提案することで、読者が彼女の作品を思考するためにそれらを便利に利用できるようにしています。
デイブ・ヒッキーが記すように(ソーステキスト44)、過去の「芸術作品とは、驚くべき新しい状況のニーズに縁組みされ、育てられ、教育される準備が整った"家なき子"なの」です。

＞ひとりのアーティストに関するカタログエッセイ（ストーリーテリング形式）

同じ巡回展覧会のカタログに収められたヤン・ウィンケルマンのエッセイは、有名人たちの登場する上流階層のハラハラさせるような裏話からはじまります。ウィンケルマンと関わりのある人物は、アーティストからの招待状には、バスルームの床を背景に、サンダルを履いて完璧にペディキュアが施された脚が写った不可解なスナップショットが印刷されていたと明かしています。

1995年8月19日、マイク・タイソンが刑務所から釈放されたあとの最初のボクシングの試合は、前述の複合ホテルで行われた。11時、サラ・モリス、ジェイ・ジョプリング、ジェニファー・ルベルはラスベガスへと飛び、このビッグイベントのチケットを手に入れることに成功した。ゴールデン・ナゲットホテルは、この種のイベントの雰囲気を形づくるB級セレブたちと暗黒街のスターたちの、まがい物の魅力に満ちた振る舞いを観察するための最適なセッティングを提供していた。アイアン・マイクは——そのニックネームの期待を裏切らず——最初のラウンドが終わる7秒前にピーター・マクニーリーをノックアウトし勝利。サラ・モリスは戦いの直前にMGMカジノのバスルームで写真を撮った。

ソーステキスト61：
ヤン・ウィンケルマン「A Semiotics of Surface」『Sarah Morris: Modern Words』1999年

これは適切に選択されたストーリーです。良いゴシップでありながら、何よりもモリスのアートを「現実世界」へと埋め込み、型の崩れたグリッド模様とラスベガスの息苦しい魅力の雰囲気を読者に紹介することで、それらが一緒になって、モリスのきらびやかな絵画の世界を要約しています。

＞ひとりのアーティストに関するカタログエッセイ（視覚的証拠を通して考えを実証）

この有名なふたりのアートライター——イザベル・グラウとダグラス・クープランド——は、アートギャラリーで壁にかけられた抽象絵画を観察する実際の鑑賞者と、街を歩きながらガラス張りの高層ビルを見上げる想像上の都市生活者を融合することで、断片的にサラ・モリスのアートを紹介します[1]。2人の批評家たちは、事実上同じ比喩を使っているにも関わらず、

[図34] テッド・クローナー《Central Park South》1947〜1948年

その比喩はそれぞれを異なる方向へと導きます。グラウは、これらのファザードの裏に匿名の権力が潜んでいるとして政治的解釈に傾く一方、クープランドはファサードを顔としてイメージし、絵画を奇妙で抽象的な肖像画に変換します。

ハンブルガー・バーンホフでのアーティストの最新のインスタレーションは［…］絵画が壁の全面に掛けられているために、鑑賞者は文字通りそれらに取り囲まれることになる。どこを見ても、どこを振り返っても、そこには空へ広がる幾何学的なグリッドがあった。そして次の絵に目を向けた瞬間、まるで自分が本当に高層ビルとこのきらめくファサードに取り囲まれているかのように全てが旋回しはじめた［1］。それを見上げることは、平衡を失うことを意味した［2］。この幻覚的な効果はもちろん、権力だけを分離して観察することはできないという事実を示しているのだろう。客観的な分析をするまでもなく、権力は光を放って目をくらまし、ときに巻き込みさえするからだ。そして今日、もはや権力の「中心」はどこにも存在しない。それはどこにでもあって、どこにもないのだ［3］。

ソーステキスト62：

イザベル・グラウ　英語訳キャサリン・シェルバート「Reading the Capital: Sarah Morris' New Pictures」『The Mystery of Painting』

ここでは、批評家のイザベル・グラウは、現象学の論理的アプローチをとっていると言えるでしょう。作品の外観——もしくは「現象」——の直接的な「内的」経験、あるいは身体的な経験に特権を与え、この経験によって生成された感覚と連想を言葉に置き換えています［2］。グラウは、ギャラリーでモリスの絵画に囲まれている様子を、最初は高層ビルに囲まれた目が回るような感覚［1］になぞらえ、次にこの印象をさらに抽象化させていきます。つまり、全体的な「幻覚的」効果は、あらゆるものに染み渡った目に見えない権力の力を示唆している、とグラウはいいます［3］。

ダグラス・クープランドは鬼才の有名小説家でありながら、アートへの執筆の能力でも高く評価されています。

旅を多くしてきたものとして、私はモリスの作品は旅行記でも、うわべだけの圧縮作業でもないという感覚がある[1]。それはもっと肖像画のフォームであり、奇妙なことに、19世紀の肖像画——材木王、織物工場の所有者、牧場主の顔に見えるのだ[2]。彼らはみんな、はつらつとして光沢があり、ふくよかで産業資本主義の戦利品を楽しんでいる[3]。[…]鑑賞者はこの肖像画に部外者として接近する。鑑賞者はグリッドを見上げながら[1]、マディソン・アベニューや通りを降りていく。そして鑑賞者は頭のなかでゲームを楽しむ。誰がその窓の後ろに座っているのか、そこではどんなドラマが起こっているのか——買収のバトルか、それとも新しいインクカートリッジが必要なコピー機との格闘なのか[4]。

ソーステキスト63:
ダグラス・クープランド「Behind the Glass Curtain」『Sarah Morris: Bar Nothing』2004年

クープランドは、「私」という一人称を用いることで、非常に独特な解釈を強調しています[1]。モリスのファサードは肖像画のようだというこのアイデアは、彼がどういうわけかキャンバスから導き出した少し昔の資本主義者たちのイメージによって活気づきます。それらの肖像は「材木王」「織物工場の所有者」「牧場主」という具体的な名詞で鮮やかに描写されています[2]。フィクション小説家であるクープランドは、これら全ての窓の向こう側にいる「顔」[3]、企業の冷戦かオフィスの日常に従事している想像上の住民を作り出します[4]。これを読んだあとには、鑑賞者は、「部外者」として絵画に接近し、モリスの絵画を見ながら都市の通りを歩き、そしてまた同時にガラスの壁の向こうで何が行われているかを当ててみたくなるはずです。

>アーティストステートメント

モリスは彼女自身の作品の非常に優秀な代弁者です。このステートメントでは、アーティストが、彼女が考えるアートがなすべきことを言語化しています[1]。彼女にとって重要なことは、全てのもの——アートだけでなく——の消費のされ方、受け取られ方にあるということを伝え［2］、そして最後に彼女を間接的に感化した、特に魅惑的な国際的オブジェクトと場所を正確に特定（色、ブランド）しています［3］。

アートは常に、最低でもふたつのことをなさねばならない。人々の見栄えを良くすること。権威に対する懐疑論と戯れること［1］。アーティストが、美しい輪飾りを作ろうと、落書きを描こうと、工業素材を利用しようと、ポルノを再利用しようと、工芸について議論しようと、常に政治的な問題を回避することはできないのと同様、どこで物事は終わるのか、それらがどのように利用されているか、アーティストによってどのようにそれらが具現化されているかを無関係だと言うことはできない。言い換えれば、ものがどのように消費され、どのように受け取られるかは、ものがどのように生産されるかと等しく重要だということだ［2］。黄色いランボルギーニ・ミウラ、ダレス国際空港の内装、プリンセスシリーズのプッシュ式電話機、オリベッティ・バレンタインの赤色と『コンクリート・アイランド』の背表紙、中国のパンダのタバコの淡緑色とルフトハンザ航空のブランケットとアメリカン・エアラインのカクテルナプキン［3］、これらが良い例だろう。

ソーステキスト64：

サラ・モリス「A Few Observations on Taste or Advertisements for Myself」『Texte zur Kunst』2009年

結　び

How to read about contemporary art
コンテンポラリーアートの読み方

複数のライティングを比較する最終章は、異なる作家たちが「何を」、「どのように」述べているのか？　を見ていく点で、『How to Read About Contemporary Art』と題されてもおかしくないような内容でした（もしかしたらこの本全体がそうかもしれません）。

大量のコンテンポラリーアートを見て、可能な限りたくさんの文章を読み、お気に入りのライター（もちろんそこにライターの種類は関係しません）がどのように自身の考察を伝えているかを分析する——駆け出しアートライターにとってこれ以上のことは何もありません。それが成功している理由は、作品に対するライターの素晴らしい洞察力なのか。あるいは心を打つ言葉の豊富さなのか。またあるいは言葉に示唆されるライターの博学さなのか。内容だけではなく（彼女らは何を伝えているのか）、スタイルも読むことを心がけてください（彼らはどのように伝えているのか）。盗用はもちろんいけませんが、他のライターたちの偉大なテクニックと印象的な言葉を盗むのは自由です。

あなたはアートに興味をもつ全ての人に、有意義に語りかける文章を望んでいるはずです。何かを解き明かすばかりか、さらに謎を残していくようなテキストは破棄し、やり直しましょう。アートを嫌う読者に媚びるようなテキストは、自慢できるものではありません。作品の鑑賞経験と、それによって引き起こされた自分の考えを信じましょう。作品についての本物の知識を獲得することで、あなたの考えを強化するのです——これはアートライティングに伴う「恐怖」を減らすための最短ルートです。

展覧会を楽しんでいたにもかかわらず、展覧会カタログを読んだ途端に置き去りになったように感じたとき、美術館の壁面テキストを読んだ途端、興味深い作品が何か憎らしいものに変わったとき——そのような文章は失敗と見なされなければいけません。アートライターの仕事はアートの愉しさを、曇らせたり破壊したりするのではなく、高めることにあるべきです。

優れたアートライターは、何かを伝えるのに苦労しているような素振りは見せません。また、これまで言われてきたことを繰り返したり、ジャーゴンに固執して自分の言葉の重みを増そうとしたりすることもありません。アートライターのゴールは、読者を威圧することではないのです。

優れたアートライティングは、アートの価値を知っています。それゆえ、アートの価値は無理にこじつけられる必要はなく、ただ愉しんで発見され、それが分かりやすい言葉で伝えられるだけなのです。

原文注釈

序　論

Section 1

[1] ジョン・ラスキン「Modern Painters IV」vol.3(1856年) ジョン・D・ローゼンバーグ編『The Genius of John Ruskin: Selection from His Writings』(University of Virginia Press、バージニア州シャーロッツビル、1998年) 91ページ

Section 2

[2] アリックス・ルール、デイヴィッド・レヴィーン「International Art English」『Triple Canopy』16(2012年5月〜7月) https://www.canopycanopycanopy.com/contents/issue_16_broadsheet

[3] アンディ・ベケット「A User's Guide to Artspeak」『Guardian』(2013年1月17日) https://www.theguardian.com/artanddesign/2013/jan/27/users-guide-international-art-english、モスタファ・ヘッダヤ「When Artspeak Masks Oppression」『Hyperallergic』(2012年3月6日) https://hyperallergic.com/66348/when-artspeak-masks-oppression/、ヒト・シュタイエル「International Disco Latin」『e-flux journal』45(2013年5月) https://www.e-flux.com/journal/45/60100/international-disco-latin/ マーサ・ロスラー「English and All That」『e-flux journal』45(2013年5月) https://www.e-flux.com/journal/45/60103/english-and-all-that/

[4] 「Editorial: Mind your language」『Burlington』1320、vol.155(2013年3月) 151ページ。および、テートブリテンの「心を沈ませる、口やかましい絵画キャプション」を除け、キャプションフリーの展示を行うという新方針に対してコメントするリチャード・ドルメント「Walk through British Art, Tate Britain, review」『Daily Telegraph』(2013年5月13日) https://www.telegraph.co.uk/culture/art/art-reviews/10053531/Walk-Through-British-Art-Tate-Britain-review.htmlを参照のこと。

[5] ジュリアン・スタラブラス「Rhetoric of the Image: on Contemporary Curating」『Artforum』7、vol.51(2013年3月) 71ページ

[6] 例えば、ロンドン、ロイヤル・カレッジ・オブ・アートのクリティカル・ライティング・イン・アート・アンド・デザインMAプログラム。ロンドン大学、ゴールドスミス・カレッジのアートライティングMFAプログラム。ニューヨーク、スクール・オブ・ビジュアルアーツのアート・クリティシズム・アンド・ライティングMFAプログラム。シカゴ美術館付属美術大学のモダンアート・ヒストリー・セオリー・クリティシズムMAプログラム。ニューヨーク、コロンビア大学、モダンアート：クリティカル・アンド・キュレトリアル・スタディーズMAプログラム。

[7] 例えばデニス・クーパー『Closer』(1989年) [浜野アキオ訳『クローサー』(大栄出版、1994)]、トム・マッカーシー『Remainder』(2006年)、リン・ティルマン『American Genius, A Comedy』(2006年)、ソール・アントン『Warhol's Dream』(2007年)、カトリーナ・パーマー『The Dark Object』(2010年)。ドン・デリーロの『Point Omega』(2010年) [都甲幸治訳『ポイント・オメガ』水声社、2018年] は、ダグラス・ゴードンのビデオインスタレーション《24時間サイコ》(1993年) として我々が認識するものに対する著者の非常に詳細な説明がストーリーを支えている。

第1章

[8] ニューヨーク・スクール・オブ・ビジュアルアーツでのピーター・シェルダールのレクチャー(2010年11月18日) に基づき編集された記事「Of Ourselves and of Our 8 Origins: Subjects of Art」『frieze』137(2011年3月) https://frieze.com/article/ourselves-and-our-origins-subjects-art)

[9] スーザン・ソンタグ「Against Interpretation」(1964年)『Against Interpretation』(Doubleday、トロント、1990年) 14ページ [高橋康也他訳『反解釈』(新版／文庫版、筑摩書房、1996年) 33ページ]

Section 1

[10] 『Blackbird』1、vol.3に掲載されるメアリー・フリンによるピーター・シェルダールへのインタビュー (2004年春) https://blackbird.vcu.edu/v3n1/gallery/schjeldahl_p/interview_text.htm

[11] バリー・シュワブスキー「Criticism and Self-Criticism」『The Brooklyn Rall』(2012年12月〜2013年1月) https://brooklynrail.org/2012/12/artseen/criticism-and-self-criticism

Section 2

[12] アーサー・C・ダントー「From Philosophy to Art Criticism」『American Art』1、vol.16 (2002年春) 14ページ

[13] 例えばこれはレーン・レリア「All Over and At Once」(2003年) ラファエル・ルービンシュタイン編『Critical Mess: Art Critics on the State of the 13 Practice』(Hard Press、マサチューセッツ州レノックス、2006年) 51ページで提言されている。

[14] ボリス・グロイス「Critical Reflections」『Art Power』(MIT Press、マサチューセッツ州ケンブリッジ、2008年) 111ページ [石田圭子、齋木克裕、三本松倫代、角尾宣信訳「批評的省察」『Art Power』(現代企画室、2017年) 180ページ]

[15] おそらく、私たちの知る最古のアートライティングは、紀元前6世紀に建てられたバビロニアの世界最古の博物館で発見されたものである。この石製のラベルは、そのラベルよりもさらに16世紀以上前に制作された工芸品に付随しており、古代のオブジェクトの忘れられた起源を説明している。

ジョフリー・D・ルイス「Collections, Collectors and Museums: A Brief World Survey」ジョン・M・A・トンプソン編『Manual of Curatorship: A Guide to Museum Practice』(Butterworth/The Museums Association、ロンドン、1984年) 7ページ

[16] アンドリュー・ハント「Minor Curating?」『Journal of Visual Arts Practice』2、vol.9 (2010年12月) 154ページ

[17] アメリカの新聞の調査によると、批評家の40パーセントが自身で作品を作ったことがあるという。アンドラーシュ・サーントー編『The Visual Art Critic: A Survey of Art Critics at General-Interest News Publications in America』(Columbia University、ニューヨーク、2002年) 14ページ、http://www.najp.org/publications/researchreports/tvac.pdf

Section 3

[18] 前掲書、シェルダール「Of Ourselves」

[19] サラ・ソーントン『Seven Days in the Art World』(Granta、ロンドン、2008年) で引用されるロベルタ・スミスの発言、172ページ

[20] ノア・ホロヴィッツ『Art of the Deal: Contemporary Art in a Global Financial Market』(プリンストン大学出版局、プリンストン、2011年) 135ページを参照。また、ベン・ルイス「So Who Put the Con in Contemporary Art?」『Evening Standard』(2007年11月16日)、および、この記事に対するコメントを示したジェニファー・イギー「Con Man」『frieze blog』(2007年12月3日) http://blog.frieze.com/con_man/ を参照。

[21] 前掲、マーサ・ロスラー「English and All That」

[22] ダニエル・A・ジーデル「Academic Art Criticism」エルキンズ、ニューマン編『The State of Art Criticism』(Routledge、ニューヨーク/オックスフォード、2008年) 245ページで引用されるデイブ・ヒッキーの発言に基づく。

[23] エレノア・ハートニー「What Are Critics For?」『American Art』1、vol.16(2002年春) 7ページ

[24] レーン・レリア「After Criticism」アレクサンダー・ドゥンバゼ、スザンヌ・ハドソン編『Contemporary Art: 1989 to the Present』(Wiley Blackwell、オックスフォード、2013年) 360ページ

[25] http://www.cifo.org/blog/?p=1161&option=com_wordpress&Itemid=24 [原文リンク切れ]

[26] ジョン・ケルシー「The Hack」バーンバウム、グラウ編『Canvases and Careers Today: Criticism and its Markets』(Sternberg Press、ベルリン、2008年) 73ページ

[27] 同書、70ページ

[28] フランシス・スターク「Pull Quotable」『Collected Writings 1993–2003』(Book Works、ロンドン、2003年) 68～69ページ

[29] http://60wrdmin.org/home.html

Section 4

[30] ジェームズ・エルキンズが『Grove (Oxford) Dictionary of Art』に投稿した「Art Criticism」https://www.academia.edu/163427/Art_Criticism_dictionary_essay_、および、トマス・クロー『Painters in Public Life in Eighteenth- Century Paris』(イェール大学出版局、ニューヘイブン/ロンドン、1985年)6ページを参照。

[31] シャルル・ボードレール「The Salon of 1846」(Michel Lévy frères、パリ、1846年)[シャルル・ボードレール、阿部良雄訳「1846年のサロン」『ボードレール批評〈1〉』(ちくま学芸文庫、1992年)82ページ]

[32] 前掲書、クロー『Painters in Public Life in Eighteenth- Century Paris』1〜3ページ

[33] 前掲書、サーントー『The Visual Art Critic』9ページ。前掲書、ジェームズ・エルキンズ「What Happened to Art Criticism?」(ルービンシュタイン編『Critical Mess』)8ページ

[34] 前掲書、ケルシー「The Hack」バーンバウム、グラウ編『Canvases and Careers Today』69ページ、およびルーシー・リパード『Six Years: The Dematerialization of the Art Object from 1966 to 1972』(カリフォルニア大学出版、バークレー/ロサンゼルス、1973年)で論じられる。

[35] アンナ・ラヴァット「Rosalind Krauss: The Originality of the Avant-Garde and other Modernist Myths, 1985」リチャード・ショーン、ジョン・ポール・ストナード編『The Books that Shaped Art History』(Thames and Hudson、ロンドン/ニューヨーク、2013年)195ページ

[36] 例えば、前掲「Editorial: Mind your language」を参考のこと。

[37] 前掲、ルール、レヴィーン「International Art English」および、前掲、ベケット「A User's Guide to Artspeak」を参照。

[38] 対立解釈の注目すべき例は、グリーンバーグとハラルド・ローゼンバーグの、両者が称賛した動向である抽象表現主義への相反する意見である。ジェームズ・パネロ「The Critical Moment: Abstract Expressionism's Dueling Dio」『Humanities』4、vol.29 (2008年7〜8月) https://james-panero.squarespace.com/writing?offset=1221439680000

[39] スチュアート・モーガン著、イアン・ハント編『What the Butler Saw: Selected Writings』(Durian、ロンドン、1996年)14ページ

[40] ボリス・グロイスとブライアン・ディロンの対談「Who do You Think You're Talking To?」『frieze』121 (2009年3月) https://frieze.com/article/who-do-you-think-youre-talkingで、マシュー・アーノルド「The Function of Criticism at the Present Time」『The National Review』(1864年)の記述に対抗する意見として、オスカー・ワイルド『Intentions and Other Writings』(Doubleday、ニューヨーク、1891年)の「The Critic as Artist」での台詞が引用されている[オスカー・ワイルド「The Critic as Artist」は、国内では吉田健一による訳本、『芸術論—芸術家としての批評家』(要書房、1951年)、あるいは西村孝次訳『オスカー・ワイルド全集〈4〉』(青土社、1981年)に収録されている]。

[41] ドゥニ・ディドロ「Salon de 1765」ジェフリー・ブレムナー訳『Denis Diderot: Selected Writings on Art and Literature』(Penguin、ロンドン、1994年)236〜239ページ。対立解釈として、エマ・バーカー「Reading the Greuze Girl: the daughter's seduction」

『Representations』117(2012年)86～119ページがあげられる。

[42] http://www.cabinetmagazine.org/information/

[43] 前掲書、エルキンズ、ニューマン編『The State of Art Criticism』4ページの、マイケル・シュライヤッハ「The Recovery of Criticism」でのポール・ド・マンからの引用に基づく。

[44] この発言は、コメディアンのマーティン・マルやスティーヴ・マーティン、音楽家のローリー・アンダーソン、エルヴィス・コステロ、フランク・ザッパなどを含む多数の人物に由来するが、おおよそ20世紀初頭から存在する言葉であると考えられる。http://quoteinvestigator.com/2010/11/08/writing-about-music/を参照。

[45] すなわち、エルネスト・ラクラウとシャンタル・ムフの言葉を借りれば、「言語は反逆心が破壊するものを修正する試みとしてのみ存在する」。『Hegemony and Socialist Strategy: Towards Radical Democratic Politics』(Verso、ロンドン、1985年)125ページ

[46] ジョン・ヤウ「The Poet as Art Critic」『The American Poetry Review』3、vol.34(2005年5～6月)45～50ページを参照。

Section 5

[47] ダン・フォックス「Altercritics」『frieze』(2009年2月)
https://frieze.com/article/altercritics

[48] ヤン・ヴァーヴォールト「Talk to the Thing」前掲書、エルキンズ、ニューマン編『The State of Art Criticism』343ページ

[49] ルイ・アラゴン『Paris Peasant』(1926年)[佐藤朔訳『パリの農夫』思潮社、1988年]の「The Passage de l'Opera」という章の脚注より引用。

[50] 前掲書、グロイス「Critical Reflections」117ページ[「批評的省察」『アート・パワー』190ページ]

[51] Yelpの評論家のブライアン・ドロワクールについて書いた、オリット・ガトの記事「Art Criticism in the Age of Yelp」『Rhizome』(2013年12月)を参照。https://rhizome.org/editorial/2013/nov/12/art-criticism-age-yelp/

第2章

Section 1

[52] マリア・フスコ、マイケル・ニューマン、エイドリアン・リフキン、イヴ・ロマックス「11 Statements around art-writing」『Frieze blog』(2011年10月10日)https://frieze.com/article/11-statements-around-art-writing

[53] スティーヴン・キング『On Writing: A Memoir of the Craft』(Scribner、ニューヨーク／Hodder、ロンドン、2000年)127ページ

[54] Arthur M. Sackler Galleryの方針・分析部門による報告「An Analysis of Visitor Comment Books from Six Exhibitions」(2007年12月)https://www.si.edu/content/opanda/docs/Rpts2007/07.12.SacklerComments.Final.pdf

[55] このフレーズの出自にはいくつかの説があり、フレデリック・ハートの『Art: A History

of Painting, Sculpture, Architecture』(Prentice Hall、ニュージャージー州エングルウッド・クリフ／ Harry Abrams、ニューヨーク／ Thames & Hudson、ロンドン、1976年) 317ページでは、アルフォンス・ドーデの作だとされている。 他に、文章の多少の修正が見られるものの、美術批評家で詩人のテオフィル・ゴーティエ（フレッド・リヒト編『Goya in Perspective』Prentice Hall、ニュージャージー州エングルウッド・クリフ、ニューヨーク、1973年、162ページ)、画家のピエール＝オーギュスト・ルノワール（エドワード・J・オルシェウスキー「Exorcising Goya's "The Family of Charles IV"」『Artibus et Historiae』20巻、40号、1999年) 169〜185ページ（182〜183ページ）に帰するとするものもある。定評ある教科書、『Gardner's Art through the Ages』第6版（Harcourt Brace Jovanovich、ニューヨーク、1975年）は、名称不明の「故批評家はこの王室の肖像画を『宝くじに当たったばかりの食料品店屋とその家族』と述べる」としている。ソルヴェイの名前が最初に特定されたのは、アリサ・ルクセンブルク「Further Light on the Critical Reception of Goya's Family of Charles IV as Caricature」『Artibus et Historiae』46、vol.23（2002年) 179〜182ページである。

[56] ウィリアム・ストランク・ジュニア、E・B・ホワイト『The Elements of Style』第4版（Longman、ニューヨーク、1993年) 23ページ。[国内では『The Elements of Style』第3版の訳本が出版されている。（荒竹三郎訳『英語文章ルールブック』荒竹出版、1985年）]

[57] ソルヴェイらの想定とは異なり、ゴヤは革命や風刺を志してはいなかったという意見もあるため、この政治化された解釈は論争の的でもある。前掲書、ルクセンブルク「Further Light」を参照のこと。

[58] ピーター・プレイゲンス「At a Crossroads」（前掲書、ルービンシュタイン編『Critical Mess』) 117ページ

[59] http://artsheffield.org/artsheffield2010/as/41、2013年3月にアクセス。このアーティストの作品への他の有識者からの解説は以下を参照。クララ・キム「Vulnerability for an exploration」『Art in Asia』（2009年5、6月) 44〜45ページ、ジョアンナ・フィデュシャー「New skin for the old ceremony」『Kaleidoscope』10号（2011年春) 120〜124ページ、ダニエル・バーンバウム「First take: on Haegue Yang」『Artforum』41巻、5号（2003年1月) 123ページ。

Section 3

[60] タニア・ブルゲラ「The Museum Revisited」『Artforum』48巻、10号（2010年夏) 299ページ

[61] ジョン・トンプソン「Why I Trust Images More than Words」ジェレミー・アップカーマン、アイリーン・ダイリー編『The Collected Writings of Jon Thompson』(Ridinghouse、ロンドン、2011) 21ページ

[62] アマンダ・レンショー、ギルダ・ウィリアムズ・ルッジ『The Art Book for Children』(Phaidon、ロンドン／ニューヨーク、2005年) 65ページ

Section 4

[63] サム・バルダウリ「The Clash of the Icons in the Transmodern Age」ZOOM

Contemporary Art Fair(ニューヨーク、2010年) http://www.zoomartfair.com/Sam's%20Essay.pdf (リンク切れ)

[64] 「哲学と文学における駄文コンテスト」は1995年から1998年に開催された。以下URLを参照。http://www.denisdutton.com/bad_writing.htm

[65] 「Elad Lassry at Francesca Pia」『Contemporary Art Daily』(2011年5月16日) http://www.contemporaryartdaily.com/2011/05/elad-lassry-at-francesca-pia/
批評家が執筆したラスリーへのテキストは以下を読むと良い。ダグラス・クリンプ「Being Framed: on Elad Lassry at The Kitchen」『Artforum』51巻5号(2013年1月) 55～56ページ

[66] ジェームス・アトリー「Towards Anarchitecture: Gordon Matta-Clark and Le Corbusier」で引用されるゴードン・マッタ=クラークの発言(『Tate Papers-Tate's Online Research Journal』http://www.tate.org.uk/download/file/fid/7297)

[67] 前掲書、シェルダール「Of Ourselves」

[68] 前掲書、キング『On Writing』125ページ

[69] 免責事項:あらゆる事柄を執筆する導師としてわたしが敬愛するデヴィッド・フォスター・ウォレス(1962～2006年)は、無謀にも3つの副詞や3つの副詞句をつなぎあわせて、さらには不定詞をばらばらに分割している。「Performers...seem to mysteriously just suddenly appear」や「He...is hard not to sort of almost actually like」など。デヴィッド・フォスター・ウォレス「Big Red Son」(1998年)『Consider the Lobster and Other Essays』(Abacus、ロンドン、2005年) 38ページ
ウォレスの才能のほんの一欠片でもあれば、ほとんどあらゆる制約から逃れることが可能だが。そうでない限りは「過剰な副詞は殺す」ことは適切なアドバイスとなるだろう。

[70] ジョージ・キューブラー「The Limitations of Biography」『The Shape of Time: Remarks on the History of Things』(1962年) (Yale University Press、ニューヘヴン、2008年) を参照。

[71] たとえば、The Concise Oxford Dictionary of Art Terms、Grove Art Online、ニューヨーク近代美術館が公開するアート用語集、またTateのウェブサイトなど。ニューメディアに関しては、ビットマップやピクセル(「Picture Element」の略)を説明する必要があるときには、http://www.mediacollege.com/glossaryを参考にしている。

[72] ロバート・スミッソン「A Tour of the Monuments of Passaic, New Jersey」『Artforum』6巻4号(1967年12月)
ディヴィッド・バチェラー『Chromophobia』(Reaktion 、ロンドン、2000年) [田中裕介訳『クロモフォビア―色彩をめぐる思索と冒険』(青土社、2007年)]
カルヴィン・トムキンスは1960年から『ニューヨーカー』誌のライターとして、伝記を綴ったコラムを執筆している。

[73] A.ウェルビー・N.ピュージン『Contrasts: or a Parallel between the Noble Edifices of the Middle Ages and Corresponding Buildings of the Present Day; shewing the Present Decay of Taste』(ロンドン、1836年) [佐藤彰訳『対比』(中央公論美術出版、2017年)]

[74] オスカー・ワイルド『The Picture of Dorian Gray』(第2章)『Lippincott's Monthly Magazine』(フラデルフィア、1890年/ Ward Lock & Co、ロンドン、1891年)、[富士川義之訳『ドリアン・グレイの肖像』(改訳/ 文庫版、岩波書店、2019年) 52ページ]

Section 1

[75] 例えば、http://writingcenter.unc.edu/handouts/plagiarism/
[76] ニコラ・ブリオー『Relational Aesthetics』(1998年)(サイモン・プレサンス、フロンザ・ウッズ、マシュー・コープランド英訳、Les Presses du Réel、ディジョン、2002年)
[77] ミウォン・クォン『One Place After Another: Site-specific Art and Locational Identity』(マサチューセッツ州ケンブリッジ、MIT Press、2002年)

Section 2

[78] ジョン・イッポリート「Death by Wall Label」http://www.three.org/ippolito/.
[79] トムソン、クレイグヘッド「Decorative Newsfeeds」https://www.thomson-craighead.net/decncam.html
[80] 前掲、イッポリート「Death by Wall Label」
[81] ジョン・H・フォーク、リン・ディアーキング『The Museum Experience』(Whalesback Books、ワシントンDC、1992年) 71ページ
[82] 前掲「Editorial: mind your language」
[83] 『For Example: Dix-Huit Leçons Sur La Société Industrielle (Revision 12)』https://www.davidzwirner.com/exhibitions/example-dix-huit-le%C3%A7ons-sur-la-soci%C3%A9t%C3%A9-industrielle-revision-18/press-release
[84] これがプレスリリースであると100パーセント言い切れるわけではないが、少なくともプレスリリースが置かれるであろう芳名帳のとなりにあり、これ以外に他の印刷物も見当たらなかった。http://moussemagazine.it/michael-dean-herald-street/
[85] 「Clickety Click」http://moussemagazine.it/marie-lund-clickety/
[86] 「Episode 1: Germinal」http://www.contemporaryartdaily.com/2013/05/loretta-fahrenholz-at-halle-fur-kunst-luneburg/
繰り返しになるが、これが本当にプレスリリースだったのかは保証できない。
[87] 「The Venal Muse」https://www.contemporaryartdaily.com/2012/12/charles-mayton-at-balice-hertling/
[88] 「Hides on All Sides」http://www.benenson.ae/viewtopic.php?t=20046&p-45050
[89] トム・モートン「Second Thoughts: Mum and Dad Show」http://www.bard.edu/ccs/wp-content/uploads/RH9.Morton.pdf [リンク切れ]
[90] 例えば、イザベル・グラウ『High Price: Art Between the Market and Celebrity Culture』(Sternberg Press、ベルリン、2010年)、オーラブ・ヴェルデュイス『Talking Prices: Symbolic Meanings for Prices on the Market for Contemporary Art』(Princeton

University Press、ニュージャージー州プリンストン、2005年)。 以上は、ホロウィッツのリサーチを締める15ページの参考文献のうちのわずか2冊にすぎない。ノア・ホロウィッツ『Art of the Deal: Contemporary Art in a Global Financial Market』(Princeton University Press、ニュージャージー州プリンストン、2011年)

[91] 前掲書、ホロウィッツ『Art of the Deal』21ページ

[92] 同書、21ページ

[93] 原文は「affinies」だが、「affinities」に修正して掲載［および訳］している。

[94] 『Sotheby's Contemporary Art Evening Auction』(ロンドン、2012年10月12日)152ページ

[95] 『Andy Warhol's Green Car Crash (Green Burnin Car I)』(Christie's New York、2007年5月16日)

Section 3

[96] ニコ・イスラエル「Neo Rauch, David Zwirner」『Artforum』1、vol.44(2005年9月)301〜302ページ

[97] ジェリー・サルツ「Reason without Meaning」『The Village Voice』(2005年6月8〜14日)74ページ

[98] 『frieze』編集者による「Periodical Tables (Part 2)」『frieze』100 (2006年6〜8月) を参照のこと。https://frieze.com/article/periodical-tables-part-2
最新の人気アートブログを知りたい場合には エドワード・ウィンケルマン「Websites You Should Know」http://www.edwardwinkleman.com/ を見ると良い。

[99] ここであげた3つの記事は、『New York Time』に掲載されたロベルタ・スミスのものである。「Franz West is Dead at 65: Creator of an Art Universe」(2012年7月26日) https://www.nytimes.com/2012/07/27/arts/design/franz-west-influential-sculptor-dies-at-65.html、「Google Art Project Expands」(2012年4月3日) http://artsbeat.blogs.nytimes.com/2012/04/03/google-art-project-expands/、「Critic's Notebook: Lessons in Looking」(2012年3月6日) http://artsbeat.blogs.nytimes.com/2012/03/06/critics-notebook-lessons-in-looking/

[100] スミスは2011年に『New York Times』の美術批評共同チーフに任命された。イギリス人アーティストのパトリック・ブリルが自称するボブ&ロベルタ・スミスと混同しないよう注意。

[101] 前掲書、シュルダール「Of Ourselves」

[102] サラ・ソーントン『Seven Days in the Art World』(Granta、ロンドン、2008年)

[103] ベン・ルイス「『Seven Days in the Art World』by Sarah Thornton」『The Sunday Times』(2008年10月5日)
https://www.thetimes.co.uk/article/seven-days-in-the-art-world-by-sarah-thornton-zwbzhb9pxbf

[104] 例えば、ニューヨーク、Gagosian Galleryでのダミアン・ハーストの展覧会「The Complete Spot Paintings」(2012年1月〜3月) へのウィル・ブランドの強硬的なレビューの最後から二行目には「僕らはこのクソが大嫌いだ。誰もがこのクソを嫌ってる」とある。

ウィル・ブランド「Hirsts Spotted at Gagosian」『Art Fag City』(2012年1月4日) http://artfcity.com/2012/01/04/hirsts-spotted-at-gagosian/
および次を参照のこと、オリット・ガット「Art Criticism in the Age of Yelp」『Rhizome』(2013年11月12日) https://rhizome.org/editorial/2013/nov/12/art-criticism-age-yelp/

[105] 「ここに綴られているのは、コンテンポラリーアートマーケットの仕組みを巡る私の一年に及ぶ旅である」ドン・トンプソン『The $12 Million Stuffed Shark』(Palgrave Macmillan、ロンドン/ニューヨーク、2008年) 7ページ

[106] ヒッキーの人気に異議を唱える者がいないわけではない。例えば、アメリア・ジョーンズ「"Every Man Knows Where and How Beauty Gives Him Pleasure" Beauty Discourse and the Logic of Aesthetics」エモリー・エリオット、ルイス・フレイタス・ケイトン、ジェフリー・リーン編『Aesthetics in a Multicultural Age』(Oxford University Press、オックスフォード/ニューヨーク、2002年) 215～240ページ

[107] 2012年、ヒッキーは「汚れた…愚かな」アートワールドを降りると宣言している。https://www.theguardian.com/artanddesign/2012/oct/28/art-critic-dave-hickey-quits-art-world

[108] https://www.uoguelph.ca/arts/sofam/events/shenkman-lecture-contemporary-art-presents-dave-hickey
ヒッキーの執筆の選集は以下に収録されている。『The Invisible Dragon: Four Essays on Beauty』(Art Issues Press、ロサンゼルス、1993年/改訂版・University of Chicago Press、イリノイ州シカゴ、2012年)、『Air Guitar: Essays on Art and Democracy』(Art Issues Press、ロサンゼルス、1997年)

[109] http://www.schulich.yorku.ca/SSB-Extra/connect2009.nsf/docs/Biography+-+Don+Thompson [リンク切れ]

[110] マルセル・プルーストの小説『Swann's Way』(1913年) [『スワン家のほうへ』] には、話者が紅茶に浸したマドレーヌを一切れ口に入れたのをきっかけとして、感傷と記憶の波が引き起こされるという有名な冒頭シーンがあり、これが7巻組の『In Search of Lost Time』[『失われた時を求めて』] を幕開ける。

[111] 《Thirty Pieces of Silver》(《30枚のシルバー》) になにか聞き馴染みがあると思う人がいるかもしれない。それは銀貨30枚が、イスカリオテのユダがイエスを売った報酬だっただからだ。『Matthew』[『マタイ福音書』] 26:14～16

[112] ブルース・ヘインリー『Tom Friedman』(Phaidon、ロンドン/ニューヨーク、2001年) 44～85ページ

[113] これについて詳しく知りたい場合は、Printed Matterや、Whitechapelギャラリーのロンドン・アートブックフェア、またたくさんの都市で開催されている無数の小規模アートブックフェアで、これを専門とする会場を見てみると良い。

[114] カール・アンドレ、ロバート・バリー、ダグラス・ヒューブラー、ジョゼフ・コスース、ソル・ルウィット、ロバート・モリス、ローレンス・ウェイナー。制作されたA4サイズの『Xerox Book』[『ゼロックス・ブック』] はその後、コピーし印刷された。

[115] 「若い読者層は電子書籍より紙を選ぶ」『Guardian』(2013年11月25日) https://www.theguardian.com/books/2013/nov/25/young-adult-readers-prefer-printed-ebooks

[116] アリス・クライシャー、マックス・ジョージ・ヒンダラー、アンドレアス・ジークマンによってキュレーションされたこの展覧会は、ベルリン、世界文化の家で2010年の10月8日から2011年1月2日にかけて開催された。展示を行うアーティストについて論じた「正統派」展覧会カタログはウェブで読むことができる。

[117] 「アート、メディア、複製、流通システムに関する広く知られた図解入りマニフェスト」(https://www.eai.org/artists/seth-price/biography) であるセス・プライスの『Dispersion』[『分散』] は2001年から2002年のリュブリャナ・ビエンナーレ・オブ・グラフィック・アーツで最初に発表されたのちに、アーティストの本として出版された。http://www. distributedhistory.com/Disperzone.htmlを参照のこと。

[118] キュレーションをアンソニー・ヒューバーマン、デザインをウィル・ホルダーが務める。セントルイス現代美術館、ICAロンドン、デトロイト現代美術館、デ・アプル・アートセンター(アムステルダム)、クルトゥジェスト(リスボン)

[119] ブルース・ナウマンの発言は以下より引用、ヒューバーマン他『For the blind man in the dark room looking for the black cat that isn't there』(セントルイス現代美術館、2009年) 94ページ

[120] 芸術監督をキャロライン・クリストフ＝バカルギエフ、出版責任者をベッティーナ・フンケが務める (Hatje Cantz、オストフィルダーン、2012年)。

Section 4

[121] http://www.artybollocks.com/#

[122] クリスティン・スタイルズ、ピーター・セルツ『Theories and Documents of Contemporary Art: A Sourcebook of Artists' Writings』(University of California Press、バークレー／ロサンゼルス、1996年、クリスティン・スタイルズによって改訂された第2版は2012年出版)

[123] 1967年のネオンで照らされた、渦巻き模様の窓あるいは壁看板から引用されたブルース・ナウマンのフレーズ。https://www.philamuseum.org/collections/permanent/31965.htmlを参照。

[124] 「私も何かを売って人生で成功できないだろうかと自問した。長い間、何もうまくいかなかった…」。1946年、パリ、Galerie Saint-Laurentでの最初の展覧会の招待状に綴られたブロータスのコメント。次を参照のこと。レイチェル・ハイドゥ『The Absence of Work: Marcel Broodthaers: 1964–1976』(MIT Press、マサチューセッツ州ケンブリッジ、2010年) 1ページ

Section 5

[125] 例えば、「この抽象画は鑑賞者を渦のように引き寄せる」『BlouinArtinfo』http://www.blouinartinfo.com/artists/sarah-morris-128620(ウィキペディアから引用) [リンク切れ]、「彼女の絵画は時間の経過とともに方向感覚が混乱していき、内部の渦のような空間

がキャンバスの現実性を超えて絵画を引きだすように働いている」https://whitecube.com/exhibitions/exhibition/sarah_morris_hoxton_square_2004など小さな変更とともにこの言葉はウェブ上で繰り返されている。

[126] エイドリアン・サール「Dazzled by the Rings」『Guardian』（2008年7月29日）https://www.theguardian.com/artanddesign/2008/jul/30/art.olympicgames2008

あとがきにかえて
コンテンポラリーアートについて書くことは、
可能性に満ちた領域の扉を開くことだ

後藤繁雄（京都造形芸術大学教授 GOTO LAB主宰 監修者を代表して）

21世紀も20年代に突入し、アートワールドはますます大変化のなかにあります。デジタルトランスフォーメーション、経済のグローバル化による社会の加速化は、あらゆるところで非対称的な事態を引き起こしており、文化全体が不安定で流動化しているのです。このようななかでは既存のアカデミズムも再編とアップデートが必須になります。今までのアートセオリー やアートシンキングから、キュレーター、美術館や教育のあり方まで、全ての既存の方程式が問い直されることに直面しています。

ギルダ・ウィリアムズの『How to Write About Contemporary Art：コンテンポラリーアートライティングの技術』は、彼女が20年以上にわたり、アートワールドで体験し、自ら実践し、また大学などの教育の場で教えてきた現在進行形の「生きた」本です。

ギルダ自身が序章で書いているように、今やアートについての定式的な書き方なんてありません。この本が、「ハウツー」という実用書タイプのタイトルを装っているのは、ある意味での意図的な皮肉でもあるのです（ギルダは、この本が2014年に出版された時に、インタビューでもそう答えていました）。

過去30年コンテンポラリーアートがマーケットで、売り上げ的にも急成長し、なおかつプライマリーギャラリーとオークション会社というかつては相反する価値のシステムが、新たなステージにシフトしていくときに、「いかに書くか」は、極めて重要なことになりました。

なぜならば、アートワールドに参入してくる新たなプレイヤーたちは、アーティストからアートコレクターにいたるまで皆、何らかの形でライティングを求められ、またブログなど、従来に無かったメディアでの発信をすることが増大したからです。アーティストが、自らステートメントを書けることは今や必須なのです。

ギルダ・ウィリアムズは、そのような、さまざまなアートワールドで使われているライティングをセレクトし、対比し、成功点と失敗点を説得力をもって、徹底的に解析します。

大学の論文、マガジンのコラム、ギャラリーや美術館のプレスリリース、ウェブサイトのブログ。アーティストやアート編集に関わる者だけでなく、投資家やコレクターなどにとって、ギルダのセレクトは、「伝わるアートライティング」の重要な判例集になるはずです。

ギルダ・ウイリアムズは美術評論家であり、現在イギリスのロンドン大学ゴールドスミスカレッジの教授。ロイヤルカレッジオブアートやセントラルセントマーチンズなどの大学でゲストレクチャーも行っています。また『Artforum』のロンドン特派員であり、他の多くの美術雑誌にも寄稿しています。

1994年から2005年まで、出版社 Phaidon Pressで現代美術の編集を行い、コミッショニングエディターとして、「現代アーティスト」シリーズの50冊以上の本にかかわりました。著書に『The Gothic』(Whitechapel Gallery、2007)、『ON & BY Andy Warhol』(Whitechapel Gallery、2016) があります。

本書『How to Write About Contemporary Art :コンテンポラリーアートライティングの技術』は、そのような長いキャリアを持つギルダが、自分が蓄積してきた知見の全てを込めて書いた、これからのコンテンポラリーアートライティングの基礎となる、アートに関わる者、全てが必読の本だといえます。

また付け加えるならば、ギルダだけでなく、ギルダがリスペクトする多くの欧米のライターたち、ピーター・シェルダールやデイブ・ヒッキー、リン・ティルマンらのライティングにも触れることができるのも重要です。非英語圏の日本は今まで、どうしてもリアルタイムでのアートジャーナルからは取り残され、かろうじて翻訳された原理言論だけでアートを論じがちでした。したがって、今挙げたライターたちは翻訳がないために重要なプレイヤーにもかかわらず眼中になかったのです。しかし、オンラインと自動翻訳・通訳の時代になり、状況は大きく変化していくでしょう。コンテンポラリーアートライティングの未来を考えた時、その変化を重視しなくてはならなくなるでしょう。
　グローバルに通用するアートライティングとは何か。従来の定式は失効するでしょう。

ギルダ・ウィリアムズは本書では明言してはいませんが、その後のインタビューで、自らが優れたアートライターでもあるアーティストたち、例えば、ヒト・シュタイエル、フランシス・ターク、リアム・ギリック、ジョン・ケルシー、セス・プライスらを挙げて、ライティングとクリエーションが新しいパラダイムにシフトしていることを重視していますし、また評論の新たな可能性としても、オリビア・レインやブライアン・ディロン、マーティン・ハーバートらを挙げています。ちなみに、彼らの論考はほとんど訳書はありません。しかし、ネットでは読むことができます。彼ら／彼女らが、リアルタイムでどのようにライティングしているかが、わかる時代になっているのです。
　アーティストだけでなく、新しいタイプのアートライターが登場するでしょう。

また、原書には、巻末に英文法の基本的なルールについてリストした「グラマールール（およびそれを破るとき）」という章があります（ちなみに、ウィリアムズは、英語を現時点のアートワールドの共通語としながら、「それも一体いつまで続くのか？」と英語の覇権にささやかな疑問を呈しています）。英語のテキストブックでは無いため、訳本に際しては省きましたが、英文での記述や論文に挑戦される方は、ぜひ原本で参照していただきたく思います。

最後ですが、この本は京都造形芸術大学で教鞭をとる後藤繁雄のゼミ、「コンテンポラリーアートストラテジーゼミ生」と「通信大学院生」からなるGOTO LABのメンバーにより監修され、つくられました（訳文は山下萌子が中心となっています）。
　今後も、本書を活用して、新たなアートワールドへ参入する人材の育成につとめて行きたいと考えております。

ソーステキストリスト

第1章

1 ヴァルター・ベンヤミン著、山口裕之編・訳「歴史の概念について」『ベンヤミン・アンソロジー』(河出書房新社、2011年) 367～368ページ [「Theses on the History of Philosophy」ハリー・ゾーン英訳、ハンナ・アーレント編『Illuminations』(Pimlico、1999年) 249ページ]

第2章

2 オクウィ・エンヴェゾー「Documents into Monuments: Archives as Meditations in Time」エンヴェゾー編『Archive Fever: Photography between History and the Monument』(International Center for Photography、ニューヨーク/Steidl、ゲッティンゲン、2008年) 23～26ページ

3 トマス・クロウ『The Rise of the Sixties』(1996年) (Laurence King、ロンドン、2004年) 23～24ページ

4 ロザリンド・E・クラウス著、井上康彦訳「シンディ・シャーマン」『独身者たち』(平凡社、2018年) 122～124ページ [「Cindy Sherman: Untitled」(1993年) 初めて公開されたのは『Cindy Sherman 1975–1993』(Rizzoli International、ニューヨーク、1993年) 118ページ。および『Bachelors』(MIT Press、マサチューセッツ州ケンブリッジ、2000年) 122ページに収録される。]

5 ジェリー・サルツ「20 Things I Really Liked at the Art Fairs」『New York Magazine』(2013年3月25日) http://www.vulture.com/2013/03/saltz-armory-show-favorites.html

6 デヴィッド・シルヴェスター「Picasso and Duchamp」1978年のレクチャーに基づき編集(1989)。以前には、『Scritti in onore di Giuliano Briganti』(Longanesi、ミラノ、1990年)に「Bicycle Parts」として掲載。また『Modern Painters』4、vol.5 (1992年) および『About Modern Art: Critical Essays 1948–96』(Chatto & Windus、ロンドン、1996年) 417ページに掲載されている。

7 スチュアート・モーガン「Playing for Time」『Fiona Rae』(Waddington Galleries、ロンドン、1991年) ページ表記なし

8 デール・マクファーランド「Beautiful Things: On Wolfgang Tillmans」『frieze』48 (1999年9、10月) https://frieze.com/article/beautiful-things [原書に掲載されたURLはリンク切れのため更新されたリンクを掲載]

9 ヒト・シュタイエル「In Defense of the Poor Image」『e-flux journal』10 (2009年11月) ページ表記なし、http://www.e-flux.com/journal/in-defense-of-the-poor-image/

10 ジョン・ケルシー「Cars. Women」『Peter Fischli & David Weiss: Flowers & Questions: A Retrospective』(Tate、ロンドン、2006年) 49～51ページ、50～51ページ

11 レオ・スタインバーグ「The Flatbed Picture Plan」ニューヨーク近代美術館でのレクチャーに基づき編集(1968年)。「Reflections on the State of Criticism」として『Artforum』10、no.7(1972年3月)37〜29ページに最初に公開される。その後、『Other Criteria: Confrontations with Twentieth-Century Art』(University of Chicago、イリノイ州シカゴ、2007年)61〜98ページに再版。

12 マンシア・ディアワラ「Talk of the Town: Seydou Keïta」(1998年)初めて公開されたのは『Artforum』6、vol.36(1998年2月)。および、オル・オギベ、オクウィ・エンヴェゾー編『Reading the Contemporary: African Art from Theory to the Marketplace』(Iniva、ロンドン、1999年)241ページに掲載される。

13 ブライアン・ディロン「Andy Warhol's Magic Disease」『Tormented Hope: Nine Hypochondriac Lives』(Penguin、ロンドン、2009年)238ページ

14 デイブ・ヒッキー「Fear and Loathing Goes to Hell」『This Long Century』(2012)、http://www.thislongcentury.com/?p=958

15 マイケル・フリード「芸術と客体性」川田都樹子、藤枝晃雄訳『批評空間　モダニズムのハード・コア《現代美術批評の地平》』(太田出版、1995年)のトニー・スミスの引用。[「Art and Objecthood」『Artforum』5(1967年6月)12〜23ページ]

16 クレア・ビショップ「第九章――教育におけるプロジェクト:『いかに芸術作品であるかのように、授業を生きさせるか』」大森俊克訳『人工地獄　現代アートと観客の政治学』(フィルムアート社、2016年)[「Artificial Hells: Participatory Art and the Politics of Spectatorship」(Verso、ロンドン、2012年)256〜257ページ]

17 ネガール・アジミ「Fluffy Farhad」『Bidoun』20(2010年春)https://archive.bidoun.org/magazine/20-bazaar/fluffy-farhad-by-negar-azimi/

18 エリック・ウェンゼル「100% Berlin」『ArtSlant』(2012年4月22日)http://www.artslant.com/ber/articles/show/30583

19 クリス・クラウス「Untreated Strangeness」『Where Art Belongs』(Semiotext[e]、ロサンゼルス、2011年)145〜156ページ

20 ジョン・トンプソン「New Times, New Thoughts, New Sculpture」『Gravity and Grace: The Changing Condition of Sculpture 1965–1975』(Hayward、ロンドン、1993年)で初めて公開される。またジェレミー・アッカーマン、アイリーン・ダイリー編『The Collected Writings of Jon Thompson』(Ridinghouse、ロンドン、2011年)92〜123ページに掲載される

21 ブライアン・オドハティ「Boxes, Cubes, Installation, Whiteness and Money」『A Manual for the 21st Century Art Institution』(Koenig、ケルン/Whitechapel、ロンドン、2009年)26〜27ページ

第3章

22 ミウォン・クウォン「One Place After Another: Notes on Site Specificity」『October』(1987年春)85〜110ページ

23 シャーロット・バーンズ「Artists take to the streets as Brazilians demand spending on

services, not sport」『The Art Newspaper』248(2013年7、8月)3ページ

24 無署名「Hong Kong Spring Sales Reach More Solid Ground」『Asian Art』(2013年5月)1ページ http:// www.asianartnewspaper.com/sites/default/files/digital_issue/AAN%20MAY2013%20web.pdf [リンク切れ]

25 マーティン・ハーバート「Richard Serra」『Frieze Art Fair Yearbook』(Frieze、ロンドン、2008～2009年) ページ表記なし

26 クリスティ・ラング「Andrew Dadson」『Frieze Art Fair Yearbook』(Frieze、ロンドン、2008～2009年) ページ表記なし

27 ヴィヴィアン・レーベルク「Aya Takano」『Frieze Art Fair Yearbook』(Frieze、ロンドン、2008～2009年) ページ表記なし

28 マーク・アリス・デュラン、ジェーン・D・マーシング「Out-of Syne」『Blur of the Otherworldly: Contemporary Art, Technology and the Paranormal』(Center for Art and Visual Culture, University of Maryland、メリーランド州ボルチモア、2006年) 134ページ

29 イジー・トゥアソン「Seth Price」『The Guidebook, dOCUMENTA (13)』(Hatje Kantz Verlag、ドイツ、オストフィルダーン、2012年) 264ページ

30 無署名「Decorative Newsfeeds」トムソン&クレイグヘッド、British Council Collection ウェブサイト(2004年) http://visualarts.britishcouncil.org/collection/artists/thomson-craighead-1969-1971/object/decorative-newsfeeds-thomson-craighead-2004-p79540 [リンク切れのため更新されたリンクを掲載]

31 無署名「Stan Douglas wins the 2013 Scotiabank Photography Award」Scotiabank ウェブサイト(2013年5月16日) https://www.scotiabank.com/photoaward/en/files/13/05/Stan_Douglas_wins_the_2013_Scotiabank_Photography_Award.html

32 無署名「Harun Farocki. Against What? Against Whom」Raven Rowウェブサイト(2009年11月) http://www.ravenrow.org/exhibition/harunfarocki/

33 無署名「Robin Rhode: The Call of Walls」National Gallery of Victoriaウェブサイト(2013年5月) http://www.ngv.vic.gov.au/whats-on/exhibitions exhibitions/robin-rhode[リンク切れ]

34 無署名「Jean Dubuffet (1901–1985), La Fille au Peigne(1950)」『Christie's Postwar and Contemporary Art Evening Sale』(2008年11月12日、ニューヨーク)

35 アリス・グレゴリー「On the Market」『n+1 Magazine』(2012年3月1日) https://nplusonemag.com/issue-13/reviews/on-sothebys/[リンク切れのため更新されたリンクを掲載]

36 ヒルトン・アルス「Daddy」(2013年5月) http://www. hiltonals.com/2013/05/daddy/[リンク切れ]

37 ヤン・ヴァーヴォールト「Neo Rauch at David Zwirner Gallery」『Frieze』94(2005年10月) https://frieze.com/issue/review/neo_rauch1[リンク切れ]

38 ロベルタ・スミス「The Colors and Joys of the Quotidian: on Lois Dodd」『New York Times』(2013年2月28日) https://www.nytimes.com/2013/03/01/arts/design/lois-dodd-catching-the-light-at-portland-museum-in-maine.html

39 サリー・オライリー「Review: Seven Days in the Art World」『Art Monthly』(2008年11月)

32ページ

40 ジャック・バンコフスキー「Previews: Haim Steinbach」『Artforum』vol.52、no.9 (2013年5月) 155ページ

41 ベン・デイヴィス「Frieze New York Ices the Competition with its First Edition on Randall's Island」『BlouinArtinfo』4(2012年5月) http:/ www.blouinartinfo.com/news/story/802849/frieze-new-york-ices-the-competition-with-itsfirst-edition-on [リンク切れ]

42 ベン・デイヴィス「Speculations on the production of Social Space in Contemporary Art, with Reference to Art Fairs」『BlouinArtinfo』4(2012年5月) ページ表記なし、http://www.blouinartinfo.com/news/story/803293/speculations-on-the-production-of-social-space-in-contemporary-art-with-reference-to-art-fairs [リンク切れ]

43 ドン・トンプソン『The $12 Million Stuffed Shark: The Curious Economics of Contemporary Art and Auction Houses』(Aurum、ロンドン、2008年) 13～14ページ

44 デイブ・ヒッキー「Orphans」『Art in America』(2009年1月) 35～36ページ

45 アダム・シムジック「Touching from a Distance: on the Art of Alina Szapocznikow」『Artforum』vol.50、no.3 (2011年11月) 220ページ

46 イウォナ・ブラズウィック「The Found Object」『Cornelia Parker』(Thames & Hudson、ロンドン、2013年) 32～33ページ

47 アレックス・ファークハーソン「The Avant Garde, Again」『Carey Young, Incorporated』(Film & Video Umbrella、ロンドン、2002年) http://www.careyyoung.com/essays/farquharson.html[リンク切れ]

48 リン・ティルマン「Portrait of a Young Painter Levitating」『Karin Davie: Selected Works』(Rizzoli、Albright Knox Museum、Buffalo、ニューヨーク、2006年) 149ページ

49 T・J・デモス「Art After Nature: on the Post-Natural Condition」『Artforum』50、no.8(2012年4月) 191～197ページ

50 アン・トゥルウィット「Daybook: The Journal of an Artist, 1974–79」クリスティン・スタイルズ、ピーター・セルツ編『Theories and Documents of Contemporary Art: A Sourcebook of Artists' Writings』(University of California Press、バークレー／ロサンゼルス、2012年、クリスティンによる改訂、増補版) 100ページ

51 ジェニファー・アンガス「Artist's statement」The Centre for Contemporary Canadian Art ウェブサイト、http://ccca.concordia.ca/statements/angus_statement.html

52 タシタ・ディーン「Palast」(2004年) ジーン=クリストフ・ロワユ『Tacita Dean』(Phaidon、ロンドン、2006年) 133ページ

53 アンリ・サラ「Notes for Mixed Behaviour」(2003年) マーク・ゴッドフリー『Anri Sala』(Phaidon、2006年) 122ページ

54 アンケ・ケンペス「Sarah Morris」ウータ・グロゼニック、バークハード・リームシュナイダー編『Art Now: The New Directory to 136 International Contemporary Artists』vol.2 (Taschen、ケルン／ロンドン、2005年) 196ページ

55 テッド・マン「Mandalay Bay: Sarah Morris」Guggenheim Collectionウェブサイト https://www.guggenheim.org/artwork/9426[リンク切れのため更新されたリンクを掲載]

56 エイドリアン・サール「Life thru a lens」『Guardian』(1999年5月4日) http://www.theguardian.com/culture/1999/may/04/artsfeatures4

57 アレックス・ファークハーソン「Review of " Painting Lab"」『Art Monthly』225 (1999年4月) 34〜36ページ

58 ギャビー・ウッド「Cinéma Vérité: Gaby Wood meets Sarah Morris」『The Observer』(2004年5月23日) http://www.theguardian.com/artanddesign/2004/may/23/art2

59 クリストファー・ターナー「Beijing City Symphony: On Sarah Morris」『Modern Painters』(2008年7、8月) 57ページ

60 マイケル・ブレイスウェル「A Cultural Context for Sarah Morris」『Sarah Morris: Modern Worlds』(Museum of Modern Art、オックスフォード/Galerie für Zeitgenössische Kunst、ライプツィヒ /Le Consortium、ディジョン、1999年) ページ表記なし

61 ヤン・ウィンケルマン「A Semiotics of Surface」『Sarah Morris: Modern Worlds』カタ・スコルパ英訳 (Museum of Modern Art、オックスフォード/Galerie für Zeitgenössische Kunst、ライプツィヒ/Le Consortium、ディジョン、1999年) ページ表記なし

62 イザベル・グラウ「Reading the Capital: Sarah Morris' New Pictures」イングリッド・ゲッツ、ライナルト・シューマッハ編『The Mystery of Painting』(Kunstverlag Ingvild Goetz、ミュンヘン、2001年) 79ページ

63 ダグラス・クープランド「Behind the Glass Curtain」『Sarah Morris: bar nothing』(White Cube、ロンドン、2004年) ページ表記なし

64 サラ・モリス「A Few Observations on Taste or Advertisements for Myself」『Texte zur Kunst』75 (2009年9月) 71〜74ページ

現代美術図書コレクション

基本的な導入、必須図書として、以下に最初にリストした本（太字）を参考にしてください。その後にリストされた本はより高度な内容となっています。さらに専門的なアンソロジーと概論集については130ページ、書式スタイルについては145ページ、アートマガジンについては204ページ、コンテンポラリーアートを題材にした小説については283ページの注釈7を、アートマーケットの本については289ページの注釈90を参考にしてください。また文学、詩などアート以外の本もたくさん読みましょう。アートは他の世界と繋がったときに初めて意味をもちます。

概要

- **チャールズ・ハリソン、ポール・ウッド編**『Art in Theory 1900–2000: An Anthology of Changing Ideas』（Blackwell、オックスフォード、2003年）
- **デヴィッド・ホプキンス**『After Modern Art, 1945–2000』（Oxford History of Artシリーズ、Oxford University Press、オックスフォード、2000年）
- **ジョナサン・ファインバーグ**『Art Since 1940: Strategies of Being』第2版（Prentice Hall、ニューヨーク、2003年）
- ロザリンド・クラウス、ハル・フォスター、イブ＝アラン・ボワ、ベンジャミン・ブークロー、デイヴィッド・ジョーズリット『Art Since 1900: Modernism, Antimodernism, Postmodernism』第2版、1〜2巻（Thames & Hudson、ロンドン／ニューヨーク、2012年）[尾崎信一郎、金井直、小西信之、近藤学編『ART SINCE 1900: 図鑑　1900年以降の芸術』、東京書籍、2019年]
- グリール・マーカス『Lipstick Traces: A Secret History of the 20th Century』第2版（MA: Harvard University Press、ケンブリッジ、1989年）
- ロバート・S・ネルソン、リチャード・シフ編『Critical Terms for Art History』第2版（University of Chicago Press、シカゴ／ロンドン、2003年）

21世紀のアート

- 『Art Now』1〜4巻（Taschen、ケルン、2002年／2006年／2008年／2013年）
- **ジュリエッタ・アランダ他**『What is Contemporary Art?』以下で、無料で閲覧可能 https://www.e-flux.com/journal/11/61342/what-is-contemporary-art-issue-one/ [原書に掲載されたURLはリンク切れのため更新されたリンクを掲載]
- ダニエル・バーンバウム他『Defining Contemporary Art in 25 Pivotal Artworks』（Phaidon、ロンドン、2011年）
- **シャーロット・コットン**『The Photograph as Contemporary Art』第3版（Thames & Hudson、ロンドン、2014年）[大橋悦子、大木美智子訳『現代写真論　コンテンポラリーアート

としての写真のゆくえ』晶文社、旧版・2010年／新版・2016年]

- **ジュリアン・スタラブラス**『Contemporary Art: A Very Short Introduction』(Oxford University Press、オックスフォード、2006年)
- クレア・ビショップ『Artificial Hells: Participatory Art and the Politics of Spectatorship』(Verso、ロンドン、2012年) [大森俊克訳『人工地獄　現代アートと観客の政治学』フィルムアート社、2016年]
- T・J・デモス『The Migrant Image: The Art and Politics of Documentary During Global Crisis』(Duke University Press、ノースカロライナ州ダーハム、2013年)
- ロザリンド・クラウス『A Voyage on the North Sea: Art in the Age of the Post-medium Condition』(Thames & Hudson、ロンドン／ニューヨーク、2000年)
- ピーター・オズボーン『Anywhere or Not at All: Philosophy of Contemporary』(Verso、ロンドン、2013年)
- テリー・スミス『Contemporary Art: World Currents』(Laurence King、ロンドン、2011年)
- バリー・シュワブスキー編『Vitamin P』、リー・アンブロジー編『Vitamin P2; New Perspectives in Painting』(Phaidon、ロンドン、2002年／2012年)

20世紀後半のアート

- **マイケル・アーチャー**『Art Since 1960』第2版 (Thames & Hudson、ロンドン／ニューヨーク、2002年)
- **トマス・クロウ**『Modern Art in the Common Culture』(Yale University Press、ニューヘヴン／ロンドン、2005年)
- **トマス・クロウ**『The Rise of the Sixties: American and European Art in the Era of Dissent, 1955–1969』(Laurence King、ロンドン／ Yale University Press、ニューヘヴン、1996年)
- **トニー・ゴドフリー**『Conceptual Art』(Phaidon、ロンドン、1998年) [木幡和枝訳『コンセプチュアル・アート』岩波書店、2001年]
- **ジリアン・ペリー、ポール・ウッド編**『Themes in Contemporary Art』(Yale University Press と The Open Universityによる共同出版、ニューヘヴン／ロンドン、2004年)
- アーサー・C・ダントー『After the End of Art: Contemporary Art and the Pale of History』(Princeton University Press、ニュージャージー州プリンストン、1997年) [山田忠彰訳『芸術の終焉のあと：現代芸術と歴史の境界』三元社、2017年]
- ブリオニー・ファー『Infinite Line: Re-Making Art After Modernism』(Yale University Press、ニューヘヴン／ロンドン、2004年)
- ルーシー・リパード『Six Years: The Dematerialization of the Art Object from 1966 to 1972』(1973年) (University of California Press、バークレー／ロサンゼルス、1997年)
- クレイグ・オーウェンス『Beyond Recognition: Representation, Power, and Culture』(University of California Press、バークレー／ロサンゼルス、1992年)
- グリゼルダ・ポロック『Vision and Difference: Femininity, Feminism and Histories of Art』(Routledge、ロンドン／ニューヨーク、1988年) [萩原弘子訳『視線と差異―フェミニズムで読

む美術史』新水社、1998年]

モダニズム

- **H・H・アーナソン**『History of Modern Art: Painting, Sculpture, Architecture, Photography』第7版(Pearson、ロンドン、2012年)
- **T・J・クラーク**『Farewell to an Idea: Episodes from a History of Modernism』(Yale University Press、ニューヘヴン/ロンドン、1999年)
- **ロザリンド・クラウス**『Passages in Modern Sculpture』(1977年)(MIT Press、マサチューセッツ州ケンブリッジ、1977年)
- **レオ・スタインバーグ**『Other Criteria: Confrontations with Twentieth-Century Art』(Oxford University Press、ロンドン/オックスフォード/ニューヨーク、1972年)
- **ポール・ウッド**『Varieties of Modernism』(Yale University PressとThe Open Universityによる共同出版、ニューヘヴン/ロンドン、2004年)
- マーシャル・バーマン『All That is Solid Melts into Air: The Experience of Modernity』(Penguin、ミドルセックス州ハーモンズワース、1982年)
- ロザリンド・クラウス『The Optical Unconscious』(MIT Press、マサチューセッツ州ケンブリッジ、1993年)[谷川渥、小西信之訳『視覚的無意識』月曜社、2019年]
- ロザリンド・クラウス『The Originality of the Avant-Garde and Other Modernist Myths』(MIT Press、マサチューセッツ州ケンブリッジ、1985年)[小西信之訳『オリジナリティと反復　ロザリンド・クラウス美術評論集』リブロポート、1994年]
- クレメント・グリーンバーグ「Modernist Painting」(1960年)、ジョン・オブライアン編『Clement Greenberg: The Collected Essays and Criticism』vol.4(University of Chicago Press、イリノイ州シカゴ/ロンドン、1993年)85~93ページ[藤枝晃雄訳「モダニズムの絵画」『グリーンバーグ批評選集』勁草書房、2005年]
- マイヤー・シャピロ『Modern Art: 19th and 20th Centuries, Selected Papers』vol.2(George Braziller、ニューヨーク、1978年)

キュレーション

- **トニー・ベネット**『The Birth of the Museum: History, Theory, Politics』(Routledge、ロンドン、1995年)
- **イウォナ・ブラズウィック他**『A Manual for the 21st Century Art Institution』(Koenig Books/Whitechapel Gallery、ロンドン、2009年)
- **ブルース・W・ファーガソン、リーサ・ゴールドバーグ、サンディ・ネアーン**『Thinking about Exhibitions』(Routledge、ロンドン、1996年)
- **ブライアン・オドハティ**『Inside the White Cube: The Ideology of the Gallery Space』(1976年)(第6版、University of California Press、カリフォルニア州オークランド、2000年)
- **ハンス・ウルリッヒ・オブリスト**『A Brief History of Curating』(JRP Ringier、チューリッヒ、

2008年)［村上華子訳『キュレーション』フィルムアート社、2013年］

- ブルース・アルトシュラー『Salon to Biennial: Exhibitions that Made Art History』vol.1: 1836–1959、『Biennials and Beyond: Exhibitions that Made Art History』vol.2: 1962–2002 (Phaidon、ロンドン、2008年／2013年)
- ダグラス・クリンプ『On the Museum's Ruins』(MIT Press、マサチューセッツ州ケンブリッジ／ロンドン、1993年)
- エレナ・フィリポヴィッチ、マリーケ・ヴァン・ホール、ソルヴェイグ・オステボ編『The Biennial Reader: An Anthology on Large-Scale Perennial Exhibitions of Contemporary Art』(Bergen Kunsthall、バーゲン／Hatje Cantz Verlag、オストフィルダーン、2010年)
- スーザン・ヒラー、サラ・マーティン編『The Producers: Contemporary Curators in Conversation』(Baltic Centre for Contemporary Art、ゲーツヘッド、2000年)
- クリスチャン・ラッテメイヤー、ウィム・ベーレン『Exhibiting the New Art: 'Op Losse Schroeven' and 'When Attitudes Become Form' 1969』(Afterall、ロンドン、2010年)

アーティストライティング

- **アレクサンダー・アルベロ、ブレイク・スティムソン編**『Institutional Critique: An Anthology of Artists' Writings』(MIT Press、ロンドン／ケンブリッジ、2009年)
- **アンドレア・フレイザー著**、アレクサンダー・アルベロ編『Museum Highlights: The Writings of Andrea Fraser』(MIT Press、ロンドン／マサチューセッツ州ケンブリッジ、2005年)
- **ロバート・スミッソン著**、ジャック・フラム編『Robert Smithson: The Collected Writings』(University of California Press、バークレー／ロサンゼルス、1996年)
- **クリスティーン・スタイルズ、ピーター・セルツ編**『Theories and Documents of Contemporary Art: A Sourcebook of Artists Writings』第2版 (University of California Press、バークレー／ロサンゼルス、2012年)
- アンディ・ウォーホル『The Philosophy of Andy Warhol (From A to B and Back Again)』(Harcourt Brace Jovanovich、ニューヨーク、1975年)［落石八月月訳『ぼくの哲学』新潮社、1998年］
- ジョン・ケージ『Silence: Lectures and Writings』(Wesleyan University Press、ミドルタウン、1961年)［柿沼敏江訳『サイレンス』水声社、1996年］
- ホリス・フランプトン『Circles of Confusion: Film, Photography, Video: Texts 1968–1980』(Visual Studies Workshop Press、ニューヨーク、1983年)
- ダン・グラハム著、アレクサンダー・アルベロ編『Two-Way Mirror Power: Selected Writings by Dan Graham on his Art』(MIT Press、ロンドン／マサチューセッツ州ケンブリッジ、1999年)
- マイク・ケリー『Foul Perfection: Essays and Criticism』(MIT Press、マサチューセッツ州ケンブリッジ、2003年)
- ヒト・シュタイエル『The Wretched of the Screen』(e-flux journalおよびSternberg Press、ニューヨーク／ベルリン、2012年)

- ガストン・バシュラール『The Poetics of Space』(1958年)(マリア・ジョラス英訳、Beacon Press、ボストン、1994年)[岩村行雄訳『空間の詩学』文庫版、筑摩書房、2002年]
- ロラン・バルト『Camera Lucida: Reflections on Photography』(1980年)(リチャード・ハワード英訳、Farrar, Straus and Giroux、ニューヨーク、1981年)[花輪光訳『明るい部屋—写真についての覚書』みすず書房、1997年]
- ロラン・バルト『Image, Music, Text』(ステファン・ヘス英訳、Hill and Wang、ニューヨーク、1997年)[沢崎浩平訳『第三の意味—映像と演劇と音楽と』みすず書房、1998年]
- ジョン・ボードリヤール『The System of Objects』(1968年)(ジェームス・ベネディクト英訳、Verso、ロンドン/ニューヨーク、2005年)[宇波彰訳『物の体系—記号の消費』新装版、法政大学出版、2008年]
- ヴァルター・ベンヤミン著、ハンナ・アーレント編『Illuminations』(ハリー・ゾーン英訳、Pimlico、ロンドン、1955年/1999年)
- ホミ・バーバ『The Location of Culture』(1991年)(Routledge、ニューヨーク、1994年)
- ピエール・ブルデュー『Distinction: A Social Critique of the Judgment of Taste』(リチャード・ニース英訳、Harvard University Press、マサチューセッツ州ケンブリッジ、1984年)[石井洋二郎訳『ディスタンクシオン—社会的判断力批判』1～2巻、藤原書店、1990年]
- ジュディス・バトラー『Gender Trouble: Feminism and the Subversion of Identity』(Routledge、ニューヨーク/ロンドン、1990年)[竹村和子訳『ジェンダー・トラブル—フェミニズムとアイデンティティの攪乱』青土社、1999年]
- ギー・ドゥボール『The Society of the Spectacle』(1967年)(ドナルド・ニコルソン・スミス英訳、Zone Books、ニューヨーク、1995年)[木下誠訳『スペクタクルの社会』文庫版、筑摩書房、2003年]
- ミシェル・ド・セルトー『The Practice of Everyday Life』(1974年)(スティーブン・レンドール英訳、University of California Press、バークレイ/ロサンゼルス、1974年)[山田登世子訳『日常的実践のポイエティーク』国文社、1987年]
- ジル・ドゥルーズ、フェリックス・ガタリ『A Thousand Plateaus : Capitalism and Schizophrenia』(1980年)(ブライアン・マッスミ英訳およびはしがき、University of Minnesota Press、ミネアポリス、1987年)[宇野邦一、小沢秋広、田中敏彦、豊崎光一、宮林寛、守中高明訳『千のプラトー—資本主義と分裂症』、河出書房新社、1994年]
- ミシェル・フーコー『This is Not a Pipe』(1973年)(ジェームス・ハークネス英訳・編、University of California Press、バークレイ/ロサンゼルス、1983年)[豊崎光一、清水正訳『これはパイプではない』哲学書房、1986年]
- ジークムント・フロイト『The Uncanny』(1919年)(デヴィッド・マクリントック英訳、Penguin Classics、ミドルセックス、ハーモンズワース、2003年)[中山元訳『ドストエフスキーと父親殺し/不気味なもの』に収録される(光文社、2011年)]
- スチュアート・ホール『Representation : Cultural Representations and Signifying Practices』(SAGE、ロンドン、1997年)

- マイケル・ハート、アントニオ・ネグリ『Empire』(Harvard University Press、マサチューセッツ州ケンブリッジ、2000年)[水島一憲、酒井隆史、浜邦彦、吉田俊美訳『〈帝国〉グローバル化の世界秩序とマルチチュードの可能性』以文社、2003年]
- マウリツィオ・ラザラート「Immaterial Labour」(1996年)ポール・コリーリ、エド・エモリー訳、パオロ・ヴィルノ、マイケル・ハート編『Radical Thought in Italy』(University of Minnesota Press、ミネアポリス、1996年)132〜146ページ
- アンリ・ルフェーヴル『The Production of Space』(1974年)(ドナルド・ニコルソン=スミス英訳、Blackwell、オックスフォード、1991年)[斎藤日出治訳『空間の生産』青木書店、2000年]
- ジャン=リュック・ナンシー『The Ground of the Image』(2003年)(ジェフ・フォート英訳、Fordham University Press、ニューヨーク、2006年)[西山達也、大道寺玲央訳『イメージの奥底で』以文社、2006年]
- ジャック・ランシエール『The Emancipated Spectator』(グレゴリー・エリオット英訳、Verso、ロンドン/ニューヨーク、2009年)[梶田裕訳『解放された観客』法政大学出版局、2013年]
- ジャック・ランシエール『The Politics of Aesthetics: Distribution of the Sensible』(2004年)(ガブリエル・ロックヒル英訳および序文、Continuum、ロンドン/ニューヨーク、2006年)[梶田裕訳『感性的なもののパルタージュ:美学と政治』法政大学出版、2009年]
- エドワード・W・サイード『Orientalism』(Vintage Books、ニューヨーク、1979年)[今沢紀子訳『オリエンタリズム』上下文庫巻、平凡社、1993年]
- スーザン・ソンタグ『On Photography』(Farrar, Straus and Giroux、ニューヨーク、1977年)[近藤耕人訳『写真論』晶文社、2018年]

アートブログとウェブサイト

(下記の他に、artforum.comやflieze.com/など、雑誌のウェブサイトも参考にしてください)

- http://www.art21.org/
- http://www.artcritical.com/
- http://artfcity.com
- http://artillerymag.com/
- http://www.artlyst.com/
- http://badatsports.com/
- http://www.blouinartinfo.com/
- http://brooklynrail.org/
- http://www.contemporaryartdaily.com/
- http://dailyserving.com/
- http://www.dazeddigital.com/artsandculture
- http://dismagazine.com/
- http://www.edwardwinkleman.com/ (新しいアートブログもリストされています)
- http://www.e-flux.com/journals/
- http://galleristny.com/

- http://hyperallergic.com/
- http://www.ibraaz.org/
- http://www.metamute.org/
- http://rhizome.org/
- http://www.thisistomorrow.info/
- http://www.ubuweb.com/
- http://unprojects.org.au/
- http://www.vulture.com/art/
- http://we-make-money-not-art.com/

参考資料およびウェブソース

- マイケル・アーチャー「Crisis, What Crisis?」『Art Monthly』264(2003年3月)1〜4ページ
- ジャック・バンコフスキー「Editor's Letter」『Artforum』10、vol. X(1993年9月)3ページ
- オリバー・バシャーノ「10 Tips for Art Criticism」『Specularum』(2012年1月12日)http://spectacularum.blogspot.com/2012/01/10-tips-for-art-criticism-from-oliver.html
- シルバン・バーネット『A Short Guide to Writing About Art』(Pearson/Prentice Hall、マサチューセッツ州ボストン、2011年)
- アンディ・ベケット「A User's Guide to Artspeak」『Guardian』(2013年1月17日)https://www.theguardian.com/artanddesign/2013/jan/27/users-guide-international-art-english [原書に掲載されたURLはリンク切れのため更新されたリンクを掲載]
- ユージーニア・ベル、エミリー・キング「Collected Writings」(歴史に名を残すアートマガジンについて)『Frieze 100』(2006年1月〜8月)https://frieze.com/article/collected-writings
- ヴァルター・ベンヤミン「The Writer's Technique in Thirteen Theses'」(1925〜1926年)。エドマンド・ジェフコット、キングスリー・ショーター訳『One-Way Street and Other Writings』(NLB、ロンドン、1979年)「One-Way Street」64〜65ページに収録[細見和之訳『この道、一方通行』みすず書房、2014年]
- ダニエル・バーンバウム、イザベル・グラウ編『Canvases and Careers Today: Criticism and Its Markets』(Sternberg、ベルリン、2008)
- 「Editorial: Mind your language」『Burlington』1320、vol.155(2013年3月)
- ジャック・バーナム「Problems of Criticism」グレゴリー・バットコック『Idea Art: A Critical Anthology』(ニューヨーク 、Dutton、1973年)46〜70ページ
- デイヴィッド・キャリアー『Rosalind Krauss and American Philosophical Art Criticism: From Formalism to Beyond Postmodernism』(Praeger、ウェストポート、2002年)——『Writing about Visual Art』(Allworth、ニューヨーク、2003年)
- T・J・クラーク『The Sight of Death: An Experiment in Artwriting』(Yale University Press、コネチカット州ニューヘイブン、2008年)
- トマス・クロウ『Painters and Public Life in Eighteenth-Century Paris』(Yale University Press、コネチカット州ニューヘイブン/ロンドン、2008年)
- アーサー・C・ダントー「From Philosophy to Art Criticism」『American Art』1、vol.16(2002年春)14〜17ページ
- ドゥニ・ディドロ「Salon de 1765」ジョフリー・ブレムナー英訳『Denis Diderot: Selected Writings on Art and Literature』(Penguin、ロンドン、1994年)236〜239ページ
- ジョルジュ・ディディ=ユベルマン「The History of Art Within the Limits of its Simple Practice」(1990年)ジョン・グッドマン英訳『Confronting Images: Questioning the Limits of a Certain History of Art』(Pennsylvania State University Press、ペンシルバニア州、2005

年）11～52ページ［江澤健一郎訳『イメージの前で：美術史の目的への問い』法政大学出版局、2012年／増補改定版・2018年］

- ジェームス・エルキンズ『What Happened to Art Criticism?』（Prickly Paradigm、イリノイ州シカゴ、2003年）――およびマイケル・ニューマン編『The State of Art Criticism』（Routledge、ニューヨーク／オックスフォード、2008年）
- ハル・フォスター「Art Critics in Extremis」『Design and Crime』（Verso、ロンドン／ニューヨーク、2003年）104～122ページ［五十嵐光二訳『デザインと犯罪』平凡社、2011年］
- ダン・フォックス「Altercritics」『frieze』（2009年2月）https://frieze.com/article/altercritics［リンク切れのため更新されたリンクを掲載］
- 『frieze』編集者「Periodical Tables (Part 2)」『Frieze 100』（2006年1～8月）https://frieze.com/article/periodical-tables-part-2［リンク切れのため更新されたリンクを掲載］
- マリア・フスコ、マイケル・ニューマン、エイドリアン・リフキン、イヴ・ロマックス「11 Statements Around Art-writing」『frieze』、https://frieze.com/article/11-statements-around-art-writing［リンク切れのため更新されたリンクを掲載］
- ダリオ・ガンボーニ「The Relative Autonomy of Art Criticism」オルウィック編『Art Criticism and its Institutions in Nineteenth-Century France』（(Manchester University Press、1994年）182～194ページ
- オリット・ガト「Art Criticism in the Age of Yelp」『Rhizome』（2013年11月12日）https://rhizome.org/editorial/2013/nov/12/art-criticism-age-yelp/
- エリック・ギブソン「The Lost Art of Writing About Art」『The Wall Street Journal』（2008年4月18日）https://www.wsj.com/articles/SB120848379018525199［リンク切れのため更新されたリンクを掲載］
- ボリス・グロイス「Critical Reflections」『Art Power』（M I T Press、マサチューセッツ州ケンブリッジ、2008年）（石田圭子、齋木克裕、三本松倫代、角尾宣信訳「批評的省察」『Art Power』現代企画室、2017年）――ボリス・グロイスとブライアン・ディロンの対談「Who do You Think You're Talking To?」『frieze』121（2009年3月）https://frieze.com/article/who-do-you-think-youre-talking［リンク切れのため更新されたリンクを掲載］
- フィリップ・A・ハーティガン「How (Not) to Write Like an Art Critic」『hyperallergic』（2012年11月22日）http://hyperallergic.com/60675/ how-not-to-write-like-an-art-critic/
- ジョナサン・ハリス『The New Art History: A Critical Introduction』（Routledge、ロンドン、2001年）
- エレノア・ハートニー「What Are Critics For」『American Art』1、vol.16（2002年春）4～8ページ
- モスタファ・ヘッダーヤ「When Artspeak Masks Oppression」『hyperallergic』（2013年3月6日）https://hyperallergic.com/66348/when-artspeak-masks-oppression/
- マルティン・ハイデッガー「The Thing」アルバート・ホフスタッター英訳および序文『Poetry, Language, Thought』（Harper and Row、ニューヨーク／ロンドン、1975年）161～184ページ
- ジェニファー・ヒギー「Press Release Me」『frieze』103（2005年11～12月）、https://frieze.com/article/please-release-me
- マーガレット・イヴェルセン、ステファン・メルビル『Writing Art History: Disciplinary

Departures』(University of Chicago Press、イリノイ州シカゴ、2010年)
- アメリア・ジョーンズ「“Every Man Knows Where and How Beauty Gives Him Pleasure”: Beauty Discourse and the Logic of Aesthetics」エモリー・エリオット、ルイス・フレイタス・ケイトン、ジェフリー・ライネ編『Aesthetics in a Multicultural Age』(Oxford University Press、オックスフォード、ニューヨーク、2002年)215〜240ページ
- ジョナサン・ジョーンズ「What is the point of art criticism?」『Guardian』(2009年4月24日) http://www.guardian.co.uk/artanddesign/jonathanjonesblog/2009/apr/24/art-criticism
- ジョン・ケルシー「The Hack」バーンバウム、グラウ編『Canvases and Careers Today: Criticism and its Markets』(Sternberg Press、ベルリン、2008年)65〜74ページ
- ジェフリー・ホンサリ、メラニー・オブライアン編『Judgment and Contemporary Art Criticism』(Artspeak/ Filip、バンクーバー、2011年)
- パブロ・ラフエンテ「Notes on Art Criticism as a Practice」『ICA blog』(2008年12月4日) https://archive.ica.art/bulletin/notes-art-criticism-practice[リンク切れのため更新されたリンクを掲載]
- デイヴィッド・リーヴァイ・ストラウス「From Metaphysics to Invective: Art Criticism as if it Still Matters」『Tha Brooklyn Rail』(2012年5月3日) https://brooklynrail.org/2012/05/art/from-metaphysics-to-invective-art-criticism-as-if-it-still-matters
- ロバート・ヒューズに対するレス・レヴィーンのコメント「The Decline and Fall of the Avant-garde」グレゴリー・バトコック編『Idea Art: A Critical Anthology』(Dutton、ニューヨーク、1973年)193〜203ページ
- アリサ・ルクセンブルグ「Further Light on the Critical Reception of Goya's Family of Charles IV as Caricature」『Artibus et Historiae』46、vol.23(2002年)172〜182ページ
- モーリス・メルロ＝ポンティ「Eye and Mind」ガレン・ジョンソン編『The Merleau-Ponty Reader: Philosophy and Painting』(Northwestern University Press、イリノイ州エバンストン、1993年)121〜149ページ[滝浦静雄、木田元訳『眼と精神』みすず書房、1966年]
- W・J・T・ミッチェル「What Is an Image?」『Iconology: Image, Text, Ideology』(University of Chicago、イリノイ州シカゴ、1986年)7〜46ページ[鈴木聡、藤巻明訳『イコロジー—イメージ・テクスト・イデオロギー』勁草書房、1992年]
- スチュアート・モーガン著、フアン・ハント編『What the Butler Saw: Selected Writings』(Durian、ロンドン、1996年)
  ——ジュアン・ビセンテ・アリアーガ、イアン・ハント編『Inclinations: Further Writings and Interviews』(Durian、ロンドン、2007年)
- マイケル・オルウィック編『Art Criticism and its Institutions in Nineteenth-Century France』(Manchester University Press、マンチェスター、1994年)
- ジェームス・パネロ「The Critical Moment: Abstract Expressionism's Dueling Dio」『Humanities』4、vol.29(2008年7、8月) https://jamespanero.com/writing/2008/08/the-critical-moment.html[リンク切れのため更新されたリンクを掲載]
- ミシェル・ペピ「The Demise of Artnet Magazine and the Crisis in Criticism」『Artwrit』17(2012年冬) http://www.artwrit.com/article/the-demise-of-artnet-magazine-and-the-

crisis-in-criticism/

- ピーター・プレイゲンス「At a Crossroads」ラファエル・ルービンスタイン編『Critical Mess』(Hard Press、マサチューセッツ州レノックス、2006年)49〜59ページ
- レーン・レリア「All Over and At Once」(2003年)ルービンスタイン編『Critical Mess』(Hard Press、マサチューセッツ州レノックス、2006年)49〜59ページ
——「After Criticism」アレクサンダー・ドゥンバゼ、スザンヌ・ハドソン編『Contemporary Art: 1989 to the Present』(Wiley Blackwell、オックスフォード、2013年)357〜66ページ
- マーサ・ロスラー「English and All That」『e-flux journal』45(2013年5月)https://www.e-flux.com/journal/45/60103/english-and-all-that/[リンク切れのため更新されたリンクを掲載]
- ラファエル・ルービンスタイン編『Critical Mess: Art Critics on the State of the Practice』(Hard Press、マサチューセッツ州レノックス、2006年)
- アリックス・ルール、デイヴィッド・レヴィーン「International Art English」『Triple Canopy』16(2012年5〜7月)https://www.canopycanopycanopy.com/contents/issue_16_broadsheet[リンク切れのため更新されたリンクを掲載]
- ジョン・ラスキン「Modern Painters IV」vol.3(1856年)(ジョン・D・ローゼンバーグ編『The Genius of John Ruskin: Selection from His Writings』University of Virginia Press、バージニア州シャーロッツビル、1998年)91ページ
- ピーター・シェルダール「Dear Profession of Art Writing」(1976年)マリン・ウィルソン編『The Hydrogen Jukebox: Selected Writings of Peter Schjeldahl, 1978–1990』(University of Califormia Press、バークレー/ロサンゼルス/ロンドン、1991年)180〜186ページ
- バリー・シュワブスキー「Criticism and Self-Criticism」『The Brooklyn Rall』(2012年12月〜2013年1月)https://brooklynrail.org/2012/12/artseen/criticism-and-self-criticism
- マーサ・シュヴェンデナー「What Crisis? Some Promising Futures for Art Criticism」『The Village Voice』7(2009年1月)http://www.villagevoice. com/2009-01-07/art/what-crisis-some-promisingfutures-for-art-criticism/
- リチャード・ショーン、ジョン・ポール・ストナード編『The Books that Shaped Art History』(Themes & Hudson、ロンドン/ニューヨーク、2013年)
- ダニエル・A・ジーデル「Academic Art Criticism」エルキンズ、ニューマン編『The State of Art Criticism』Routledge、ニューヨーク/オックスフォード、2008年)242〜244ページ
- マイケル・シュライヤッハ「The Recovery of Criticism」エルキンズ、ニューマン編『The State of Art Criticism』Routledge、ニューヨーク/オックスフォード、2008年)3〜26ページ
- スーザン・ソンタグ「Against Interpretation」(1964年)『Against Interpretation』(Doubleday、トロント、1990年)3〜14ページ[高橋康也他訳『反解釈』筑摩書房、1996年]
- ヒト・シュタイエル「International Disco Latin」『e-flux journal』45(2013年5月)http://www.e-flux.com/journal/international-disco-latin/
- ウィリアム・ストランク・ジュニア、E・B・ホワイト『The Elements of Style』第4版(Longman、ニューヨーク、1993年)23ページ[国内では『The Elements of Style』第3版の訳本が出版されている。荒竹三郎訳『英語文章ルールブック』荒竹出版、1985年]
- アンドラーシュ・サーントー編『The Visual Art Critic: A Survey of Art Critics at General-

Interest News Publications in America』(Columbia University、National Arts Journalism Program、ニューヨーク、2002年)
――「The Future of Arts Journalism」『Studio360』(2009年5月15日) https://www.pri.org/stories/2009-05-15/future-arts-journalism[リンク切れのため更新されたリンクを掲載]

- サム・ソーン「Call Yourself a Critic?」『frieze』145(2012年3月) https://frieze.com/article/call-yourself-critic[リンク切れのため更新されたリンクを掲載]
- リオネロ・ヴェントゥーリ『History of Art Criticism』チャールズ・マリオット英訳 (Dutton、ニューヨーク、1936年) [辻茂訳『美術批評史』みすず書房、1971年]
- ヤン・ヴァーヴォールト「Talk to the Thing」エルキンズ、ニューマン編『The State of Art Criticism』(Routledge、ニューヨーク／オックスフォード、2008年) 342～347ページ
- デヴィッド・フォスター・ウォレス『Consider the Lobster and Other Essays』(Abacus、ロンドン、2005年)
- ロリ・ワックスマン、マイク・ディアンジェロ「Reinventing the Critic」『Studio 360』(2009年5月15日) https://www.pri.org/stories/2009-05-19/reinventing-critic[リンク切れのため更新されたリンクを掲載]
- リチャード・リグリー『The Origins of French Art Criticism: From the Ancien Régime to the Restoration』(Clarendon、オックスフォード、1993年)
- テオドール・F・ウルフ、ジョージ・ゲーヒガン『Art Criticism and Education』(University of Illinois、イリノイ州アーバナ、1997年)
- ジョン・ヤウ「The Poet as Art Critic」『The American Poetry Review』3、vol,34 (2005年5～6月) 45～50ページ

挿入イメージリスト

図1　BANK《Fax-Back》1998年。ペン、インク、紙。29.7×21。BANKおよびロンドン／ブリュッセル、MOT international提供

図2　ロリ・ワックスマン《60 wrd/min art critic》2005年〜。ドイツ、カッセル、2012年6月9日〜9月16日「dOCUMENTA (13)」でのパフォーマンス。アーティスト提供。写真：クレア・ペンテコステ

図3　パウル・クレー《Angelus Novus》1920年。墨、色付きチョーク、茶染め用紙、31.8×24.2。イェルザレム、ファニア、ゲルショム・ショーレム及びニューヨーク、ジョン・ヘリング、マーリーン、ポール・ヘリング、ジョー・キャロル、ロナルド・ローダーより寄贈。(B87.994) エルサレム、イスラエル博物館所蔵

図4　フランシスコ・デ・ゴヤ《The Family of Carlos Ⅳ》1800年頃。油彩、キャンバス、280×336。マドリッド、プラド美術館コレクション収蔵

図5　クレイギー・ホースフィールド《Leszek Mierwa–ul and Magda Mierwa, Nawojki, Krakow, July 1984》1990年プリント。ゼラチンシルバープリント、ユニークプリント、155×146(額装された状態で計測)。Frith Street Gallery提供。© ADAGP、パリ及びDACS、ロンドン、2014

図6　ジェス《The Mouse's Tale》1951年／1954年。コラージュ（ゼラチンシルバープリント、雑誌複製、グワッシュ、紙)、121×81.3。サンフランシスコ近代美術館コレクション提供。フレデリック・P・ショーデンによる寄贈。©2014、Jess Collins Trust. 許可に基づき掲載

図7　シンディ・シャーマン《Untitled Film Still #2》1977年。ゼラチンシルバープリント、エディション10(MP#2)、25.4×20.3。アーティスト及びニューヨーク、Metro Pictures提供

図8　シンディ・シャーマン《Untitled Film Still #81》1979年。ゼラチンシルバープリント、エディション10(MP#81)、25.4×20.3。アーティスト及びニューヨーク、Metro Pictures提供

図9　アナ＝ベラ・パップ《For David》2012年。粘土、32×21×3(MA-PAPPA-00020)。ロンドン、Stuart Shave／Modern Art提供

図10　マーティン・ウォン《It's Not What You Think? What Is It Then?》1984年。アクリル、キャンバス、213.4×274.3。Estate of Martin Wong、ニューヨーク、P. P. O.W Gallery提供

図11　ハルーン・ミルザ《Preoccupied Waveforms》2012年。モニター、ケーブル、改造された棚、テレビ、カッパーテープ、スピーカー、メディアプレーヤー、サイズ可変。ニューヨーク、New Museum及びロンドン、Lisson Gallery提供。写真：ジェシー・アントラチェット・オークナー。©Haroon Mirza

図12　エルネスト・ネト《Camelocama》2010年。クロシェ、ポリプロピレンボール、ポリ塩化ビニル、380×800×900。メキシコ、サン・インデルフォンソ・カレッジでの展覧会「La Lengua de Emesto - Obras 1987–2011」の展示風景。Galeria Fortes Vilaca 提供。写真：ディエゴ・ペレス

図13 エラッド・ラスリー《Untitled (Red Cabinet)》2011年。MDF、高光沢塗料、43.2×177.8×40。Inv#EL 11.065。ロサンゼルス、David Kordansky Gallery及びチューリッヒ、Galerie Francesca Pia提供

図14 ウォルフガング・ティルマンス《grey jeans over stair post》1991年。タイプCプリント。ロンドン、Maureen Paley提供。©Wolfgang Tillmans

図15 ヒト・シュタイエル《Abstract》2012年。音声付き、5分間のHDビデオ映像からのスチール。写真：レオン・カハネ

図16 セイドゥ・ケイタ《Untitled》1959年。白黒写真、60×50。ジュネーブ、CAAC - the Pigozzi Collection提供。©Seydou Keita／SKPEAC

図17 パヴェル・アルハトメル《Einstein Class》2005年。フィルム、35分。アーティスト及びワルシャワ、Foksal Gallery Foundation、ベルリン、neugerriemschneider提供

図18 ファルハード・モシリ《Kitty Cat》(「Fluffy Friends」シリーズ) 2009年。ボードにとりつけられたキャンバスにアクリルラメパウダーで色付け、ニスの塗布、200×170。アーティスト及びThe Third Line提供

図19 《Berlin, Porzdamer Platz, October 22, 2011》2011年。デジタル写真。アーティスト提供。写真：エリック・ウェンゼル

図20 ワーナー・ビショフ《Departure of the Red Cross Train, Budapest, Hungary》1947年。ワーナー・ビショフ／Magnum Photos

図21 ジョージ・ポルカリ《Machu Picchu Cliff with Tourists》1999年。カラー写真。©George Porcari 2013

図22 リチャード・セラ《Promenade》2008年。5枚の耐候性スチール板、それぞれ1700×400×13。パリ、Grand Palais。Monumenta 2008。写真・ロレンツォ・キーンツレ。©ARS, NY and DACS, London 2014

図23 アンドリュー・ダッドソン《Roof Gap》2005年。ループ設定されたDVD映像。トロント、The Power Plantのインスタレーション風景からのビデオスチール、2画面プロジェクション、サイズ可変。アーティスト及びトリノ、Galleria Franco Noeroの提供

図24 タカノ綾《On the Way to Revolution》2007年。キャンバス、アクリル、200×420(78 3/4×165 3/8)。Galerie Perrotin提供。©2007 Aya Takano/ kaikai Kiki Co., Ltd. All Rights Reserved.

図25 マリア・ミランダ、ノリエ・ノイマルク (Out of-Sync)《Museum of Rumour》(インターネット上のプロジェクト) からのイメージ、2003年。アーティスト提供

図26 「Franz West self-contradicting museum label. MuMOK, Vienna」写真：キャサリン・ウッド

図27 ロビン・ロード《Almanac》2012～2013年。台紙に取り付けられたタイプCプリント、エディション5。8つのパーツから成り、それぞれ41.6×61.6×3.8(額装された状態で計測)。アーティスト、及びニューヨーク／香港、Lehmann Maupin提供。©Robin Rhode

図28 ネオ・ラウフ《Lösung》2005年。キャンバス、油彩、300×210(プライベートコレクション)。ライプニッヒ／ベルリン、Galerie EIGEN + ART Leipzig、ニューヨーク／ロンドン、David Zwirner提供。写真：ベルリン、ウーヴェ・ウォルター。© Neo Rauch courtesy Galerie EIGEN + ART Leipzig/Berlin/DACS 2014

図29 ロイス・ドッド《Apple Tree and Shed》2007年。リネン、油彩、106.7×214.3。ニューヨーク、Alexandre Gallery提供。© Lois Dodd

図30 アリーナ・シャポツニコフ《Le Voyage》1967年。ファイバーガラス、ポリエステル樹脂、メタル構造、180×110×60。ウッチ、Muzeum Szutki。パリ、The Estate of Alina Szapocznikow/Piotr Stanislawski/Galerie Loevenbruck提供。© ADAGP, Paris

図31 コーネリア・パーカー《Thirty Pieces of Silver》1988～1989年。銀メッキオブジェクト、ワイヤー、サイズ可変。アーティスト提供

図32 リセ・オートゲイナ、ジョシュア・ポートウェイ《Black Shoals Stock Market Planetarium》2012年。ニコライ・コペンハーゲン現代美術センターとコペンハーゲン証券取引所の協力による

図33 サラ・モリス《Mandalay Bay (Las Vegas)》1999年。キャンバス、家庭用光沢塗料、214×214。White Cube提供。© Sarah Morris

図34 テッド・クローナー《Central South Park》1947～1948年。1999年にプリント、ゼラチンシルバープリント、40.6×50.8。Estate of Ted Croner

スティーブ・ルッジに、多くの愛と感謝を。

キャリー・エンジェル(1948～2010)を偲んで。

草稿を読み、貴重な意見を与えてくれたサリー・オライリー、マリーナ・ディレイニー、タムシン・ペレット、ジャッキー・クライン、マドレーヌ・ルッジ、エドガー・シュミッツ、マルクス・バーヘイゲン、アンドリュー・レントン、ナオミ・ダインズ、イウォナ・ブラズウィック、リチャード・ノーブル、リサ・ル・フィーヴァー、サイモン・シークに特別の感謝を。

クラウディア・アイレス、デイヴィッド・バチェラー、ジェニー・バチェラー、ジョヴァンナ・ベルタゾーニ、エル・カーペンター、トム・クラーク、ベッキー・コネキン、ジョナサン・レイヒ・ドロンズフィールド、ジェームズ・エルキンス、イアン・ファー、ステファン・フリードマン、アン・ギャラガー、エイドリアン・ジョージ、コーネリア・グラッシ、カロ・ハウエル、ジェマイマ・ハント、フィリス・ラリー、エレノア・マーシャル、トム・モートン、グレガー・ミューア、ハナ・ノーラリ、ジル・オフマン、エルヴァラ・ジャンガニ・オセ、バーニー・ページ、ウィリアム・ペイトン、クレア・ポーリー、アンドレア・フィリップス、オード・ランボー、ギャリー・ライリー＝ジョーンズ、ルーシー・ロリンズ、アレックス・ロス、バリー・シュワブスキー、アダム・スマイス、ジョン・スタック、ケイト・スタンクリフ、ヴァレリー・スティール、ジュリア・タラスク、エイミー・ワトソン、セリア・ホワイト、キャサリン・ウッドにお礼申し上げます。

この本に登場する全てのライター、アーティスト、翻訳家、写真家に感謝いたします。とりわけサラ・モリスには特別の感謝を。ここでのアドバイスは、著者ひとりの意見に過ぎず、いかなる機関や出版社の見解も示しません。これらの提案は、最初に従う必要のある雇用主、大学、美術館、団体、機関などのガイドラインとは異なる可能性があります。

この出版物に含まれるイメージの著作権所有者、および必要に応じて、テキストの引用元にたどり着くためにあらゆる努力がなされました。ここでの意図しない省略をお詫びいたします。

コンテンポラリーアートライティングの技術

2020年4月24日　初版１刷　発行

著 ―― ギルダ・ウイリアムズ

［翻訳版スタッフ］
製作 ―― 後藤繁雄
監修 ―― GOTO LAB（京都造形芸術大学）
翻訳 ―― 山下萌子
装丁 ―― 古谷哲朗

代理人 ― 株式会社トーハン

発行者 ― 合田有作

発行所 ― 光村推古書院株式会社
604-8006 京都市中京区河原町通三条上ル 下丸屋町407-2
TEL ―― 075-251-2888
FAX ―― 075-281-2881
www.mitsumura-suiko.co.jp

印刷 ―― 株式会社シナノパブリッシングプレス

ISBN978-4-8381-0602-8
Printed in Japan